삶과 생각 그 일상의 편린

발　행 | 2024년 1월 18일
저　자 | 조 희 연
펴낸이 | 한건희
펴낸곳 | 주식회사 부크크
출판사등록 | 2014.07.15.(제2014-16호)
주　소 | 서울특별시 금천구 가산디지털1로 119 SK트윈타워 A동 305호
전　화 | 1670-8316
이메일 | info@bookk.co.kr

ISBN | 979-11-410-6742-7

www.bookk.co.kr

겨울나그네 수필집

삶과 생각 그 일상의 편린

조희연 趙 熙 衍 著

CONTENT

제2화 단상/ 논설

머리말 *序文*

소중함이란 무엇을 의미하는가?

다만 내가 걷는 길을 따라 의미를 부여한 흔적을 모아 잊힌 나를 바라볼 수 있으면 족하겠다. 삶의 무게만큼 많이 헛헛해졌다. 내 자신을 찾는 일이란?.......어쩌면 외부로부터 나는 누구인가를 묻는 것보다 더 절실한 내면 깊숙이 내가 찾는 소중한 것들이어야 한다는 것, 절망과 비관 슬픔으로 나를 밀어 넣는 어리석은 행위를 가까이하지도 말며 관심도 두지 않는 올바른 판단을 늘 의식하고 생활 태도를 가지는 것, 주어진 일상을 따뜻한 시선으로 바라보며 자신을 항상 밝은 곳에 놓아두고 언제나 현재와 남은 미래에 존재하기를 포기하지 않음이 당연한 삶이어야 한다는 것, 아마도 부단히 생각을 바꾸는 발상의 전환이 필요한 다양한 삶의 환경에 처해 있다는 것을 인정하며 현실을 바꿀 수 없다면 어떠한 상황이 됐든 긍정적 수용과 태도가 중요하며 비켜 갈 수 없다면 정녕 즐김을 받아들이는 것, 삶이란 생각만으로도 이미 많은 부분을 비상식적인 행위로부터 벗어날 수 있다는 긍정의 지혜 또한 부족함에 대한 갈증을 해소하는 정신적 도구임에 틀림이 없다는 것,

다양한 '것' 들을 느끼고 깨닫고 의미를 가질 수 있다는 것만으로도 삶이 행복하고 다행이다. 라고 열린 마음의 행로를 내 안에 있기를 소망하며 과거와 오늘처럼 미증유 내일에도 자신의 존재 유일함을 잃지 않도록 부침(浮沈)을 거듭하기를 바라며 서두의 첫 발자국 옮깁니다.

수면 위를 부초처럼 떠돌던 검증되지 않은 케케묵은 골방 문학의 부스러기들을 끄집어내 먼지를 털고 녹슨 부분을 윤색을 하여 좌판에 진열해 놓습니다. 상처 입은 아픈 손가락이 이젠 아물어 상처가 치유되고 잊히지 않을 것만 같았던 지난 일들이 일장춘몽 파노라마였습니다.
삶은 시효가 존재하는 엄연한 사실 앞에 내일을 탐하는 상상을 강요하며 참으로 많은 시간을 지나왔습니다. 돌아보면 상상했던 일보다 지나온 후에 후회의 몫이 더 크게 와닿고 지혜의 깨달음이 명료해지더군요, 청춘이 한순간 사라졌고 중년의 시간 빠른 초침처럼 지나가고 남은 것은 골방에 쌓아 놓은 수북한 탄식의 기록만 남았네요,

가을이 오면

푸른빛 철문을 굳게 닫고
불덩이 지루한 하지의 열기 품고
스산한 바람에 식어가더니
가시밭 십자성 붉게 그으며
속절없이 떠나는 나그네처럼
살가운 이별을 고하고 있으리

떨어지는 진한 알밤 떼구르르
가을의 전령을 부른다.
허수아비 조을고 참새 떼
낮게 비행을 할 때 농부의 고함소리
가을 벌 메아리친다.

분이네 타작하는 날이면
폐란기 맞은 늙은 암탉이 수난을 당하고
알곡이 담긴 가마니 곡창에 후한 인심을 쌓아
그해 결실을 마감하리라

2001년 10월

떠나가는 넋

다비장을 치르듯 황덕불이 고운 불빛을 머금고 밤하늘로
검은 연기를 올리며 서늘한 밤 기온에 사위어 갔다.
수많은 푸른 별들이 밤하늘에 반짝였다.
떠나가는 망자의 넋을 위로하듯....

삼베옷 입은 상주의 눈물겨운 곡소리에 망자를 향한 애틋한
모정을 떠올리며 별리의 슬픔을 가슴에 묻고 있었다.
빈손으로 왔다가 빈손으로 떠나가는 인간의 삶,
여정을 접고 조용히 안식을 접는 망자의 넋이
집안을 떠돌다 이승을 떠나가고 있으리,
사람의 인연은 몇 만 억겁을 스쳐야만 만날 수 있는 고귀한
연이라 했던가, 가는 이 넋을 위로하는 조문 행렬이 밤새도록 줄
지어 늘어섰다.

아침이 돌아오면 한 줌의 흙으로 돌아가는 마지막 비상구,
자연으로 돌아가 정녕 긴 여정의 피로를 풀고 안식을 접으리.

2001년11월

아버지

어느새 백발이 성성한 주름 깊게 패인 얼굴에
온갖 풍상의 시름이 그림자처럼 얼룩져 있었다.

기름 짜내듯 뚝뚝 흘러 떨어진 구슬땀이 몇 말이냐
새벽닭이 울기도 전에 똥지게를 지고 밭으로 나가
밭을 일구다 동녘이 터오면 조반을 드시러 돌아오셔
동아줄처럼 굵은 핏줄선 손을 씻으시며 포만감에
환한 미소를 지으셨다.

사랑하는 가족을 위해 가난의 멍에를 지울 수 없었던
대쪽 같은 성품의 지독함을 버리지 못하셨던 아버지,
비 오는 날도 어둠이 가시지 않은 이른 새벽
어김없이 일터로 나가는 근면한 일상을 살아오셨다.

일생을 농사꾼으로 하릴없이 노는 한량을 가장 싫어 하셨던
부지런한 부모님, 세월은 그 강인한 모습을 하얗게 바랜 백발로
거동조차 힘겨운 쇠잔한 육체로 회한의 길목에 서 계셨다.

살아계실 때 효를 다하라 했거늘,
자식 된 도리를 다하지 못한 나에겐 영원히 부모님에게 진
빚을 갚지 못한 채 작금의 혼돈에 사로잡혀 떠도는 불효자다.

2001년 12월

별리

그녀를 사랑했다.
무모하리 만큼 맹목적 사랑의 불길은 너무 뜨거웠다.
활활 타는 가슴속 정열의 불꽃이 식어가는 줄 몰랐다..
이 세상 영원히....그러나,
낡고 빛바랜 단청의 변절을 의미하듯, 재를 수북이
남기고 빠르게 타버린 불꽃은 해묵은 낡은 시간 속으로
막차의 운명을 싣고 속절없이 떠나가고 있었다.
그것도 아주 비참하게 칼날을 품에 안고 단절을 의미하듯,
다시는 만나야 하지 않을 사람들처럼 악연으로 떠나가는
그 숙명 앞에 눈물도 설움도 싸늘한 무표정만 남긴 채
지독히 썩어버린 환부를 도려내는 심정으로 번득이는
눈앞에 메스를 가했다.

그리고 나는 그 후 사랑이란 언어의 결핍증에 시달렸다.
버림받은 상처의 아픔이 텅 빈 가슴을 휘감아 오래도록
환청에 시달렸다. 다시는 사랑하지 않으리라고.....

2001년 4월

유년의 동산

휘파람을 불며 나지막한 산길 따라 올랐다.
가시나무 넝쿨 살갗을 할퀴며 옛사랑이라 갈구한다.
빨갛게 익어가는 산딸기 탐스럽게 유혹을 했다.
머루며 다래며 알알이 익어가던 가을 볕 산야에
노을이 붉게 타 툭툭 떨어지는 불똥을 보았다.

다 헤진 소매 끝이 반들반들 올이 보이지 않도록 훔친
까무잡잡한 코흘리개 시절, 언덕에 서서 불타는 서녘을
바라보았으리, 산 너머 누가 사는지 막연히 궁금증을
갖게 했던, 그 곳을,

비 갠 햇살을 머금고 찬란한 아치를 자랑하던 무지개를 타고
가면 신비에 싸인 유리 궁전을 볼 수 있을까 싶었다.
환상의 꿈은 오래가지 않았지만 유년의 풍경은 늘 아름다웠다.

2001년

내 유년은 그랬다

칼바람이 문풍지 떨며 파고드는 사랑방,
화롯가에 둘러앉아 암울했던 더 지난날
할머니의 전설 같은 이야기를 듣는다.
해방이 되어 왜놈들이 도망가고
육이오가 터져 중공군이 들어와 우물가에 진을 치고
밥을 해 먹었다는 산 역사를 말씀하셨다.
날아드는 포탄을 피해 피난길에 오르고
할머니의 친정 가까운 산속으로 갔었단다.
바위틈에 숨어서 섬광이 번쩍이는 포탄 떨어지는
광경에 혼비백산하여 죽었구나 했었단다.

겨울날 저녁 설거지를 끝낸 형수님이
바가지에 담아 가져온 농익은 당도높은
고구마가 유일한 간식이었다.
트랜지스터 라디오에서 흘러나오는
손오공 연속극에 귀 기울이며 상상의 나래를 폈다.
밤에는 북한 방송이 더더욱 선명하게 들리던
강원도 산간마을, AM 방송에서만 잡히던 손오공
연속극은 귀를 쫑긋 세워도 북한방송에 중복되어
아슬아슬한 장면이 넘어가면 미치도록 원망스러웠다.

괴물처럼 포악하고 못 생긴 외계인으로 생각했던
북한 사람들, 만화책에도 삐쩍 마르고 고약하게
묘사되어 있어 정말 그런 줄 알았다. 아침 일찍
마당에 나가면 밤새 서리 맞은 삐라가 떨어져 있었다.
검은 썬글라스를 쓴 박통이 민초들의 고혈을 짜는

그림이 그려져 있었고 파쇼...뭐라 했고, 이면에는
민족의 태양 어버이 수령이라나 뭐라나 그런
선전문구가 붉은 글씨로 선명하게 쓰여져 있었다.
학교에 갔다 내면 공책이나 연필을 주었다.
불온 삐라를 가져왔으니 애국자의 포상이었다.

위대한 영웅 "나는 공산당이 싫어요"
이승복 어린이의 당당한 외침이 초등학교 국어 책에서
읽혀지면서 불끈 주먹을 쥐고 반공정신이 뇌리에 박혔다.

적개심은 불타고 책보를 든 이승복 동상에 머리숙여
속으로부터 끌어오르는 분노와 벅찬 감동을 억누를 수 없었다.
고사리 같은 두 주먹을...웅변은 우렁차고 천하를 호령하듯,
오염되지 않은 뇌리에 외침은 단단한 쇠말뚝처럼 쇠뇌되었다.

격리된 그곳으로부터 빠져나오기까지 오랜 시간이 흘렀다.
스스로의 정체성을 느끼기까지, 그리고 의식을 깨닫기까지,
어쩌면 지금까지도 색안경 너머 그 괴물들이 존재하고 있다고
믿는지도 모른다. 다만 생김새는 같다는 것 말고는....

2004년 1월14일

휘영청 밝은 달밤에....

산간 마을 어둔 밤,
호롱불빛 보다 더 밝은 달빛이
오두막 창호 문 두드릴 때
틈새 비집고 파고들던
겨울바람이 울려 놓던
문풍지도 졸고,
싸리울 숨어든
텃새도 웅크린 채
밤이 깊은 줄 몰랐다.

개울 건너 응달 말,
목숨처럼 힘겹게 켜지던 등불,
척박한 농사일에 돌덩이 같던 엄지손가락,
가시처럼 따갑게 찌르던 바늘 끝,
어머니는 소경 문고리 잡는 눈뜬 장님이셨다.
개구쟁이 막둥이, 개울가 길동무 불장난에
구멍 난 양말 꿰매주시느라 손금이 다 닳으셨다.

"에구~!"
"난 눈이 있어도 안 보인단다."
"네가 바늘귀를 꿰어봐라."

참 이상했다.
어른은...
특히 어머니 아버지는 못하는 게 없는 줄 알았는데,
바늘귀 하나 꿰지 못한다니..?

의기양양했다. 바늘귀 꿰는 일에
어머니 아버지보다 낫다는 우월감,

골판지 곽통에 수북이 쌓이던
보배와 같았던 해묵은 책갈피 찢어
접은 딱지, 팔뚝 굵기의 소나무 토막으로
팽이도 만들고 옹이 박힌 꼬챙이에
철사 줄을 끼어 썰매도 잘 만들었다.

까무잡잡했던 코흘리개 막둥이는
지가 제일 잘난 놈인 줄 알았다.
팽이도 잘 치고 썰매도 잘 타고,
딱지치기도 잘했다.

각질 떨어지듯,
흔적의 땟물이 씻기고 씻겨
어머니 아버지의 골 깊은 초상이
거울에 비쳐졌다.

그리고 깨달았다.
눈뜬장님이 되어
내가 그곳에 서 있다는 것을....2004년 1월 12일

아버지 생신 날

78세의 장년을 꿋꿋이 살아오신
세월에 대한 보상을 누가 해줄 수 있을까?
떠도는 부초처럼 정착을 아니한 황혼녘,
그것은 곱게 물든 낙조가 아닐 때
회한의 깊이는 더할 것이리라.

온화함 보다는 벼랑에서 호랑이 새끼를 떨어뜨리듯,
냉혹한 현실에서 살아남기 위한 방법을 가르쳐 주셨던
어미의 부릅뜬 눈 뒤에 맺히는 이슬의 속 깊은 의미를 알 수 없었다.
절약이 모자라 절약을 절약하는 지독하리만치 근면한
삶이 전부였던 시대적 가난한 피해의식은 옹이처럼
가슴팍에 박혀 돌처럼 굳어 버렸다.

이젠 쉴 때도 됐는데,
한 많은 지난 세월이 억울해
아직도 손을 놓지 못한 채
장성한 새끼들 등 너머 애써 감추며
길든 마지막 자존심은 서릿발에도
가까이 가면 베일 것 같은
고개 치켜든 칼날 댓잎이었다.

2003년 12월 28일

성탄절

꿈속에 등장하는 유년의 성탄 기억..
산허리에 우뚝 솟아 있던 예배당은 지금도 고향의 그 자리에
변함없이 자리를 지키고 있다. 세월 흐른 만큼 낡은 건물로
다가오지만, 유년의 눈(視)에는 예배당이 신비롭게만 보였었다.
종교적인 색채를 띤 독특한 건축 양식은 '종교'라는 단어를
떠 올릴 때마다 등식처럼 어린 시절 예배당을 생각하곤 했다.

하얀 건물에 낯선 백인 신부, 서툰 어눌한 한국말을 하는
신부님은 정말로 하나님의 분신으로 생각할 만큼 순진했다.
요즈음은 아이들도 사탕을 잘 먹지 않는다.
그땐 사탕 한 개에 두려움마저 느꼈던 예배당을 들어설 수
있는 용기가 있었다니 가히 먹는 것에 목숨 건다는 것,
누구도 여기에 예외라고 장담 못한다는 것이다.
사흘을 굶으면 담을 넘는다는 옛말, 먹는 게 생사에 달려
있을 땐, 생각에의 욕구나 용기가 아니라, 필사적인 본능이리라,

"축 성탄" 이라는 까칠까칠한 금분 가루가 뿌려진 글이
선명하게 박혀 있고 노송(老松)에 우아한 날갯짓의 학의
그림이 일색이던 카드는 유년에 각인된 성탄절 파노라마였다. 미
대에 다니던 형님이 계셔 연말이 되면 카드를 그려 팔아
용돈을 벌곤 했었다. 카드에 필연적으로 등장하던 언덕 위의 하
얀 예배당 조영남의 가사에도 나오는 그 하얀 예배당이 바바리
를 입은 연인들의 걸어가는 모습 뒤로 카드에도 등장했다는 것,
그 카드가 지금도 서가 어딘가 책갈피에 꽂혀 있다.

무신론자에게 종교란 의미는 퇴색했다. 단지 연말 분위기에

편승한 잔잔한 수면에 이슬 한 방울 떨어져 작은 소용돌이를 일으키듯 뇌파를 건드리지만, 충격 흡수에 능숙한 유연성의 고무줄처럼 그다지 느낌이 와닿지 않는다는 것이다.
때가 묻고 닳아버린 감수성의 얇은 껍질조차 저당잡힌 생활과 맞바꿨을 것이다. 그래도 아이들은 몇 년 동안 사용했던 케케묵은 플라스틱 트리를 꺼내 며칠 전 베란다에 설치하고 좋아했다. 색색이 점멸하는 등이 물끄러미 바라다보는 나의 시각에 머물고 조용한 성탄절 아침을 맞이한다. 직장을 하루 쉰다는
휴일이라는 것밖에는 달라질 게 없는 나의 일상 맞이와 다름없음이다.

2003년 12월 25일

향수

눈 내리면 생각나는 고향,
발목까지 푹푹 빠지던 강원도 산골,
그곳에 내 고향 유년의 언덕이 있었지,

연말이 되면 멀리 소도시를 끼고 산허리
교회당에서 종소리와 함께 성탄 캐럴이 들려오곤 했었다.
유난히 희고 환하게 보였던 교회당,

아이들 입소문에 성탄절에 예배당에 가면
사탕을 준다고 했다. 그래서 따라 가봤다.
염불보다 잿밥이었으니, 코 큰 서양 신부님의
어눌한 설교는 통 무슨 말인지 모르겠고,
키득키득 장난질하고 사탕 받고 입이 찢어졌다.

그게 내 유년의 하나님 대리인과 첫 대면이었다.
아마도 하나님은 기억도 못할 것이다.
까무잡잡한 코흘리개 사탕 도둑에 사이비 돌 신자를....

연말 성탄절이 오면 그 시절을 생각하면서
그렇게 나는 성장했다. 그 이후론 예배당에 간 적이 없다.
무신론자다. 사탕에 눈이 멀어 간 것 밖에는....

2003년 12월 24일

연탄불

철물점 거래처 매장에 놓인 연탄집게를 보면서 지금도 연탄을 난방용으로 사용하는 세대가 있을까 궁금했었다. 콘크리트 건물을 짓거나 교량을 놓을 때 뼈대 역할을 하는 철근을 휘어 가위처럼 만든 연탄집게는 겨울날 부엌에 꼭 필요한 도구였다. 초겨울에 미리 연탄을 들여놓아 수분을 말려 불도 잘 붙고 인체에 유해한 가스도 줄이는 부지런함이 미덕이었다. 연탄 100여 장, 그리고 언 손을 비비며 분홍색 고무장갑을 끼고 김장을 하면 월동준비는 끝난다. 화장실 구석에 가득 쌓인 연탄을 바라보면서 올겨울 무난히 보내겠다는 뿌듯한 마음은 70년대 서민들의 소박한 소망이었다.

연탄불이 꺼지면 난감하다. 후한 인심을 지닌 집주인을 만나 곧 꺼지기 직전의 상단 부분까지 하얗게 돼버린 불쏘시개로 요긴한 타다남은 연탄이라도 내어주면 그렇게 반가울 수가 없었다. 그런 인심을 못 얻으면 구멍가게에 달려가 번개탄을 사와 신문지에 불을 붙여 콜록콜록 연기를 마시며 연탄불을 지펴야 한다. 겉 비닐 벗기는 것조차 귀찮아 그대로 불을 붙여 비닐이 타면서 매캐한 유독가스도 발생한다. 추위에 떨며 바람막이도 변변치 않은 손바닥만 한 셋집 부엌은 금세 연기로 자욱했다.

조선시대에는 며느리가 불씨를 꺼뜨리면 소박을 맞는다고 했다. 그만큼 불은 겨울은 물론 일상에서 밥을 짓는다거나 그 밖에 식생활에 절대적으로 소중한 존재였다. 겨울날 연탄불을 꺼뜨리면 게으르다는 소리 듣는다. 알뜰하고 부지런한 사람은 절대 불을 꺼뜨리지 않는다. 일상적인 생활상에서 근본적인 사람의 됨됨이를 가늠할 정도로 중요한 잣대로도 불을 다루는 것에 비유했다.

지금은 불을 꺼뜨려도 다시 지피는데 아무런 장애가 없을 정도로 편리한 보일러가 집집이 설치되어 있어 불(火)로 인한 칠칠맞다는 소리 들을 일이 없다. 보일러가 망가져 불을 못 피워도 며느리 잘못이 아니며 누구의 잘못이 아닌 오래 사용하여 낡아 버린 보일러 잘못이다. 고치거나 새것으로 갈아 치우면 된다. 기름보일러 또는 가스보일러는 그러한 불로 인한 강박관념에서 해방시켜 주었다.

연탄불은 밑에 롤러가 달린 원통형의 화덕에서 고열을 뿜어내며 잘도 탄다. 연탄아궁이는 시골에서 보는 나무로 불을 지피는 아궁이와 다르다. 화덕 구조에 맞게 형성된 통로에 쑥 밀어 넣으면 처음엔 따뜻해지면서 좀 더 시간이 지나면 구들을 통해 전해오는 온기는 뼈 속까지 녹여주는 뜨거운 열이 지속한다.
연탄 구들장은 노동에 지친 육체를 풀어주는 유일한 효자손이었다. 부실한 방바닥에 거미줄처럼 쩍쩍 갈라진 틈새로 스며드는 연탄가스만 조심하면 시골 사랑방에서 느끼던 따스한 온돌방이나 다름없었다.

동치미 국물이 민간요법으로 요긴하게 쓰이던 연탄불에 관한 사연이 심심찮게 뉴스에 등장하고 아까운 생명이 하룻밤 새에 요절을 하는 불상사가 부지기수였다. 지금은 연탄가스에 사망했다는 뉴스를 본 적이 없다. 달동네에서 사용한다고 해도 숫자가 워낙에 적어 사고율이 현저하게 낮아 보고가 되지 않을 것이다.

78년도에 서울에 입성을 하고 79년도에 아침 출근길에 유신헌법의 장본인이었던 박대통령이 전날 밤 측근 중앙정보부장에 의해 궁정동 만찬석상에서 죽임을 당했다는 방송을 들었다. 그때 뚝섬(성수동)에서 보증금 30만 원짜리 월세방 얻어 살았다. 채 겨울이 들어앉기 전 10월이었지만 혼란한 정국이 계속되면서 겨울을 맞이했다. 대통령의 죽음은 서글픈 일이었지만 초겨울에 다가온 추위와 나의 삶에 비해선 그저 한 나라의 대통령이 죽었다는 애석한 마음뿐이었으리라. 소시민으로 살아온 가난한 서민의 가슴 속엔 추위가 더 견디기 어려운 현실적 문제로 대두하였을 것이다.

허름한 자취방. 한쪽 벽이 방풍지도 달지 않은 한 겹 창호문이었다. 밖에서 바람이 불 때마다 유령처럼 창호문이 흔들렸다. 손가락 굵기로 뚫린 창호지 틈으로 바람이 윙윙 소리 냈다. 이불을 목까지 치켜 덮고 얼굴만 내민 채 겨울을 달랬다.
말을 할 때마다 입김이 서리처럼 하얗게 허공에 흩어졌다. 형님과 함께 생활하면서 연탄불을 갈 때가 되면 서로 눈치작전을 편다. 작전에 실패하면 투덜거리며 겨울바람을 온몸으로 부딪치며 연탄집게를 들고 화장실까지 달려가 연탄을 가져와
훅 치밀어 오르는 가스를 마시며 19개의 구멍을 잘 맞춰 놓아야 한다. 그래야 연탄이 잘 탄다. 무방비 상태에 가스를 들이켜 머리가 어찔어찔해도 머리가 나빠져도 다소 구역질이 나도 상황이 그럴 수밖에 없는 현실에 적응하는 길밖에 달리 선택이 없었다.

자취 생활을 하면서 식품의 으뜸은 단연 라면이 최고였다.
아궁이에 밀어 넣은 화덕을 끌어내 냄비에 적당히 물을 붓고 올려놓으면 라면 봉지를 뜯기가 무섭게 끓어 오른다. 라면을 넣고 스프를 넣고 고급에 속하는 계란이라도 넣을 수 있으면 행운이었다. 젓가락으로 휘휘 저으며 골고루 면발이 익어 쫄깃쫄깃해지면 식사 준비 완료다. 백태가 하얗게 낄 정도로 발효가 극에 달한 신김치는 라면하고 궁합이 잘 맞는다. 평소엔 신김치를 좋아하지 않던 나는 라면에 넣어 잘 먹었다.

겨울날 서민들의 삶은 혹독한 추위와 맞부딪히며 견뎌내야 한다. 적당한 바람막이가 그리 만만치 않았으니 몸으로 때우는 게 상책이었다. 연탄 한 장이 소중했던 시절, 그게 우리들 세대의 젊은 날이었으리라 시대적 상황은 절대 변수가 없었고 몸으로 맞서며 슬기롭게 대처했다. 흑백텔레비전이 이상적인 방송 매체로 안방을 차지하고 지금은 흔한 냉장고도 그땐 중산층이나 사용했었다. 좀 더 고급 생활을 하는 사람들에겐 세탁기가 있었다. 여름에도 얼음을 얼려 먹고 자동으로 빨래 해주는 기계가 서민 생활엔 상상하기 어려웠다.

젊은 시절이었으니 가전제품에 대한 이상도 달랐다.
폼나는 오디오 (그 때는 전축이라 했었다.)를 사는 게 꿈이었으니? 지금 생각하면 소박하다는 것은 하기 좋은 말이고 초라하기까지 하다. 알량한 봉급에 몇 달을 저축해도 고가의 오디오를 살 수 없었다. 마치 음악이 인생에 전부인 양 펵 낭만적이었던 맹목적인 추종은 낡은 기억으로 남아 있지만 성장의 뒷 이야기로 까발려도 험되지 않은 옛 추억이었다. 평생에 자동차를 내 손으로 운전을 해 볼 수 있을까? 그런 행운이 올 수 있을까? 하는 미래에 대한 가능성을 전혀 점칠 수 없었던 머리 나쁜 내 생각이 불과 20여 년 전이라니 실소를 머금을 일이다.

21세기 첨단 문화에 정체성 혼란이라는 유행어까지 난무하는 미디어 발달에 아날로그 세대와 디지털 세대의 현격한 차이를 좁혀 가느라 허덕거리는 우리에겐 어느 곳에도 머물기가 만만찮다. 시대는 변하고 의식이 변하지 못하면 대열에서 탈락하고 마는 현실을 싫든 좋든 받아들여야 하는 우리들의 과제일 것이다. 어려웠던 70년대 연탄 한 장에 겨울을 나던 시절을 떠올리면 지금은 그래도 안온한 삶이 아니던가? 묻고 싶다. 힘들고 고달프고 어렵다 해도 지난날보다는 나은 삶을 누리지 않은가 자위적인 안도감에 미소를 지어본다. 물론 삶의 질이 좀 나아졌다고 해서 정신이 건강하다는 의미는 아니리라. 현대의 삶은 물질의 풍요와 비례하여 오히려 정신이 황폐하고 타락했다고 진단한다. 각자의 판단에 따라 삶의 가치도 다르다고 하겠지만, 어딘가 정서적으로 불안하고 일그러진 그로데스크한 자화상으로 떠돌고 있을지 모를 일이다. '열심히' 라는 구호 같은 수식어가 퇴화하는 작금의 급변하는 상황은 한 푼, 두 푼 모아 꿈을 실현하기에는 고갯길이 험준하다.

그래도 존재한다는 것 하나만으로도 살아야할 의무를 지녀야 하는 우리네 삶,10년 후에... 또는 20년 후에 스스로 원하던 소망들이 현실로 나타나 오늘을 향수의 언덕에 떠올리며 격세지감의 호사를 누리지 않을까 부질없는 속내를 드러내 본다.

2003년 12월 21일

장마

장맛비가 내립니다.
부슬부슬.. 때론 역겨운 반란의 몸짓의 소나기는 무섭기만 했습니다. 봉당에 쪼그리고 앉아 성난 하늘을 바라보며 두려움에 떨었습니다. 흠뻑 젖은 초가(草家)가 무너져 내릴 것만 같아서요, 처마 끝에 실처럼 가는 게 흘러내리던 부슬비는 처량하기도 했습니다. 똑 똑 떨어지던 빗방울은 봉당 너머 마당에 작은 분화구를 만들어 놓곤 했었지요,

황토물이 도랑을 거처 거칠게 굽이치는 개울물 되어 하구로 떠났지요. 거친 물살을 피해 개울가 풀섶으로 밀려난 붕어와 미꾸라지 잡아 장마철 헛헛한 허기를 채우고 단백질을 보충했었지요, 꼭 이맘 때 내 유년은 그랬습니다.
2004년 7월 7일

팔월 무더위

무엇이든 녹여낼 듯 폭염이 들이닥쳤다.
예고 없이 찾아온 한여름 더위가 기승을 부린다.
그래도 기온은 29도를 오르내리지만 습도는 낮아 그늘에
앉아 있으면 시원하다. 이상 기후로 빨리 찾아온 더위,
짧고 무더운 여름이 될 거라고 하는데...

초등교시절 학교를 파하고 수통머리 개울을 건너
연필이 필통에서 달그락거리는 책보를 둘러메고
물방둥지를 향해 줄달음치고 옷 벗기가 무섭게
물속으로 뛰어들곤 했었다. 까무잡잡한 피부에
눈만 반짝이던 여름날의 추억이 지난날이었다.

이글거리는 여름날 태양에 그을린 까만 피부,
돌부리에 걸려 넘어져 무릎과 팔꿈치가 까이고
땟물이 줄줄 흘러내리던 정강이, 개울가에
쪼그리고 앉아 돌멩이로 살갗을 밀어보며
하얀 피부를 소망했었다.

개헤엄이 주특기인 유년시절, 물속에 오래 있으면
입술이 새파랗고 오톨도톨 닭살 같은 소름이 돋는다.
폭염에 열이 축적된 너럭바위에 배(腹)를 깔고 엎드리면
뼈 속까지 스며드는 처음엔 뜨거우면서도 안온함이란
초자연적인 찜질 효과다. 지금까지 건강하게 사는 이유도
유년의 자연적인 환경에서 자라고 길든 결과가 아닐까 가늠해
본다.

물방둥지라 불리는 고향 앞개울 물방아 터,
어린 시절 한여름 내 집보다 더 가까웠고 더위를
식혀주고 달래주던 곳이었다.
두 곳에 소(沼)가 형성되어 있어 온 종일 물속에서 살았다.

2004년 6월 2일

한여름 더위를 피해 뛰어들었던
그 옛날 그리운 시냇가 물방둥지를 상상하며

찔레꽃 찻집

찔레꽃 피는 찻집은 어디에 있을까?
강원도 산골 첩첩 산중에 있었던가?
기억이 없는 찔레꽃 찻집,
가수 조영남씨의 옛 사랑의 흔적이었을지도....

찔레꽃은 내가 살던 고향 앞 개울엔 지천에 깔려 있었다.
가시 끝이 매서워 선불리 다가서지 못했던 찔레꽃,
새순을 꺾어 껍질을 벗기고 씹어 먹던 기억이 떠오른다.
가끔 꽃뱀이 찔레나무에서 똬리를 틀고 혀를 날름거리곤 했었다.
낭만적인 찔레꽃 찻집과는 거리가 먼 유년시절
초근목피로 연명하던 절박한 시절은 아니었지만,
새순을 한아름 꺾어 집으로 내달리곤 했었다.
2004년 5월 27일

고향 무게골

아무도 살지 않는 무게골엔 동식물들의 낙원이었다.
골짝에 작은 폭포가 있는 그늘 밑에서 시원한 물 한 모금 마시며 한 낮의 뙤약볕을 피하고 다래 덩쿨 잎 사이에 이름 모를 새집을 발견했다. 푸른 빛이 도는 새 알을 보고 보물을 발견한 것처럼 심장이 뛰었다.

자연 속에 존재하는 수많은 생명의 대한 경이로운 광경을 목도한 셈이다. 어미는 아마도 산 속으로 찾아든 이방인들을 보고 놀라 날아간 듯, 조용히 메시지 없는 생명체와의 무언의 화답을 했을 뿐이다.

2005년 6월 16일

그해 유월

검푸른 유월 모내기 끝낸 밟힌 논두렁이 한가롭다.
마지막 꽃 잔치에 가담한 이름 모를 꽃들이 황혼처럼 농익었다.
자연의 모든 것들이 제 역할을 다하는데 부질없는 고민 많은
불만의 인생이 너무 이기적이지 않은가?
새털 같은 가벼운 마음으로 진정 살 수는 없는 건가?

2009년 6월 19일

밤 따기는 나의 몫이 아니었다

명절 보름달이 희부옇게 떠오르던 동산에
달만 뜨는 것이 아니었고 길 잃은 밤새도 날아들고
한여름 짧은 생애를 마친 곤충들의 찬란함도
잠들어 있다. 그뿐이랴 깎아지른 바위 밑 안온한
사각지대엔 어김없이 토종 벌통이 자리 잡아 벌들이
가을날 차가운 습기와 냉기를 피해 잠자리를 찾고
월동을 준비하고 있었다. 가을날의 상징적인 코스모스
길 따라 가파른 야산에 즐비한 밤나무엔 알밤을
쏟아 내기에 바쁘고 가로수 은행나무엔 황도 빛
은행들이 알알이 달려 길손들의 발길을 붙잡았다.

이가 두어 군데 빠진 ㄱ 자로 휘어진 투박한 낫을 들고
고향집을 나섰다. 밤나무 아래에는 들풀들이 사람 한길
정도 자라 풀을 베어내지 않으면 숲에 떨어진 알밤을
줍기에 여간 성가신 게 아니다. 휘두르는 낫에 잘려 나가며
풀 향이 강하게 코끝을 스쳐가고 잊혔던 향수와 같은 후각에
익은 내음 그게 바로 그 옛날의 야트막한 산야에 저녁나절
쇠꼴 베면 풀풀 날리던 그 향이 아니었던가?

더 많은 밤을 따기 위한 밤나무 오르기는 나에겐 체력의
한계에 부딪혀 포기할 수밖에 없었다. 그저 반갑지 않은
이방인의 포옹에 절규하듯 밀어내는 밤나무 흔들기만을
여러 번... 실한 물건이 풀숲에 낙하하는 둔탁한 소리,
그것은 굵은 빗방울이 갈 나뭇잎에 떨어지는 소리보다
강도 높은 음으로 구별이 되는 밤톨의 무게와 속도의
적절한 화음이 조성되는 특별한 소리였다.

아마도 뇌리에 포착되는 소리와 시각적 효과가
어울리는 물체의 형태를 식별하고 맛을 느낄 수 있는
이미 체득한 일련의 과정의 욕구와 맞아 떨어지는
지극히 자연적인 리듬이기에 그 소리는 정겹게 들렸을 것이다.

다람쥐처럼 잘도 올라가곤 하던 나무타기는 이제
내 육체와는 거리가 먼 벼랑 위에 피는 에델바이스를
바라보는 것처럼 상념의 대상으로 체념뿐..

2002년 9월 23일

1986년 <남한산성>

결단

어느 분야든 전공이 따로 있다. 그리고 그들은 소위(所謂) 전문가라며 자위한다. 예외 없이 문외한인 나는 어눌한 어조로 조목조목 따져 묻지만, 한결같이 그는 상업적이며 직업적인 화술로 어김없이 비전문가를 공략하는데 그리 어렵지 않게 제압한다. 보일러의 저탕식과 순간식을 비교할 때 저탕식은 이미 구형모델이며 연료비도 많이 들고 구조면에서도 공간 비효율적이며 고장율도 높단다. 그리고 지금은 하향식인 순간온수방식으로 연료 소비량이 현저하게 낮고 고효율적이라 강조 한다.

물건을 팔고자 하는 사람은 절대 판매물품에 관하여 나쁘다고 하는 사람 없다. 좋다는 문구 외에 장황하게 늘어놓으며 홀기는 그 술수는 영업의 기본조건이 아닌가 말이다. 물건을 팔면서 밑지고 판다고 하는 장사꾼의 논리가 어제 오늘의 얘기가 아니다. 절대 남는다고 안한다. 팔면서 대부분 손해를 본다며 강조한다. 이것은 매수자의 부정적 심리를 꿰뚫고 상대적 낮은 자세이자 구매심리를 부추기는 전략이다. 알면서 속아주는 사람의 미묘한 심리상태를 잘 활용하는 상술이라 하겠다.

말 한 마디에 천량 빚도 갚는다고 했으니 좋은 말은 알뜰히 거두어 장황하게 늘어놓는 그의 살아남기 위한 직업의식에 알듯 모를 듯 교활한 회심의 미소를 지으며 속아주는 나 역시 그와 다를 바 없는 동질성을 지닌 생활을 하고 있기 때문일 것이다.

이태 전 지금 살고 있는 아파트에 이사 오면서 보일러 점검을 하지 않아 미세하게 새어 나오던 온수를 발견하지 못해 전 입주자에게 배상을 받지 못하고 이제껏 그냥 사용해 왔다. 습기와 질척이는 베란다를 바라볼 때마다. 여간 신경 쓰이는 게 아니었다. 겨울이 채 들어앉기 전 거금을 들여 오늘 새것으로 아예 교체를 했다. 차일피일 미루다 이제야 경제적 여력도 생겨 눈 질끈 감고 결단을 내렸다. 하루 이틀 살 집도 아니고 변수가 없는 한 언제라는 시효 없는 주거공간으로 가급적 편안하고 안온해야 일도 제대로 손이 잡힐 것이리라. 소심한 성격 탓인지 작은 문제라도 신경이 거슬리면 편치 않다. 용케도 2년여 사용한 것을 보면 이제 나의 결벽증도 어느 정도 무뎌가고 있을 것이다. 아니면 여유가 없는 경제적인 문제가 더 비중 있게 뇌리를 지배한 탓은 아니었을까 싶기도 하다.

집은 세월이 지나면 낡고 녹슬고 부서지곤 한다. 삶이 퇴락하는 것처럼 그에 비례하며 부스러지는 집도 수리를 하면서 생활에 맞게 조성해 가는 것이리라. 그리고 집은 나 혼자만이 사는 공간이 아니었다. 아내와 아이들 그리고 아이들이 기르는 햄스터도 있다. 그뿐인가, 아직도 끝나지 않은 전쟁을 치르는 곤충들과의 싸움은 나를 지치게 한다.

개미군단의 숫자는 헤아릴 수 없을 정도로 많다. 그 들은 닥치는 대로 빨고 물어뜯고 약탈해 가는 작지만 막강한 군대다. 심지어 밀봉되었다고 판단한 라면 봉지까지 뚫고 들어가 초토화시키는 위력을 보여줬다. 그들도 생명체로 지구촌의 일원으로 받아들여 달라는 무언의 메시지를 내게 보내고 있을지 모를 일이다.하지만 나는 냉담한 반응을 보이며 다시금 전쟁을 시작했다. 물론 종전처럼 퇴로를 차단하고 궁지에 몰아 제거하는 치밀한 작전은 없다. 치명적인 그들의 공략이 없기에 가끔씩 아주 가끔씩 혐오스런 행위가 목격될 때마다. 그들을 향한 공격을 개시한다. 가장 손쉬운 것이 회오리 전법이라고 할 청소기를 들이대고 마구 빨아들이는 작전이다. 회전하며 도는 회오리 블랙홀로 빨려 들어가며 어지럼증에 기절하고 말 것이다. 기절초풍이라는 언어가 이를 두고 하는 말일 게다.

스산한 가을인데 우리 집은 모기도 극성을 부린다. 지금쯤 계절적으로 모기의 생존이 불가능할 터인데 밤이면 그들은 잠자리에 든 무방비 상태의 내 육체에 따갑게 찔러댄다. 고약한 모기들의 행진은 그 대가를 톡톡히 치르고야 만다. 그들은 거대한 공룡눈에 절대 포착되지 않을 것이라는 착각에 빠져 벽에 찰싹 붙어 미동도 없이 숨죽여 있지만 이미 뛰어난 나의 동물적 감각은 그들의 두뇌 없는 반사적 행동은 무용지물이 되고 만다. 잠결이지만 내 시야는 아직도 건재하고 모기들의 습성을 이미 갈파하고 있었다. 어김없이 그들에겐 엄청난 파괴력을 지닌 옷가지의 휘두름에 절명을 하고 만다.

개미나 모기나 우리들이 살아가는 일원으로 받아들이기에는 해악의 조건이 많다. 공존이란 서로에게 이해득실을 떠나 해를 주지 않아야 하는 선행 조건이 있지만 그들은 그러한 조건에 관하여 약조도 없고 지키려는 의지도 없다. 어쩌면 우주공간에 피조물들은 인간의 영역으로만 명명되어 있지 않은 무주공산에 모두가 함께 공유하고 생활해야 할 지분이나 공분이 있다고 항변할지 모를 일이다. 그러나 어쩐지 나에겐 애석하게도 그들을 받아들이며 공존의 의무를 지녀야 할 뜻이 전혀 없는바 해마다 여름이 돌아오면 기나긴 전쟁을 치르고 말 것이다.

나는 스스로의 안위만을 추켜세우는 게 아니라 가족의 파수꾼으로 아내가, 아이들이 싫어하고 혐오하는 심중을 헤아려 무자비한 살상병기가 되어 공격과 방어로 경계를 게을리하지 않으리라, 먼

훗날 모를 일이다. 초우주전범재판소에 기소되어 육체와 영혼이 분리된 영원한 우주미아가 되어 유성처럼 중력에 따라 부유하고 있을지도......!

2002년 9월 24일

1986년 <덕소 강변>

산다는 것은

주말의 오후는 한적하다. 주변 환경이 아니라 나의 일상으로부터 홀가분한 시간을 소유할 수 있다는 것이다. 컴퓨터에 코 박고 시선을 떼지 못하는 꼴이 불만스러운지 가까운 장터에 가자며 넌지시 운을 떼는 아내에게 '그러마' 하고 오늘 한번 인심 쓰는 게 아니라 누가 들으면 팔불출에 공처가라고 할지 모르지만, 일상적인 흔한 아내와의 동행이다.

순전히 머슴이나 다름없는 짐꾼 역할을 대신하고 있는 것이다. 장터에 가서 내가 고르는 물건은 없다. 나는 그다지 먹는 것 또는 그 밖에 소유에 대한 관념이 별로 없다. 그것은 나이가 들어가면서 점점 더 소유개념이 사라지고 있다 하겠다. 성직자나 불교신자도 아니면서 언제부터인지 홀가분한 무소유에 정신을 팔고 있다. 사람이 소유의 개념이 없으면 발전도 없다고 하는데 어쩌면 일맥상통하는 언어일지도 모른다는 생각이 든다.

허기사 물질만 소유한다고 할 수 없으리라, 정신적 갈망이나 집착, 소망 따위도 소유에서 비롯된 결과라 할 것이다. 그렇다면 나에게 소유란 피조물에 관한 무소유를 주장하고 있다고 하겠다. 이에 대한 나의 돌연 변해버린 사고에 아내가 질책을 한다. 허튼소리라며, 지금 그 따위 비경제적인 사고에 호사를 누릴 때냐며 비아냥거린다. 그렇다. 나에겐 실한 대미지 없는 현존에 안주하기에는 인생 고갯길이 험준하다.

반환점을 돌아 도착점이 서서히 드러나는 마라톤 주자가 아니라 이제 출발하고 숨이 막혀오는 완만한 언덕길을 오르고 있는 것이다. 갈 길은 멀고 내가 거두고 인도해야할 피붙이 들이 눈만 반짝거리며 둥지에서 입을 벌리고 먹이를 달라고 보채고 있다는 것이다. 걸음마를 이제 갓 뗀 아이들의 가장인 것을(?) 그 길이 멀고 험하여 힘에 부쳐 아예 생각하기도 싫지 않은 현실도피였을지도 모를 일이다.

장터까지는 7~800미터는 족히 걸어야 한다. 끈끈한 동반자처럼 퍽 다정한 게 아니라 살갑지 않은 말을 툭툭 던지며 장터 가는 길에 우리들의 이야기는 단연 집을 다시 한 번 뒤집어 좀더 넓은 평수로 옮겨 가야 하지 않는가 하는 주부들의 평범하면서도 간절한 화두로 알량한 봉급쟁이에 대한 초라함을 드러내놓고 만다. 허기사 지금 사는 공간만으로도 발 뻗고 누우며 안식을 찾기에 부족함이 없다고 판단하는 게 내 생각이다. 사실 평수를 늘려 가야 할 돈도 여력도 없으면서 마음만 푸념처럼 반복하며 내뱉는 것이다.

주말 오후 해가 서녘 산에 숨어들려면 두어 시간 족히 걸리겠다. 내친김에 눈요기라도 하려는 듯, 장터 가는 길 수락산 발치에 모 건설업체에서 처음으로 짓는다는 신축현장에 가보자고 아내가 제의했다. 양쪽으로 도열한 주택들이 빼곡이 들어찬 차선 없는 간이도로는 재개발을 하기 전에는 교행으로 가능하고 원활한 차량흐름을 찾기에는 역부족이리라. 오래전에 지었을 서너 동 연립을 헐고 재개발을 한 그 곳엔 오피스텔 모델을 닮은 콘크리트 건물 한 동이 높은 하늘로 올라가고 있었다. 미완성의 건물은 다소 어설픈 화가의 데생처럼 거칠게 보였고 시원한 공기를 불어줄 수락산을 뒤로한 전원적인 풍경이 마음에 들었다.

노원지역은 재개발을 하지 않으면 건물을 지을 수 없다. 88년 이전부터 대단위 주택보급정책에 힘입어 대대적인 공동주택을 지어 사실상 재개발 지역도 부분적으로 남아 있다. 노원지역뿐만 아니라 서울 전지역 중심가든 변두리든 예외가 없을 것이다. 그만큼 포화상태에 놓인 도심은 십수 년 전에 지은 낡은 주택들을 헐어내고 공동주택(아파트)을 짓는 것으로 그나마 늘어만 가는 핵가족화 세대의 구미에 맞추는 주거공간을 공급하는 실정이다. 수요와 공급이 원활하지 못한 작금의 도시 상황은 천정부지로 뛰는 집값을 그 어떤 정책적 규제로도 한계가 있으며 수급 불균형이 존재 하는 한 사실상 해소는 불가능하다. 극과 극이 점점더 심화하는 빈익빈 부익부의 자본주의 경제원리는 정신적 자존도 가난 앞에는 무기력하고 이상마저도 황폐화되고 있다 하겠다.

최대의 적으로 등장한 가난과의 싸움은 가지지 못한 자들의 한으로 남고 살아오는 동안 한 번도 만져보지 못했을 천문학적인 집값에 대한 요구는 열심히 일하는 자에게 베풀어줄 여분이 남아 있지 않다는 것이다. 한 푼 두 푼 모아 집을 마련하고 둥지를 틀고자 하는 소박한 꿈은 사라졌다는 것이다. 이미 눈부시게 발전한 도심의 환경은 소박한 꿈을 받아들이기에는 인색하기만 하고 비좁은 공간마저도 숨통을 조여 존립이 불가능하게 되었다는 것이다. 철새처럼 철 따라 이동하는 도심을 떠도는 집시의 방황은 어제 오늘이 아니다. 셋방살이로 전전하는 가난한 연민으로 가지지 못한 자들을 울리고 있다고 하겠다.

나에게도 그런 철새의 이동을 거쳐 기회를 잘 포착해 벼랑끝에 위태롭게 지어진 빈 둥지 하나를 잡아챘다. 그리고 허물을 벗듯 성장하는 새끼들이 몸집이 불어 작은 집이 비좁아 여러 번 탈출을 시도해 퍼덕이며 날갯짓을 하여 다리 뻗고 누울 수 있는 둥지를 찾아 이동을 하면서 해거름 계곡에 안개 걸리고
가을의 단풍이 절정을 이루는 수락산 발치에 하얀 페인트 벽을

핥는 오후의 서녘 노을이 붉게 번지며 하루를 마감 짓는 등기부에 내 이름 석 자 선명하게 박힌 도장 콱 찍은 거처를 마련해 퇴근 후의 안온함을 찾는 샐러리맨의 안식을 풀고 있으리.

2002년 9월 29일

1986년 7월 <한라산> 스케치북-색연필

늦가을 스산함

끝내 올 것 같지 않았던 푸석한 찬바람은 굳게 닫아버린 창문 틈새를 비집으며 흔들어 댄다. 지난여름 얼마나 더웠던가? 그 열기가 워낙에 기세가 등등했던지라, 삼일천하가 아니라 세기말 예언처럼 다년간 지배할 듯 가히 위력적이었다. 가쁜 숨을 몰아쉬는 순환기를 거쳐 거짓말처럼 찾아든 '톡' 쏘는 사이다 맛을 느끼게 하는 늦가을 바람이 매우 정겹다.

한여름 무더위 속에 열린 窓으로 스며들던 자연의 소리, 인위적인 소리가 '뚝' 멈췄다. 여름 내내 들려오던 참매미 소리 수락산 숲이 제집이었고 그들에게 선택받은 지상낙원이었다. '애~앵' 초음파를 날리며 쏘아대던 모기 소리도 떠나고 무엇보다 휴일 날 늦잠을 즐기려는 샐러리맨을 깨우던 이른 아침 행상들의 확성기 소리는 뇌파에 전달되는 가장 짜증나는 피해의식에 사로잡힌 악성(惡聲)이었다.

스산한 늦가을 바람은 자연스럽게 싫든 좋든 그렇게 모든 소리를 몰고 갔다. 밀폐와 격리된 수용소처럼 암울한 내 가족들의 소리만 굳게 닫힌 방안에 역류할 뿐, 가을 환경은 철저하게 분리된 경계가 명확한 내 영역으로부터 외부와의 단절이었다.

곧 밤새 소리 없이 무서리가 내릴 적막강산은 곡기를 끊고 이승을 작별하는 망자처럼, 수액 끊은 잎들이 수런거리며 농익어 붉게 제 몸을 태우며 들불 번지듯 타오르고 말 것이다. 이미 싸리울 세우듯 촘촘히 천공으로 팔을 치켜들고 겨울나기 준비에 들어갔을 고산지대의 홀가분한 탈 나목들이 낯설지 않을까 싶기도 하다. 몇 해 전 동해안으로 가는 미시령 고갯마루에 서서 조망하던 설악의 풍광은 퍽 인상적이었다. 명산은 계절 구별 없이 절경을 자아내고 감탄사를 붙여주기에 인색하지 않았다. 사계절 산 명칭을 따로 불리는 금강산의 절경은 그 값을 톡톡히 해내고 있을 것이리라, 가을엔 풍악산이라 했던가?

겨울로 가는 초입에 단상으로 사라질 가을은 그 아쉬움이 더해 처절하게 몸부림치는 열정이 깊어 그 빛깔이 더더욱 찬란하지 않을까 싶다. 화르르 빠르게 타버리는 불꽃처럼 불빛이 너무 강렬하여 자칫 역마살 낀 염세주의자들을 부추겨 방랑길을 재촉하고 말 것이리라, 가을은 잿빛 우울함을 드리우고 어디론가 떠나고픈 계절적 등식을 내포하고 있다 하겠다. 기다림 없는 무작정 홀연히 떠나는 변절자이기를 마다하지 않는 술렁이는 방랑벽은 기어코 일을 내고 말 것이니까,

소슬바람이 포근하게 감겨오는 억새꽃 눈발처럼 흩날리는 능선에 그토록 가슴 저미도록 알 수 없는 내면의 상심을 절절이 토해내며 고뇌의 찬 삶의 역정을 스스로 감내하는 방랑길이 얼마나 낭만적일까? 산은 자연인으로 돌아오라는 메시지를 보내며 귀천(貴賤)을 편애하지 않는 포용력으로 감싸 안는다. 제몸을 상처 내어 길을 내어주고 목마른 생명들에게 맑은 샘물을 공급해주며 꺼져가는 운명자에게 푸근한 안식의 곳을 내어주는 스스럼없이 모든 것 받아주는 드넓은 어머니의 품속이리라,

늦가을 소슬한 바람에 마감을 짓는 게 자연 속의 것들을 총망라하고 있다. 황량한 들녘에 만종 소리 메아리칠 무렵 이삭줍기를 거두고 귀로에 오르는 순박한 옛 풍경을 뒤로한 채 마지막 숨을 거두는 곤충들의 주검들의 마감도 있을 테며 인간 삶에 있어서도 노년의 삶들의 가장 빈번한 이승의 작별을 보곤 한다. 환절기

기온 차에 갑자기 다가온 변화에 적응하지 못하는 기력이 쇠한 거동조차 불편한 말년의 부자연스러운 인생사, 때가 되면 거둬들이는 지극히 자연스러운 과정이라 할 것이다. 가을은 정리와 마감을 짓는 빈자리도 크게 남는 허허로움이 그리움처럼 아려온다. 쫓기듯 결실을 얻지 못한 삶은 더더욱 소외감이 봇물처럼 밀려든다. 수확의 기쁨과 비워낸 허전함이 공존하는 가을은 그래서 미치도록 눈물겹도록 방황하게 한다.

늦가을 스산함이 가을 볕 삭히며 어둠을 핥고 창문을 두드린다. 그새 보일러 빨간 점등이 낯설지가 않다. 따스한 방안, 온실 속 화초처럼 곱게 핀 양란(洋蘭) <덴트라> 보랏빛 꽃이 이채롭다. 꽃을 좋아하면 늙는다는 징조라는데 베란다에 늘 꽃이 피고 지는 순환을 유심히 본 적이 없었는데 마감 짓는 늦가을 생성을 의미하는 꽃이 피고 있는 신선함이 눈길을 잡기에 부족함이 없었다는 것이다.

장시간 한순간 낙화를 서두르지 않는 온화한 연보랏빛 난(蘭)꽃이 생경하다. 아직은 살날이 많은 것 같은데 고리타분한 언어만 읊조리는 얼치기 상념이 늦가을 바람에 속절없이 흩날리는데... 등 떼밀려 떠나가고 말겠지, 낙엽이 지기 전에 부르지 않지만 그곳, 야트막한 산야에 억새꽃 장관이 화선지에 엷게 물드는 가을날 수채화처럼 그리운 님으로 다가오지 않을까?.....

2002년 10월 17일

수락산 정원

먼 곳이 아닌 창가에 서면 한 폭의 동양화처럼 다가오는 수락산 절경이 늦가을 휴일을 술렁이게 한다. 일주일 전만 해도 푸르게 보였는데 그새 천연색깔로 변모한 풍경이 곁으로 오라 손짓을 한다. 도심의 삭막함을 일소에 제거하는 정신적 맑음은 얼마나 다행한 일인가! '역시 탁월한 선택이었어' 처음 이곳으로 이사를 오면서 역세권에서 조금 벗어난 생활이 불편할 것이라는 의구심이 들기도 했었는데! 습관 속에 그다지 멀지 않다는 것을 느끼며 내심 반가워했었다.

직장에 출근하는 샐러리맨에겐 주거공간은 사실 베드타운에 불과하겠지만 안식을 찾는 평온한 공간으로 선행조건이 분명 있다고 생각한다. 부스스 아침에 일어나 창문틀에 생생하게 전해오는 풍경화가 걸려 있다는 상상을 해보라. 천혜의 조건을 고루 갖춘 공간 속에 들어와 자연과 더불어 도심의 생활을 추구할 수 있는 양립된 환경은 그리 흔한 게 아니다. 스스로 작위적인 판단으로만 역설하기에는 무리가 있을 법도 하지만, 풍요 속에 빈곤이라는 도심은 이제 환영받기에는 좀 역겹다. 스스로 빈민가를 떠올리게 하는 회색빛 도시에 길 잃은 들개처럼 방황하는 추악한 몰골은 많은 사람들의 이상향은 아니라 깨닫는데 그리 어렵지 않으리라. 생활에 필요한 도구이거나 편리한 삶을 추구하는 욕구에 맞아 떨어지는 매개체 역할은 충실하지만 부자연스러운.. 어쩐지 엇맞춤의 의복과 같지 않았던가!

철새처럼 어느 날 훌쩍 떠나는 날까지 수락산 예찬으로 적어도 끈끈하고 내밀한 교감을 형성해가는 삶의 일상으로 정다운 친구가 될 수 있으리라. 언어 소통이나 시각적 분별이 아닌 역학적

오묘한 산의 정기, 바람과 공기의 흐름을 타고 전해오는 그 어떤 언어로도 표현할 수 없는 신비한 교감을 느껴내고야 말 것이다. 태초에 하나님께서 형상을 흙으로 빚어 숨결을 불어 넣으니 아담이 탄생하고 그의 갈비뼈를 떼어내어 음양 이치의 조화를 이루도록 이브를 만들었다는 신화는 사람이 죽으면 흙으로 돌아가는 필연을 암시하고 있었을 법하다. 한 줌의 흙으로 돌아가 자연으로 귀속되는 인간사의 수순을 무식자이거나 식자이거나 가르쳐 주지 않아도 깨닫게 되리라.

수락산의 해 질 녘 오후는 절정의 백미다. 회벽을 바른 듯 단단한 화강암이 아닌 바스러지는 아이보리 빛을 발하는 석질로 이루어진 바위산에 황혼이 밀려들면 홍조를 띤 풍광이 이채롭다. 붉은 광채를 지닌 다이아몬드를 연상하듯, 그 절정의 美가 시야를 묶어 놓고 만다. 수락산은 빗물이 스며들지 않고 하천으로 곧바로 떨어진다 하여 수락산(水落山)이라 산명을 붙였단다. 비교적 완만한 능선을 따라 오르면 해발 637.7미터 철모바위 정상 부근은 초보 등산인에겐 다소 위험하고 힘겹기도 할 것이다.

어느 산이든 정상 부분은 가파르고 거칠다. 산사람들은 산을 신성시한다. 절대 정복의 대상이 아니라 함께 호흡하며 교감을 나누는 친의를 중시한다. 적의를 품고 스스로 시험에 들지 않도록 주의를 해야 한단다. 자칫 자만심에 빠져 용렬함을 드러낸다면 가차 없이 내치는 포용 이면에 냉혹함을 지니고 있다는 심오한 뜻을 깨달아야 할 것이다.

2002년 10월 20일

중고품 진단

난생 처음 받아보는 신체 내부를 보는 내시경 검사는 고통이 따르는 결단이 필요했다. 의사도 그 고통을 알고 있기에 두 가지 검사 방법을 제시하며 선택의 기회를 주는 배려도 아끼지 않았다. 고통이 없는 초음파 촬영은 복잡하고 위 내부 이상 유무 진단하는데 정확성이 떨어진단다. 다소 고통이 따르더라도 촬영할 수 있는 렌즈가 끝부분에 달린 직경 10mm 가량의 호스를 넣어 집적 볼 수 있는 내시경 검진이 판단 결과도 빠르며 매우 효과적이라고 한다. 사실 한 번도 체내에 그 어떤 의료용 기구나 다른 도구를 투입해본 일이 없으니 그 고통의 한계를 알 수 없었지만 그래도 정확성을 요하는 방법을 선택하기로 했다. 다소 긴장된 마음과 두려움은 있었지만 다른 사람이 받을 수 있을 정도라면 나도 할 수 있다는 배짱이 있었다. 나름대로 신체적 상처나 그 밖에 외부로부터 이물질 삽입에 대한 고통을 감내하는 정신력이 있다고 자부한다. 유년 시절에 예방주사의 공포는 있었지만 성인에 되어서는 그깟 주사나 절개하는 수술 따위 예삿일이 돼버렸다. 그리고 고통을 줄여주는 마취 방법이 잘 발달되어 있어 괴롭지 않단다.

검사 절차는 그리 간단치 않았다. 간호사가 뿌연 액체를 작은 용기에 담아 건네주고 마시라고 한다. 그리고 노란 빛깔의 같은 양의 액체도 건네주며 입에 담고 가글 형식으로 조금씩 조금씩 식도 안으로 흘려보내란다. 부분 수면내시경의 방법인 구강 내에 목젖과 식도 부분을 마취하여 내시경 호스가 식도를 타고 입도하는데 구역질과 통증을 줄이기 위한 현재 방법의 최선의 선택이리라. 그 액체가 목구멍으로 넘어가면서 메쓰꺼움에 무의식적으로 재채기하면서 토해내고 말았다. 음식물 외에 이물질을 투여하고 투입하는데 매우 부정적으로 생각하는 간단명료한 의식은 이러한 스스로 검증하지 못하는 일련의 과정에 의구심을 떨쳐 버릴 수가 없었다. 의사나 간호사들은 환자를 치료하는 목적이 있을 뿐이지 약이나 그 밖에 치료에 필요한 의약제품들에 관해서 신체에 그 어떤 영향을 미치는지에 관하여 전문성이 떨어진다는 게 나의 판단이다. 그저 분업에 의한 쓰임새에 적합성으로 분야에 목적만 달성하면 되는 것이다. 그로 인한 의료사고와 분쟁으로 발전하는 예가 비일비재하다. 물론 적절한 방법으로 최상의 선택을 한 의사의 판단이 결코 범죄에 해당하는 행위는 아니지만 신체구조는 매우 복잡하고 예민한(?) 조물주만이 다룰 수 있는 미묘한 구성원이라고 언젠가 생각했었다. 때론 환자는 의사의 실험 대상이 되는 아이러니한 상황도 있다고 가늠한다. 사경을 헤매는 환자에게 그나마 경험이 많은 의사에게 의탁하여 치료를 받고 있지만 의술이 최선의 방법일 뿐 만병통치는 아니다. 그대로 놓아두고 기적 같은 자연적인 치유도 간과해서는 안될 것이다. 예방은 중병의 길을 막는 방편이기도 하지만 긁어 부스럼 만드는 논리적 설득력도 배제해서 좋을 게 없다는 내 생각이다. 어쨌든 무료검진이라는 매력에 이끌려 밑져봐야 본전이라는 공짜 심리에 판단이나 결단이 필요치 않는 무조건 검진을 하겠노라 했으니 무슨 말이 필요하겠는가? 동료는 공짜라도 그 구역질 고통을 감내하기 싫다며 문진표에 응한다는 표기를 포기했다. 아마 금년부터 건강보험조합에서 무료로 검진을 하는 것으로 알고 있다. 40대 이후 가장 빈번하게 발생하는 위암을 조기발견하여 의료비부담을 줄이기 위한 효율적인 정책이리라, 만성에 이르면 치료도 불가능하고 치료나 그 밖에 요양에 들어가는 비용 부담이 커 적은 비용으로 조기에 발견하면 치료도 빠르고 천수를 다하는 수혜를 받을 수 있다는 매우 효과적인 정책이라 사료된다. 해마다 늘어만 가는 의료비 부담은 온 국민의 골고루 혜택을 누리기 위한 정책이지만 다소 부작용도 따른다. 서민 경제에 특히 농촌 생활은 현실적으로 의료비 부담이 크다. 상황에 맞게 건강보험공단에서 잘 관리를 한다고 하지만 상대적으로 부담이 크다 하겠다. 건강보험은 가난한 서민들에겐 막대한 치료비 때문에 치유 가능한 병을 치료하지 못하는 불상사도 막고 건강한 사람들은 병든자들을 도와주고 든든한 심리적 안정감으로 사회생활이나 그 밖에 삶에 있어 안락함을 누리는 복지정책이라 할 것이다.

40년이면 쓸 만큼 썼고 중고가 되었다는 사회로부터 예측의 진단을 내린 것이다. 서서히 망가지고 있다는 것이다. 생성은 없고 낡고 부스러지는 소멸만 있을 뿐이다. 자동차 부속품처럼 상황에 따라 교체할 수 있는 것도 아니다. 고장이 나면 수리해 보고 안되면 폐체 처리해야 한다. 특수한 방법은 부속품을 기증 받거나 거액의 돈을 주고 사는 편법도 있다. 그러나 그 수혜를 받는 자는 거의 극소수에 불과하다. 재생이 불가능 하면 곧 세상을 떠나야 하는 폐체 처리가 되는 사람의 신체는 앞으로 생명공학이 더 발달하고 불치병이나 그 밖에 의료 목적으로 복제가 완벽하게 가능할 때까지는 천운이나 팔자소관에 맡기는 수밖에 없다. 해마다 두어 번 직장건강보험공단에서 무료건강검진을 한다. 검사받기가 두렵다는 동년배들의 언어는 그만큼 40대 이후는 건강을 장담하기가 어렵다는 것이다. 검진을 받아 이상이 없다면 안도감으로 돌아오지만 혹 재검진이나 조직검사를 해 보아야 한다는 의사의 소견이 나오면 '쿵' 하는 아득함을 느낀단다. 그래서 무료검진이라도 병원에 가기를 꺼린다고 한다. 조기에 발견하여 치료를 하는 게 효과적이며 최선의 방법인 줄 알면서도 진단결과에 두려움이 앞서는 것이다.
젖꼭지 같은 것을 물고 옆으로 누우라고 지시한다. 그리고 새우처럼 최대한 무릎을 가슴에 붙이란다. 그리고 꼭 곧은 뱀 같은 내시경 호스를 그 곳으로 밀어 넣으며 조금만 참으면 된다며 의사는 사무적인 말을 계속했다. 묵직한 이물질이 목젖을 건드리자 '울컥' 구역질이 나왔다. 순간적으로 느끼는 내 고통은 아랑곳하지 않으며 사정없이 밀어 넣는다. 습관적인 언어로 5분만 참으면 된다고 위로한다. 눈물이 찔끔 흘러내렸다. 마치 도살장으로 끌려 들어가는 소처럼 스스로 형장에 선 듯 아득함이란... 사람이 죽을 때 이러한 고통이 따른다고 했던가?

술친구가 그랬다. 과음을 하여 폭풍처럼 몰아치는 위 속의 환란은 화산 폭발 같은 거꾸로 토해내는 반란으로 목줄기부터 머리끝까지 핏줄이 터질 듯 벌겋게 달아오르고 역겨움은 정신까지 몽롱하게 한다. 이러한 과정에 고통이 따르고 이를 두고 사람이 죽을 때 이렇게 고통으로 일그러져 죽을 것이라고.. 그는 예측한다고 했다. 신체에 가해지는 외부로부터의 부딪히는 상황에 있어 크고 작든 고통이 따른다. 손톱 밑에 박힌 가시의 고통이나 산고의 고통이나 모두에게 겪고 싶지 않은 외면 대상이다.

5분이 하루가 지난 듯 참을 만했다고 하기에는 무리가 있었다. 검진이 끝난 후 마취에서 덜 풀린 구강과 내시경 호스를 이리저리 살펴보기 위해 돌리면서 목젖을 건드려 얼얼하여 걷기도 부자연스러웠다. 잠깐 동안 지옥에 갔다 온 기분이었다. 플라스틱 사각형에 연녹빛 형체가 박힌 이상한 제품을 손에 꼭 쥐고 있으란다. 얼마를 기다려 의사가 부른다. 내시경 촬영한 비디오를 재생하며 이상유무를 확인하며 친절하게 설명을 해 주었다. 마치 돼지 창자와 같은 위벽, 내 신체의 일부를 보고 있다는 느낌이 야릇했다. 별다른 이상은 보이지 않았지만 위벽에 작은 염증이 발견되었다. 그다지 심각하지는 않은 듯 의사의 말은 자연 치유가 가능하며 원한다면 간단한 처방을 해주겠단다. 그리고 위벽에 인위적인 상처를 낸 부분을 보여 주었다. 그것은 바로 조금 전에 손에 꼭 쥐고 있었던 결과를 보기 위한 상처 내기였단다. 손을 펴자 사각 안에 연녹빛 형체가 빨간색으로 변해 있었다. 헬리코박터균이 있다고 한다. 의약품 선전에 들어본 단어인데 그 균이 위 또는 인체에 미치는 영향이 무엇인지 그걸 물어볼 만한 정신이 없었다. 인터넷 검색창에서 헬리코박터균 타이핑하여 검색해 보았지만 철자가 분명치 않은지 관련된 자료가 뜨지 않았다. 이로운 균은 아닌 것 같은데 그에 관한 자세한 의약처방을 종용하지 않은 것으로 보아 그대로 방치해 놓아도 무방한 듯.

검진결과에 안도감이 들기도 했지만 예사롭지 않은 40대의 삶이 서글퍼지기도 한다. 물론 연세가 드신 분들이 들으면 "예끼 한창 나이에..." 할지 모르지만 자신에겐 풍전등화와 같은 위태로운 길을 걷고 있는 느낌을 지울 수가 없었다는 것이다. 나는 신체에 대한 상처도 많았다 체내에는 아직 메스를 가하지 않았지만 외부에 대한 상처는 많다. 생명에 지장을 줄 정도는 아니었지만 벌집처럼 구멍 난 신체나 다름없다. 그로 인한 핸디캡도 있고 마음의 그늘도 존재한다. 애써 보여줄 게 아닌 감추고 싶은 것, 평생 화인처럼 각인된 상처는 때론 얼굴을 붉히게 한다.

2002년 11월 10일

눈이 내린다

올 겨울 들어 공식적인 첫 눈은 아니지만 눈다운 눈이 내리고 있다. 수락산 초입만 보일 정도로 시정(視程)이 매우 짧다. 휴일날 부스스 일어나 창 밖에 펑펑 쏟아지는 눈을 바라보며 세상이 바뀌어 버린 풍경에 생경한 느낌이 뇌리를 스쳐간다. 그새 단풍이 듬성듬성 저버려 맨살을 드러낸 듯, 을씨년스러운 나목 사이로 소리 없이 눈이 쌓이고 있었다. 지난 가을, 먹을 것이 풍족했던 자연의 숲에서 사는 동물들에겐 가장 혹독한 시기가 도래하였다. 눈이 내리면 더더욱 굶주림과 추위에 시련이 배가된다. 살아남기 위한 환경 변화에 적응력은 추론을 불허한다. 시련은 있지만 야생의 동물들은 추위나 굶주림에 절대 죽지 않는다. 먹이사슬에 의한 약육강식의 희생이 따를 뿐, 절대 자연으로부터 나약한 존재가 아니다. 야생의 동물은 그 어떤 환경에서 살아남는 야성적이며 끈질긴 생존본능이 있다.

눈이 내리면 연말이 다가오고 있다는 등식이 성립된다. 하얀 눈과 연말은 술렁이는 분위기를 창출해내는 함수관계가 있다. 거리의 풍경도 달라졌다. 어묵이나 홍합 국물에 퇴근 길 소주 한잔을 그립게 하는 포장마차, 달콤한 꿀맛을 느끼게 하는 후각에 길든 군고구마 냄새가 골목길을 휘감아 돌고 드럼통에 굴뚝을 장치한 군고구마 장사가 제철을 만난 듯하다. 어설픈 포장을 두른 리어카에서 호떡을 굽는 늙수그레한 중년을 훌쩍 넘은 아저씨의 손놀림이 예사롭지 않다. 그리고 아이의 작은 주먹만한 크기의 귤들이 흐드러지게 거리에 널려 바쁜 걸음으로 귀가하는 발길을 잡는다. 겨울에 들어서고 연말이 다가오면서 등장하는 겨울날의 서민적인 풍경이리라, 봉지에 담긴 대여섯 개의 붕어빵에 푸근한 안식을 구하던 시절이 있었다. 지금도 그 달콤한 붕어빵의 서민적 향수를 종종 느껴보곤 한다. 가진 것이 없어도 젊음이 부자였던 지난 시절은 호떡 한 개, 군고구마 한 개, 붕어빵 한 개에도 낭만이 있었다. 지금은 삶의 질이 나아졌다고 하나 오히려 정신은 황폐하고 앞으로 살아가야 할 미래에 대한 불안감과 자라는 아이들의 교육비 생활비를 걱정하며 위태롭게 외줄을 타고 있는 심정이다.

올 겨울은 추위와 함께 그 어떤 환경적 또 다른 한파가 서민들을 불안하게 할지 모를 일이다. 사회적 변수에 희생양은 늘 가지지 못한 자의 몫으로 남고 벌써 심상찮은 물가 상승의 조짐이 보이고 있다. 공공요금은 이미 여러 분야에 인상을 결정하고 내달부터 시행하는 것으로 짐작하는데, 혹독한 겨울과 맞물려 쥐어짜는 정책이 어쩐지 야속하게 느껴진다. 사람이 살아간다는 것은 누구에게나 걱정거리를 안겨주고 지혜롭게 대처하며 생활을 하라는 진리가 있을 법하다. 삶의 질이 조금 나아졌다 해서 걱정하는 사고나 의식이 달라진 게 없다는 것이다. 여전히 주변 상황이나 생활에 시달리며 번민하고 미완의 갈등으로 내 앞에 놓인 삶이어야 했다. 사회로부터 소외된 보잘 것 없는 통속적인 삶이 겪는 푸념일지도 모를 일이다. 적어도 세상을 보는 안목이나 판단은 자신의 좁은 시야에 포착되는 범위로 한정 지을 수 있을 테니까 말이다. 삶이 행복하다는 단어는 어쩐지 나에겐 어울리지 않는 불협화음 같다.

2002년 11월 17일

스스로 방임

시간관념을 뇌리에서 지우고 한 때 소중했던 것으로 기억하며 폭발하듯 열정이 깊어 데일 것만 같았던 한동안 미쳐 있었던 그 곳으로부터 탈출을 감행해 무념무상에 길들어 가고 있으리라. 소유라는 개념을 잊기 위해 아무 것도 바라지 않는 적막 속으로 나를 밀어 넣으며 작은 미련조차 사슬처럼 다가오던 그 곳으로부터 격리되어 과감히 빗장을 질렀다. 한 해를 넘기고 새해가 와도 오래된 정물처럼 꼼짝하지 않으며 고여 썩어 삭혀질 때까지 나는 아무 것도 손을 댈 수가 없었다. 흔적을 남기지 않으며 외부로부터 나의 존재를 잊혀갈 때 나는 비로소 홀가분한 자유를 누리고 말리라.

2003년 3월 2일

소탐대실

사회로부터 무엇을 얻어내기는커녕 내 것조차 지켜내는데 실패를 했다. 나는 오랫동안 지켜내지 못한 자책감과 절망감에서 벗어나지 못하리라. 그리고 어느 곳에도 융화되거나 합류하지 못하고 표류하거나 부평초처럼 수면을 겉돌고 말리라. 배반의 불신과 용서할 수 없는 가난한 연민에 사로잡혀 마음의 창문을 닫고 더 더욱 내밀한 철옹성에 갇혀 외부와의 단절을 강요하리라. 살기 어린 번뜩이는 눈으로 썩은 고기를 찾는 하이에나처럼 먹을 것이 보이면 온갖 수단을 동원해 공략을 서슴지 않는 비정의 현실 앞에 작은 욕심은 더 큰 화를 부르고 끝내 파멸로 치닫는 어리석음을 범하고 좌절의 쓴맛을 달싹이며 허를 찔린 자괴감에 나는 치를 떨었다.

'세상은 그렇게 만만하지가 않아...' 격언처럼 뇌리에 스쳐가고 검은 마수에 걸려든 내 몰골이 비참하기 짝이 없다. 섣부른 판단이 부른 실수...스스로를 용서할 수가 없다. 오랫동안 수없이 그런 상황을 접하고 대처해왔으면서도 좀 더 나은 생활을 영위하기 위한 작은 바람이 돌이킬 수 없는 오류를 범하고 말았다. 유혹으로부터 자유롭지 못한 불안정한 삶의 혼란한 틈으로 파고든 달콤한 소스에 혼미한 상황 판단으로 치명타를 입고 얼마간 봉합되지 않은 상처를 치유하며 후회의 저주와 결전을 치르리라.

2003년 3월 11일

회색 도시

해질 녘 그림자 시체 길게 누우면
가시 끝 소름이 서늘한 바람결 심장을 훔쳐간다.
핏기 없는 얼굴, 유리된 영혼, 길 잃어 검은
장막 뒤로 부유하고 가식의 엷은 미소는 관조의
능숙한 위선이었다.

속내의 울음은 고상한 창법으로 찬란한 꽃 피워
회색 도시에 꽃비 내리지만, 그것은 천박한 색조의
불균형이었다. 그리고 곰팡내 물씬 창궐한
도심의 사각지대에 혈서를 갈기며 이기와 흑심을
충동질했다. 전리품은 초라한 명예 한 조각,
그리고 그마저 빛바랜 잎사귀처럼 인적 없는 후미진
골목에 흔적 없이 사라져갈 뿐이다.

솔로몬의 지혜는 도적의 칼날에 베이고
말장난에 겁탈당한 혼탁한 어둠의 뒷골목,
그 곳엔, 끝없는 논쟁만 있을 뿐이다.
구제의 손길이 단절된 철조망 너머
살기 품은 눈동자 번득이며 적과의 동침은 끝났다.

2003년 4월 28일

수구초심(首丘初心)

잠깐 집을 떠나 외유한 10여 년 세월,
도심으로 떠나 놀다 소풍을 끝내고
돌아가는 길을 잃어 버렸다.
아무도 가르쳐 주지 않았다.
길이 없어져 버렸다.
아니 길을 없애 버렸다.
다시 길을 내려하자 걸림돌이 생겼다.
없앤 길을 만들려니 전에 없던 조항이 붙었다.
그렇게 해서라도 길을 다시 내고 돌아갔다.
당당한 귀향은 아니지만 제자리로 돌아가는데
매끄럽지는 않았지만 그래도 돌아가야 할 곳,
발을 뻗고 누울 마지막 자리는 그곳뿐이기에
반겨주지 않아도 내 한 몸 누일 자리는 정해져 있었다.

지독한 삶의 미련은 나이를 묻지 않는다.
거울을 거는 데 이곳저곳... 시계는 여기가 좋겠네,
냉장고는 그쪽으로 붙이고... 백발이 되도록
수십 년을 같이 살았어도 연리지는 요원했다.

2004년 6월 7일 월요일

아버지의 유언장

유언장이란?...
이승을 떠나기 전 생전에 쓰는 산 자의 깊은 뜻이 담긴 육서이다. 유언장, 유언, 유서..같은 맥락의 세상을 하직하는 망자의 메시지다. 유언이나 유언장은 살아 있는 자 생자필멸, 언젠가는 자연으로 돌아가야 하는 엄연한 사실은 알고 있지만 그날을 알 수 없기에 미리 생전에 또는 임종 직전에 깊은 뜻을 전하는 산 자의 의지가 담긴 말이나 필서이겠다. 하지만 일반적인 통념으로 유서란 스스로 의지에 따라 자살을 감행하면서 정당한 이유든 부당한 이유든 그 뜻을 전하는 비극적인 뉘앙스를 내포하고 있다.

유언장은 종종 후손들의 유산 문제로 분쟁의 소지가 있을 때
떠나는 자의 미심쩍지만 매끄럽게 그리고 홀가분하게 떠나려는
마지막 교통정리의 수단이 되기도 한다. 떠난 후 망자의 친필은 통상적인 법률적 분쟁에서 더 높은 가치와 효력이 발생한다. 종종 유산 상속을 놓고 친필이냐 법률 대리인의 작성과 도장 또는 서명이냐 아니냐는 진실을 놓고 분쟁이 발생하기도 한다. 거대한 유산을 놓고 각축전을 벌일 만큼 치열한 싸움을 하는 사람들을 보고 나누어 가질 것이 있다는 데 대하여 행복한 사람들이라고 반어적으로 비아냥거리기도 한다. 보통 사람들처럼 평범한 의식을 가지고 사는 사람들이라면 눈에 보이는 재물을 놓고 이기심의 발로가 없다면 거짓말일 것이다. 그리고 순간의 선택이 10년을 좌우한다는 말처럼 눈 한 번 질끈 감고 안면 두껍게 철판 가면 쓴다면 못할 것도 없는 게 보통 사람들의 상식 밖의 상식이지 않을까?

재벌 후손들이 벌이는 피 터지는 싸움....왕자의 난, 또는 형제의 난이라고 회자되었던 어느 기업의 이권 다툼과 분배를 놓고 법정 싸움을 벌이는 상황을 신문이나 방송을 통해 보고 들으며 혀를 끌끌 차지만 당사자들이 아니면 함부로 손가락질할 만큼 자신만만한 사람이 몇이나 될까? 스스로 가슴에 손을 대고 나는 그렇지 않은 사람이라고 장담할 수 있을까?

쪼개볼 건덕지도 없는 유산 문제와는 아무런 관련이 없는
유언장이라는 봉투 하나가 심란하게 내 손에 쥐어졌다.
살아온 날들을 돌이켜보면 임종을 앞두고 유언 한마디도
제대로 하지 못하고 떠나는 보통 사람들이 사는 시골에서
또는 도시에서도 그리 흔치 않은 유언장를 받는다는 것이
왠지 숙연해지고 엄숙해지는 느낌을 지울 수 없었다.
한 번 뜻을 세우면 좀처럼 굽히지 않는 의지로 확고한 신념을
가지고 살아오신 아버지께서는 허튼소리에 그리 친분이 없다.

10여 일 전 휴가 때 시골집 앞 개울에서 형제들이 모였다. 낮엔 빗물에 불어난 개울 물소리가 시끄러워 대화도 제대로 나누지 못하며 고기 굽고 술잔을 비우다 물안개 피어오르는 해질녘 철수하고 시골집 마당에 은박돗자리를 폈다. 사랑채에 계시던 아버지께서 마당으로 나오셨다. 아버지의 성품으로 보아 특별한 말씀이 없으시면 좀처럼 자식들의 대화의 장에 동석하는 것을 꺼리신다. 꼭 하실 말씀이 있을 때 느낌이 와 닿는 아버지의 행동을 엿볼 수 있었다. 작정을 하신 듯 자리에 앉으시자마자 이미 결심이 섰다는 어조로 담담하게 사후 깨끗하게 정리하고 가시겠다며 변변한 효자 없는 육남매에게 생전에 유언이라며 귀담아 듣고 실행하라 명하셨다. 그리고 유언장를 써서 육남매에게 주겠다며 확고하게 못 박았다.

잠시 혼란이 왔었다. 아버지의 깊은 뜻… 진정성이 어떤 의미인지, 몇 년 전까지만 해도 가묘를 만들겠다는 말씀이 있으셨는데 돌연 화장장에 납골도 하지 말며 강물에 유골분을 뿌리고 기일도 기억하지 말고 제사도 지내지 말라는 분부셨다. 덧붙여 그에 대하여 장황하게 화장을 해야 하는 이유를 말씀하셨다. 어려운 시기에 굴비 역이듯 줄줄이 형제들이 태어난 가난한 집안에 장남 역할은 혹독한 시련이었을 것이다. 어떡하든 입에 풀칠을 해야 하는 절박한 심정에 초근목피로 연명하며 가세을 일으키기에 전력을 다하셨다.

어려운 살림에 제삿날 돌아오듯 한다는 말처럼 그 말의 진의가 아버지의 생활과 별반 다르지 않았음을 짐작한다. 제삿날은 어린 우리들에겐 신나는 일이었지만 아버지의 삶은 조상에 대한 예와 의무를 다하는 역할로 현실과 심리적인 고통이 일생동안 뇌리에 걸림돌로 작용했었을 것으로 가늠한다. 아버지의 말씀은 단호했다. 제례문화의 비현실적인 낭비를 적어도 당신께선 하지 않겠다는 결연한 의지였다. 어쩌면 죽어서 묘를 만들고 제사를 지낸다 시끌벅적 예를 갖추는 헛된 행위가 무슨 소용이냐며 살아 있을 때 효를 다하라는 반어적인 의미를 담은(?) 얕은 지식만 있고 지혜가 없는 아둔한 육남매에게 서운함을 표출하는 아버지의 항변의 메시지는 아니었을지 모를 일이다.
실용적이며 실질적 가치에 확고한 의식으로 살아온 아버지의 성품에 토속 신앙이나 종교적인 믿음에 관한 신념은 전혀 없음이기에 사후 세계에 관해서도 냉소적이며 회의적인 사고를 가지셨다. 결국 헛된 조상 숭배에 현실을 발목 잡는 행위를 절대 하지 말라는 지극히 현실주의에 따른 아버지의 일생의 체험적 판단이이라,

육남매는 고민에 빠졌다.
속 깊은 아버지의 의중을 진정 간파하는 자식이 누구였던가?
아버지 어머니의 성품...부전자전 모전자전...같은 유전자를 갈고 태어난 자식이지만 깊은 뜻의 전달이 말이나 글로만 전부 표현되는 게 아니다. 말이 없어도 느낌으로 전하는 알 수 있는 내면의 깊이가 분명 있으리라. 청개구리 어머니의 유언처럼 늘 반대로 행동한 자식에게 마지막 유언으로 땅에 묻히기를 간절히 소망하면서 물가에 묻어 달라고 했던 동화 속의 말처럼 육남매에겐 아버지 유언장의 진의를 가려야 하는 고민에 빠졌다는 것이다.

숙제는 반드시 풀어 명쾌한 정답을 도출하여 정녕 가볍고 홀가분하게 떠나 보내드리는 게 이미 불효의 강을 건너 씻을 수 없는 현실에 살고 있는 우리 형제의 진정한 도리가 될 것이다.

2006년 8월 12일

Winter Wanderer
ArtRage picture

그릇

그릇이란?
무엇을 담은 양의 크기를 말하기도 하고
실제 형상으론 물건을 담는 둥근 형태의 물질이다.
일상에서 그릇은 요긴하게 쓰이는 생활필수품이다.
밥그릇, 국그릇, 생활하는 데 없어서는 안 될 갖가지 용기를 뜻한다. 철학적인 사상을 빌어 그릇이란 사람의 성품, 기품, 폭 넓은 사고와 실천하고 행동하는 범위를 나타내는 잣대로도 표현된다. 사람은 특히 남자는 자고로 그릇이 커야 대성한다고 강조한다. 실제적인 그릇의 크기가 다 다르고 쓰임새가 다르듯이 사람에게도 생각하는 능력이나 사물을 보고 판단하는 직관 혜안의 그릇이 다르다. 지난날 역사적으로 이해되는 그릇은 사뭇 이상적이며 철학적이다. 학식이 높고 세상을 보는 심미안을 가진 지혜로운 선비나 올곧 주변 환경에 야합하지 않으며 올바른 행위나 실천을 하는 사람을 존경받는 큰 그릇에 비유했다.

현대의 그릇은 물질만능주의 사회에 걸맞게 과거의 통념이 변절됐다. 변절했다기보다는 시대가 요구하는 의식의 변화이자 실절적인 생활에서 보고 느끼는 현실을 대변하는 적절한 표현이라 할 수 있겠다. 뱃심이 좋고 능력 또한 출중하고 어디를 가나 주도적인 역할에 중심에 서 있고 배려와 선행도 후한 사람을 빗대어 그릇이 큰 사람이라고 평가한다.

그릇은 크기에 따라 담는 양이 결정된다. 큰 그릇은 많은 양을 담고 작은 그릇은 작은 양을 담는다. 물론 큰 그릇이 쓸모가 있고 많다라는 의미로 해석하면 작은 그릇에 비해 훨씬 쓸모가 있고 긍정적이지만 작은 그릇이라고 해서 비약적인 사고에 빠질 이유는 없다. 작은 그릇은 작은 그릇대로 요긴하게 쓸모가 있고 작은 그릇이 아니면 도저히 목적을 이루지 못하는 상황이 일상사에 부지기수다. 그러므로 세상에 존재하는 볼품없는 미물일지라도 필요로 하는 자연의 심오한 까닭이다.

살면서 내 마음의 그릇 크기를 재어보는 버릇이 생겼다.
보잘 것 없는 그릇의 크기를 애써 늘려 보아도 도무지 커지지 않는 그릇의 크기를 보고 여간 실망에 빠진 적이 한두 번이 아니다. 도공의 손놀림에 크게 늘이고 줄이고 하는 물질의 그릇이라면 백번이라도 늘려서 많은 양을 담을 수 있는 큰 그릇을 만들었을 것이다. 하지만 마음과 정신세계의 그릇은 삶의 교육을 통해서 가상의 그릇을 만들 수는 있어도 태어날 때부터 가지고 태어난 천성의 그릇은 죽는 날까지 절대 불변의 법칙을 가진 형태를 변형할 수 없는 초벌구이는 내세에서 만들어지고 세상에 출토된 완성품이라는 것이다. 무릇 그릇의 크기는 태어날 때부터 운명처럼 정해져 있다는 말이다.

결국 운명적인 작은 그릇은 마음에 둔 채 가상의 그릇을 만들어 때론 허세를 부리며 진정한 속마음과는 달리 던지면 산산이 부서질 유리그릇을 가지고 헤픈 웃음을 팔며 세상과 적절한 타협을 하면서 살고 있다. 선의에 거짓과 하고 싶지 않아도 상황이 필요로 할 때 기꺼이 동참해야 하고 오늘날 문명이 요구하는 새로운 비즈니스에 단역이든 주역이든 배우가 되어야 한다는 것이다. 보다 물질적인 풍요로운 삶을 위하며 세상과의 타협은 선택이 아니라 필수이며 기나긴 전쟁의 현장이라는 것이다.

주어진 내재의 그릇에 연연하지 말고 그 시대가 요구하는 큰 그릇을 비싼 수업료 내고 보고 배우고 만들어야 한다. 적어도 과거와 오늘의 그릇의 의미가 다르듯이 미래의 혁명의 그릇은 다르게 요구할지 모르지만 오늘에 살고 있는 내 자신을 담아야 할 그릇은 고려시대의 찬란한 자기가 아니라 이 시대가 요구하는 평범한 그릇이 더 필요한 현명한 선택이다.

2006년 8월 20일

1988년 오후 강동구 <고덕동>

초가을

스산한 초가을입니다.
올가을은 가뭄에 나뭇잎들이 말라비틀어졌습니다.
혹독한 가뭄에 메마른 잎들이 물들기도 전에 흑갈색으로 변했습니다. 계곡 마다 허옇게 바닥을 드러내 황량하기 짝이 없네요,
언제 마를지 모를 고인 물에 시시각각 죽음에 직면한 생명체들이 분주히 움직이고 있네요, 자연의 흐름을 인지하는 능력을 가진 생명체들,생각하는 두뇌는 없지만 초자연적인 능력을 가진 생명체들은 천재지변에 미리 대처하는 능력을 가졌지만 처해진 위기를 벗어날 수 없는 절대적인 환경이라면 그들도 어쩌지 못하는 것이겠지요,

시련은 견딜 수 있을 만큼 다가온다고 하는데,
혹독함을 떠나 생과 사를 넘나드는 위기엔 시련이란
단어가 불필요한 선택의 여지가 없는 극멸입니다.

비가 내려 높은 곳에서 낮은 곳으로 계곡을 따라 강으로 바다로 순환하는 물이 어느 한 곳에 정체되거나 멈춘다면 리듬이 깨집니다. 올가을 가뭄은 순환의 고리가 끊어졌기 때문입니다.
대자연의 고른 숨쉬기에 문제가 생긴 것입니다.
갖춤에 있어서 채워지지 않은 한 부분으로 인한 결과는
위험에 직면한 생명체는 참담합니다.

2006년 10월 18일

떠나가는 봄

봄이 떠나고 여름이 성큼 다가왔다.
휴일엔 수락산을 오르는 등산객들로 붐빈다.
고층 아파트에서 내려다보면 오고 가는 등산객들이 시끌한 재래 시장 환경을 떠올리게 한다. 화려하지도 또는 행색이 초라하지도 않은 활기찬 발걸음이 새벽시장의 활기를 보는 듯하여 한 때 새벽시장에서 생활하던 그 때를 떠올리게 한다.
산 입구엔 어디를 가나 등산객들을 향한 매점들이 즐비하다. 먹거리와 등산복 매점, 한 잔 술을 그립게 구미를 당기는 음식점들이 줄지어 손님을 부른다.

오늘은 햇살이 따가울 정도로 맑고 강렬한 초여름이다.
시골엔 모내기를 하는 시기다. 못 줄을 띄우고 여러 사람이 모여 모를 심는 옛날 방법은 이제 찾아볼 수 없다. 많은 노동력을 필요로 하는 모내기는 이양기로 대체 되었다. 쉽고 빠르게 모내기를 할 수 있고 많은 인원이 필요치 않은 기계 영농으로 탈바꿈한 시골 환경은 옛날보다는 덜 힘들고 살만한 환경이 되었으리라,

물론 기초적인 노동은 불가피하다. 그 것마저 포기한다면 두 손 발 놓고 노는 일 밖에 없겠다. 그래도 시골 농사는 아직도 힘들고 농기계로 하지 못하는 일이 부지기수다. 사람이 살면서 문명이 발달하고 기계화가 된다고 해도 기본적인 노동력은 필요로 한다.

2006년 5월 14일

미래에 대한?

세상 변화의 속도가 너무 빠르다.
수천 년 내려온 오랜 농경 사회가 산업화 사회로 바뀌면서 성장 속도가 수직 상승하고 지금도 가파르게 치닫고 있다.
가파른 상승은 가속도가 붙어 그 끝을 모른다. 그렇게 급성장한 오늘의 사회 환경은 아날로그 세대의 느린 사고와 행동 방식은 빠른 디지털 세대와의 차이가 현격하게 드러나고 경쟁조차 불가능한 격차를 보이고 있다. 천천히 느리게 성장한 방식으로 살아온 옛사람들은 속도전을 방불케 하는 빠르게 변하는 오늘을 사는데 다소 거리감과 격세지감을 느끼며 이미 느림에 길들어진 자신이 불행한 피해의식에 사로잡혀 있을지도 모를 일이다. 그러한 문화와 경제 산업의 수직 상승에 따른 부작용이 곳곳에 드러나고 있다. 어쩌면 이는 아날로그 세대나 디지털 세대나 모두에게 건강한 사회라고 볼 수 없다.

무에서 유를 창조하는 산업이 아닌 공동주택과 부동산이 급상승하고 농사만 짓던 조용하고 순박했던 농촌 마을이 어느 순간 도시개발 정책에 따라 평생 동안 만져보지 못할 수십 수백억 원이 풀리고 돈에 치어 어쩔 줄 모르는 농민이 속출하는 어쩐지 세상이 불안해졌다는 것이다. 돈이 많아서 나쁠 건 없다. 허나 건전하고 건강한 사회에서 순리적인 흐름으로 얻어지는 부(富)라면 정상적이지만 급작한 변화에 벼락부자가 되는 것은 그 사회가 결코 건강한 사회 구조라고 볼 수 없다는 것이다.
급성장한 산업 사회에서 파생된 불행한 사회상이라는데 주목할 필요가 있다. 특정 지역의 부동산 버블현상은 올바른 사고를 가진 국민들조차 투기장으로 내몰리는 결과를 초래했다. 국민이 필요로 하는 소비재 물품을 제조 생산하여 산업 경제를 일으켜 건강한 부자 나라가 되어야 건전한 사회가 조성된다.
지구에 일부분인 땅이 돈이 되고 부의 척도가 되는 그런 사회 환경이 당연하게 받아들이는 이상한 나라에 우리가 살고 있다.
정책을 구상하고 계획하는 정부의 근시안적인 행태에도 분명 문제가 있다. 개발이 능사는 아니다. 적절한 사회 균형을 조절하고 국민의 삶의 질을 높이는데 국가 운영자는 책임은 다하는 의지가 매우 중요하다. 정치적 이익집단의 구미에 맞는 정책을 펼치고 결행하는 것은 매우 위험한 독단이며 국가의 근간이 흔들리고 국민을 혼란케 하며 위험에 빠뜨리는 결과를 초래한다는 것이다.

삶이 그렇듯이 거대한 국가라는 조직도 미래를 향한 구상이나 계획들이 실험적인 대상일 수밖에 없다. 역사의 과정을 통해서 얻은 경험을 토대로 나름대로 철저하게 설계한 프로젝트라고 해도 미래엔 어떤 변수로 작용할지 아무도 모른다. 결과는 지나봐야 확인할 수 있는 일이다. 결국 정책이 실패하느냐 성공하느냐는 미래가 판단할 일이다. 결행한 정책이 오늘에 있어서 최선의 선택이자 방법이었다고 해도 몇 년 후 올바른 선택이었다고 결론지어질지는 아무도 모른다.
섣부른 판단은 위기와 경제 혼란을 가져올 수 있다는데 신중을 기하며 집단이기를 떠나 전문가의 의견을 수렴하고 신중하게 판단하여 최종적인 결단이 섰을 때 실행하는 정책 입안자의 책임의식이 만연되어 있어야 그 사회가 건강하게 발전할 것이다.
국가 운명의 열쇠를 쥐고 있는 위정자들이 부패하고 전문성이 결여되면 좌표를 잃은 지휘관의 어둔 행군이나 다름없음이리라, 배가 어디로 가고 있는지 모를 그저 끝없이 망망대해를 헤매도는 우매한 선장이 우리의 불행한 자화상이 되어서는 안 된다는 것이다. 2007년 7월1일 (일) 07:09

독선

사람이란?
개개인 모두에겐 소중하고 이 세상에 하나밖에 없는 유일한 존재이다. 하지만 수만 가지의 모양 크기의 그릇이 있듯이 사람에게도 지식 인격 인품을 담은 그릇의 크기가 있다.
삶의 과정을 통해서 배우고 익히며 체험하며 한 사람의 사고의 깊이를 통해서 판단 능력이 생기고 세상을 보는 눈으로 작용한다. 가끔 보고 느끼는 사물이나 인간관계에서 일어나는 일들에 관하여 자신만이 가장 옳고 명확한 판단을 내릴 수 있다고 스스로 장담하며 단언한다. 결국 자신의 한계에서 결론을 내리고 스스로 판단해 버리는 속단은 타인으로부터 외면당할 공산이 크다. 고집스럽고 우매하며 사리분별력이 떨어지는 사람으로 낙인찍힐 수 있음을 간과해서는 아니 될 것이다.

세상은 넓고 다양한 생각을 가진 사람들이 존재한다. 애석하게도 사람은 자신이 눈높이에서 사안을 판단하고 결론을 내린다. 아무리 학식이 높고 지성에 이른 성인군자라고 해도 진리라는 언어는 함부로 특정한 사람으로부터 만들어지는 게 아니다. 국정을 운영하는 지도자의 아집으로부터 또는 상명하복의 절대적인 군대의 선임자로부터 직장이라는 조직 사회의 상사로부터 그 어떤 다양한 의견을 수렴한 판단 기준이 배제된 명령에 복종하는 독선에 시달림을 받을 때 갈등의 고조는 극에 달한다.

시원스럽게 뻥 뚫린 긴 도로가 나 있다고 가정해 보자 피상적으로 멀리 관조의 시각으로 바라보면 누구나 쉽게 판단을 내릴 수 있는 하나의 길로 보일 것이다. 하지만 가까이 다가가 유심히 살펴보면 거미줄처럼 얽힌 길들이 곳곳에 있다. 오솔길도 있고 지름길도 있으며 사람이 가는 길이 아닌 작은 동물들이 다니는 길도 있다. 피상적으로 보여지는 큰 길이 정도(正道)라고 우기면 독선입니다. 발상의 전환을 생각하게 하는 오솔길 명상의 위대함이 결코 작은 부분이 아닙니다. 가장 효율적이며 시간을 절약할 수 있는 지름길의 극적인 효과를 우습게 생각하는 누를 범하지 않나요? 자신이 생각하고 판단하는 길이 정의라고 생각하고 있지 않는지요? 눈에 보이지 않는다고 해서 느낄 수 없는(?)깨닫지 못한 저편 수많은 진리를 인정하지 않는 독선을 가지고 있지 않은가요?

살다 보면 세상을 달관한 듯 스스로 독선에 지배당하는 꼴을 범하곤 합니다. 돌이켜보면 잘못인 줄 뻔히 알면서 고집을 피우며 잘못된 길을 향하여 질주하는 게 사람입니다. 쓸데없는 자존심 때문이죠, 늪에 빠지는 줄 알면서도 미련을 버리지 못하며 어리석은 누를 범하는 게 자칭 똑똑하다는 사람입니다. 오늘날 세상엔 전문가들이 넘쳐납니다. 소의 전문가들은 언론의 위력을 적절히 활용해 재생산합니다. 전문가는 많은데 정작 그 분야에 괄목할만한 성공을 거둔 전문가는 드뭅니다. 가령 주식 전문가가 돈을 많이 번 사람이 없듯이 경제 전문가가 부자인 사람이 몇이나 될까요? 이론과 실제는 괴리가 분명 존재합니다. 말로 가능한 것은 말뿐입니다. 현실은 다르다는 것이지요, 이론은 절대적 수용이 아닌 참고 하면서 자신을 깨닫는데 필요한 도구의 활용일 뿐 답은 아니라는 것을 염두에 두고 세상을 넓게 바라보는 시야를 가지라는 데 큰 의미가 있다고 생각됩니다.

2007년 7월 29일

산다는 것은...

동시대에 태어나 함께 학교 다니며 공부하고 졸업하고 사회에 진출해 어찌 어찌 살다보면 인생을 종친다. 먹고 사는 방법은 다양하지만 근본적인 삶의 과정, 그리고 종지부는 비슷하게 찍는다. 잘 먹고 잘 산다고 해서 누구는 백만 년 누구는 천만 년 살 수 없다. 현대 의학이 아무리 발달하여도 수명을 조금 늘리는데 도움을 줄 뿐 인간의 수명을 마음대로 늘리고 줄이고 할 수 없다는 얘기다. 본인이 의지대로 자살을 감행해 수명을 줄일 수는 있겠다. 극단적인 의도에 의한 선택이 아니라면 평균 수명에서 벗어난다고 해도 거기서 거기다. 즉 주변 동년배들이 하나 둘 이승을 등진다면 자신도 곧 멀지 않으리란 생의 종착지를 의식하게 된다. 가난하든 부자든 그렇게 인생은 종치고 마는 엄연한 사실을 부인할 수 없다.

어느 날 갑자기 어머니의 자궁을 통해 출생하여 학교 다니며 공부하고 성장하지만 사회에 내 던져지면서 현실적 삶은 달라진다. 학교 다니면서 괄목할만한 공부 실력이 남다른 면도 있고 운동 예술적인 감각이 돋보이기도 하지만 실질적인 경제적 지위는 사회에 나서면서부터 시작된다. 시작은 비슷하다. 물론 부모의 재력에 힘입어 경제적 성장 동력이 받쳐줘 출발부터가 이미 가능성에 놓여 있는 예도 있다. 이러한 특정한 분류는 제외하고 출발이 비등한 조건의 인생을 말하고 싶은 게 논점의 핵심이다.

치열한 삶의 현장에 놓여진 자신의 운명을 어떻게 개척하며 살아가야 하는가는 스스로 결정하고 판단해야 한다. 1년 5년 10년 이렇게 세월이 흐르면서 함께 출발한 마라톤 레이스처럼 반환점을 돌아 종점에 이르면 상황은 달라진다. 모두 똑같이 달리지만 지쳐 중도에 포기하는 사람, 바람을 가르며 지칠 줄 모르며 달려가는 사람, 안간힘을 쓰며 포기란 없는 느리지만 그래도 끝까지 달려가는 사람, 함께 시작한 이들이 도착 지점에 다다르면 분명히 개개인의 운명은 달라져 있다.

철학적인 인생론을 빌리자면 사람은 빈손으로 왔다가 빈손으로 가는 것은 분명하다. 하지만 사람으로 태어나 원 없이 하고픈 일을 하고 그에 따른 경제력 지위와 삶의 질을 윤택하게 하는 의무를 저버려서는 안 된다는 것이다. 현실에 살면서 비현실적인 사고에 몰입하고 근본적인 삶의 욕구마저 외면한다면 그건 진정한 무소유의 깨달음이 아닌 비겁한 도피행위에 불과하다.

돈을 벌어야 한다는 것은 삶의 질을 높이고 자신의 품위와 품격을 높이는 수단이자 사회적인 신분을 상승하는 요인이 된다. 돈을 어떻게 벌어야 하는가? 수단과 방법을 가리지 않고 돈을 벌어야 한다는 전투적인 논리는 상식적이지 않다. 열심히 노력하고 근로하는 것만으로 돈을 번다고 강조하지 않는다. 같은 시간 같은 노동을 하면서도 돈을 많이 버는 방법이 있고 많은 사람들이 그렇게 돈을 번다. 과거의 농경 사회의 속도는 매우 느리고 돈을 버는 방법도 달랐다. 투자, 투기라는 개념이 없었다.

일정한 시간을 열심히 일하고 얻은 대가를 가지고 재산을 늘려가는 형식이었다. 지금은 빠르게 변하는 속도만큼 부의 속도도 다르며 가치기준이 다르다. 재테크 란 말이 그 빛을 발하는 시대에 살고 있다. 돈이 돈을 버는 시대가 도래하였다. 투자와 투기를 적절히 활용하여 부의 속도를 끌어 올렸다. 더욱이 우리나라는 인구 밀도에 비해 땅이 부족하다.
자연히 넉넉한 땅을 가진 나라와 비교한다면 심리적인 부담감도 다르다. 산업화에서 급성장한 오늘의 사회는 돈을 가진 사람들이 많다. 돈은 돈이 되는 곳으로 이동하고 흘러간다. 많은 사람들이 걱정하고 국가의 발전을 위협하는 망국병이라고 하는 부동산, 즉 작은 토지에 돈이 몰리는 현상은 안타깝지만 공급과 수요에 따른 돈의 속성이라는데 주목할 필요가 있다.

이젠 사회생활에 어둔 사람들은 윤택한 생활을 하기 힘들어졌다. 누구를 원망하고 한탄해도 오늘의 사회가 달라지지 않는다. 가진 자의 부의 가속도는 가지지 못한 자는 따라잡을 수 없다. 가진자는 기득권 세력이며 곧 세상을 지배하는 힘이다. 그들은 돈의 위력으로 손쉽게 가지지 못한 자의 노동을 착취할 수 있고 하층민을 상대로 이익을 극대화할 수 있는 힘이 있다. 먹이 사슬처럼 고리형태로 이루어진 사회에 곳곳에 톱니처럼 하나하나를 지탱하며 많은 사람들이 희생을 감내하고 있는 것이다.

오늘날 급변하는 조직 사회의 수많은 톱니 중 나는 어디 어느 곳에 속해 있는가? 그리고 충분한 노동의 대가를 받으며 미래 가능성이 담보된 역할에 놓여져 있는가 묻고 답을 얻어야 한다는 것이다. 총성이 울리고 레이스를 시작한 동년배들이 10년 후에 달라진 모습과 나의 현재를 보고 경악해야 하는 비극은 없어야 한다.

변화를 외면한 채 날마다 부메랑 리듬에 젖어 꿈도 희망도 없는 무미건조한 삶의 여정은 더없이 피곤한 고통 속의 연장일 뿐이다. 미래는 나를 위해 준비된 것은 아무것도 없다. 미래는 다가올 뿐이다. 미래를 바꾸는 것은 자신의 행동과 실천뿐이다.
세상이 살기 어렵다는 것은 10년 전에도 그랬고 20년 전에도 그랬다. 또한 미래도 자신의 신념에 따라 삶이 달라지거나 힘들어지거나 불행해지는 것은 자신 때문이라는 것을 명심할 일이다. 고민하고 한탄하고 원망하는 부정적인 의식이 자신의 미래를 결코 바꿀 수 없다는 것을 결코 잊어서는 안 된다는 말이다. 미래는 가능성을 열어놓은 자신이 설계해야 하는 백짓장이다. 여기에 아름답고 독특한 그림을 그리며 꿈을 심는 것은 순전히 자신의 몫이며 여생의 의무이자 고민하고 번민하는 사람으로 태어난 마지막 자존심이다.

2007년 7월 19일

1987년 12월 연말에 그렸다.

젊게 사는 방법

'무언가 끊임없이 추구하는 사람은 늙지 않는다'
사람이 살면서 일중독에 빠진다고 한다. 좋게 말하면 근면 성실하고 끊임없이 자기 계발을 게을리하지 않는 바람직한 경제적 적극성이라고 하겠다. 자기가 하고 싶은 일에 몰입하고 정신을 쏟아부으면 그에 따른 부가가치도 누리고 경제적인 지위도 소유한다. 나쁘게 말하면 중독증이라는 언어에서 오는 뉘앙스부터 거부감이 생긴다. 따라서 중독이 되면 좋을 게 없다는 우려의 목소리에 귀 기울일 필요가 있다. 산다는 것은 어차피 새로운 변화를 추구하고 자신의 삶의 질을 높이는 데 목적이 있다. 그러한 의식은 늘 일을 해야 하고 무언가 축적을 해야 한다는 강박관념에 사로잡히게 된다. 지나치면 중독이 되고 건성 건성 일처리를 하게 되면 게으름이 된다.

서두에 표현한 늙지 않게 사는 방법을 제시하는 문구는 아마도 일 중독이나 게으름에 대한 의미보단 어차피 사는 일이란 육체적으로 늙어가는 것은 누구도 어쩔 수 없는 과정이다. 생각을 젊게 가진다고 해서 생물학적인 소멸을 절대 막을 수는 없다. 그 어떤 명약이 없으며 이 세상에 영원한 불멸을 해주는 불로초는 없다. 단지 노화를 더디게 하고 보조 역할을 하는 식물이 있다고 하지만 명확한 수명에 대한 연장을 누구도 확언할 수 없다는 것이다. 무언가 새로운 것을 추구하고 생각해내는 능력 또는 그렇게 하고자 하는 의지가 생각을 젊게 하고 정신적 세계를 밝게 함으로서 생활에 활력이 생기고 육체적으로 신선한 자극이 되고 긍지가 생겨 젊게 느껴지기 때문에 비록 육체는 늙어가지만 젊게 살아가는 비결이라고 하겠다.

생각의 방을 잘 정리하는 것도 인생을 젊게 하는 방법이란다.
우리가 사는 공간 즉 방에도 가구와 살림살이 배치가 있듯이 정신세계의 방도 적절한 배치가 필요하다고 한다.
우리가 늘 하는 일도 순서가 있듯이 좋은 일을 출구 쪽 가까운 곳에 배치하고 나쁜 일 힘든 일은 맨 구석에 배치하여 여유 있는 시간에 해결하는 마음속의 정리 정돈이 중요하다고 한다. 수험생이 시험을 볼 때 아는 문제부터 풀고 여유가 있을 때 못 푼 문제를 푸는 이치와 같다고 하겠다. 무작정 아무 생각 없이 일을 하다 보면 뒤죽박죽 그리고 효과도 기대할 수 없다. 결과를 극대화하는 것은 기본적인 일의 정의다. 같은 시간을 놓고 결과를 극대화하기 위한 훈련이 되어 있지 않으면 남보다 힘든 노동을 더 해야 하고 쓸데없는 시간도 허비하고 만다. 약싹빠른 교활한 두뇌를 가지라는 게 아니며 이왕 주어진 시간을 효율적으로 소비하라는 바람직한 방법을 제시하는 것이다.

젊게 사는 비결을 스스로 터득하고 행동에 옮겨야 한다.
생각을 바꾸는 발상의 전환, 깊은 생각에 의한 발상이 떠오르면 망설임보다는 과감한 행동으로 옮겨 과실을 얻는 행운을 포기하지 말 것이며 뒤처져 손해를 보는 어리석은 누를 범하지 않기를 자신에게 채찍이 필요하리라, 가끔 상황이 종료되고 후회하는 일을 여러 번 경험했을 것이다. 이러한 상황이 늘 발생하고 진행된다면 곤란하다. 늘 답습하고 개선의 의지가 없다는 절대 자신을 변화시킬 수 없으면 좋은 결과를 기대할 수 없다. 나쁜 습관은 하루빨리 없애고 좋은 것은 내 몸에 습관화시켜 좀 더 나은 바람직한 삶이 되기를 고집해야 한다는 것이다.

2007년 12월 25일

시간 관리

하루는 24시간이다.
24시간이란 영역을 어떻게 효율적으로 관리하느냐에 따라 실제 시간을 48시간을 지나온 것처럼 실적을 극대화할 수 있다는데 시간 관리에 중요성을 깨닫는다. 어떤 사람은 24시간이 모자란다며 왕성한 활동력을 자랑하기도 하고 어떤 사람은 하루가 지루하고 권태롭다며 패배주의 사고에 허덕이곤 한다. 시간을 어떻게 쓰고 어떻게 관리하는 차원을 떠나 생각 자체가 극명하게 차이를 느낄 수 있는 시간 소비에 관한 일화다. 시간은 누구에게나 공평하게 주어진 하루의 과정이다.

시간을 어떻게 쓰고 관리하는 지는 본인 의지에 따라 달라진다. 쓸데없는 일에 시간을 낭비하면 할수록 쓸 데 있는 일에 집중하는 사람에 비해 생활이 빈곤하거나 더는 앞으로 나아갈 수 없는 것은 지극히 당연한 결과일 것이다.

시간 관리가 철저한 사람은 업무 처리에도 뛰어난 능력을 발휘한다. 똑같은 시간을 가지고도 누구는 잘 쪼개어 같은 양의 일을 밀도 있게 신속하고 민첩하게 처리하고 나머지 시간을 또 다른 생산성이 있는 일에 투자한다. 이러한 효율적인 시간 관리를 하여 보다 나은 삶의 질을 높이는 데 지대한 역할을 한다.
하지만 똑 같은 일을 가지고 시간 배분을 잘못하거나 또는 시간 관념이 없는 사람은 주어진 시간을 초과해도 일 처리를 끝내지 못하는 경우가 허다하다. 여기서부터 현명한 자와 우매한 자의 차이가 발생하고 그것은 곧 삶의 방향도 다르고 미래 부가가치도 다르며 부의 척도와 연관된다. 결국 시간은 인생을 얼마만큼 길게 사느냐가 중요한 게 아니라 인생을 어떻게 보람 있게 그리고 알차게 보내느냐가 중요하다. 건설적이면서 뜻있는 일에 집중 투자를 해도 모자란 시간을 허무하게 보내지 않는지를 스스로 성찰해 보라는 충고의 말씀이겠다.

누구에게나 주어진 24시간은 자신이 잘 알고 있다. 남이 정해주고 관리해주는 것이 아니라 본인이 오랜 경험을 통해서 통제하고 관리해야 하는 중요한 생의 과제일 것이다. 시간 관리란 꼭 생산적이어야 한다는 당위성은 없다. 다만 쓸데없는 데 시간을 낭비하지 말라는 얘기다. 가령 아침나절 시간을 잘 분배하지 못하면 샐러리맨에겐 지각을 하게 되고 사소한 지각은 인사고가에 반영되고 샐러리맨의 꽃인 진급에 문제가 발생한다. 시간을 배분하는 일은 습관화 되어야 한다. 선후를 잘 정해서 먼저 일 처리해야 하는 부분과 후에 해도 되는 부분을 철저하게 가려서 정리하여 행동에 옮기는 현명함이 요구된다. 배달 업무를 하는 택배회사에 근무를 하는 샐러리맨은 시간과의 싸움이다. 지역을 구분해 어디서부터 배달을 시작할 것인지 로드맵을 가지고 있지 않다면 낭패를 볼 수 있다. 이들에게 시간은 금이다. 일과를 잘 배분하지 못하면 늦을 시간까지 강도 높은 노동에 시달려야 한다. 교통체증에 저녁 식사도 제때 하지 못하고 이래저래 고통이 가중될 수밖에 없다.

아침 시간 활용은 비교적 활력이 넘친다.
공상에 사로잡힐 여백이 없다. 잠자리에 일어나 늘 습관대로 행하던 시간 관리가 효율적으로 압축되어 있다.
아마도 내가 느끼는 바로는 하루 일과를 아침 시간처럼 배분하고 관리한다면 성공적인 24시간을 보낼 수 있을 것이다. 아침 시간은 그만큼 빠듯한 시간을 최대한 효과적으로 누구나 철저하게 관리하고 있을 것이다.

가령 몇 분이라도 여의치 않다면 일련의 순차적인 과정으로 처리하던 것을 중복 처리할 수가 있다. 늘 아침에 생리적인 현상을 해결하는 사람이라면 용변을 보면서 양치질을 할 수도 있다. 생각하기에 따라 유쾌한 행동은 아닐 터이지만 자신의 신진대사는 역겹지 않다. 그리고 구두를 신는 사람은 그 찰나의 시간도 출근 시간에 낭비되는 시간일 수도 있다.

우리 집은 고층 아파트다. 현관문을 나서고 엘리베이터 버튼을 누르고 길면 3~4분은 족히 걸려야 내가 타야할 층에서 문이 열리기도 한다. 그 시간은 정말 아침 시간 배분에 매우 불필요한 시간이다. 그래서 구두를 발에 걸치고 현관문을 나서 엘리베이터 버튼을 누르고 비로소 구두를 신는다. 그리고 엘리베이터가 도착하는 시간 스트레칭도 하고 유연하게 몸을 비틀고 앞발차기도 하는 여유를 부린다.

이렇게 하지 않으면 금쪽같은 아침 시간을 잃고 종전보다 일찍 일어나야 하고 그만큼 필요한 수면 양을 잃어버릴 수 있다.
시간을 여유 있게 쓰는 것도 나쁠 게 없지만 얼마나 효율적으로 관리하고 사용하는 게 더 바람직하느냐의 대한 논점의 핵심이다. 날마다 오는 시간은 본인에겐 분명 시효가 있다. 그래서 시간을 관리하고 효율을 극대화하고 생산성을 높여 미래 지향적이며 건설적인 인생 여정을 마감할 수 있다는 깊은 뜻이 담겨 있다. 모든 이에게 공평하게 주어진 시간을 잘 관리하여 성공적인 삶이 되도록.....

2007년 11월 24일

실언

실언.. 생각 없이 내 뱉은 말이 볼품없는 속내를 보여 주는 결과를 초래할 수 있음을 실감했다. 확실하지 않은 어설픈 지식으로 표현하는 언어는 자칫 자신에게 상처를 남기고 타인에겐 실없는 값싼 인간으로 보여질 수 있다는데 매우 조심할 필요가 있다. 말은 잘해야 본전이라고 했다. 결국 안 해도 되는 말을 함부로 남발하지 말라는 경고의 메시지리라.

말을 많이 하면 실언을 할 공산이 크다는 것이다.
그리고 해서는 안 되는 말이 있다. 화를 불러들이는 말이 있다는 얘기다. 표현력이 부족해도 생기는 원인도 있지만 악의적인 막말도 있으니 가려서 말하는 현명함을 지녀야 사회로부터 보호받을 수 있다.

2007년 11월 22일

자아 성찰

현재의 생각을 바꾸지 않는 사람은 과거의 감옥에 갇힌 사람이다. 현대를 살아가는 사람에게 시사하는 바가 큰 깊은 의미를 지닌 말씀이겠다. 보통 사람들이 가지고 있는 고착화된 고집스런 과거 의식에서 벗어나지 못하는 몽매함을 지적하는 언어다.

젊은 날 진리라고 믿었던 사회적 편견이 얼마나 위험한 고립된 사고였는지를 깨닫고 오늘의 나를 분석해야 한다는 충고의 언어다. 지성인이라고 일컫는 학창 시절 사회를 향한 끝없는 반목과 갈등, 반항, 젊음의 패기를 굳은 의지라고 믿었던 지난날의 행적이 인생을 바꿀 희망의 등불이라고 장담할 수 없다는 것이다. 나이가 들어서야 깨닫게 되는 인생의 진리란 결국 세상을 살아봐야 비로소 인간이 살아가는 궁극적인 진정한 의의를 발견하게 된다는 것이다. 무엇보다 천만다행인 것은 과거 정의라고 믿었던 사고에 사로잡혀 헤어나지 못하며 아직도 향수병에 걸린 실향민처럼 평생 그리움에 빠져 사는 내 자신이 아니라는데 스스로 위로할 수 있는 여백이 생겼다는 것이다. 물론 과거의 젊은 날 사고와 관념이 분별력을 잃은 지나친 행동이라고 모두 평가절하할 가치 없는 과정이라고 단언할 수 없다. 다만 좀 더 숙고하고 명석한 판단력이 부족한 상태의 과정에 지나친 사회적 반감이 문제를 일으킬 수 있다는데 논점을 맞추고 그에 따른 부작용을 간과할 수 있다는 우려에서 본뜻의 핵심이겠다.

유년의 어리석은 사고와 사춘기의 반항 의식, 혈기 왕성한 청년기에 스스로 옳다고 생각하고 행동에 옮겼던 일들이 덜 성숙된 과거의 행적이었다는 것을 나이가 들어 깨달을 수밖에 없는 게 인생이라는 것이다. 젊은 날 비판의 대상이었던 정치인을 두고 훗날 다시금 좋게 평가할 수밖에 없는 의식의 변화는 인생 경험과 체험에서 얻은 달관한 사고의 판단 기준이 성립되었을 때 나타나는 고결한 선각자의 위대한 결과라고 말할 수 있겠다. 그래서 사람은 죽을 때까지 인생을 배우며 깨닫는 생각하는 존재라는 것이며 죽음에 이를 때 비로소 철이 드는 조물주가 만든 끝없는 갈망과 질주 세속의 온갖 시험에 드는 과정이라는데 충분한 이유가 있다고 한다.

지금도 옳다고 믿는 의식이나 의지가 나와 타인이 다 알고 있는 전부는 아니라는데 깊이 생각해볼 필요가 있다는 것이다.
생활에서 비롯된 굳어진 자신의 편협한 의식구조 때문에 가까운 가족 또는 사회적 범주에 속한 동료에게 그 어떤 피해를 주며 원치 않은 사안에 강요당하고 있는지 모르는 일이라는 것이다. 독선과 아집이 한 개인에 국한된 영역이라면 사회적 갈등은 없겠지만 사회를 이끌어가는 지도자나 위정자 위치에 놓인 사람이라면 단체 또는 조직의 운명을 달리하는 심각한 문제가 될 수 있다는 것이다.

시대가 요구하는 변화를 외면하고 고집스럽게 자신만이 옳다고 판단하는 방향으로 밀고 나가는 독선적인 행위 결과에 다행히 모든 사람들이 바라고 원하는 쪽으로 귀결된다면 문제가 없지만 잘못된 판단으로 조직이 와해 되고 돌이킬 수 없는 방향으로 흘러간다면 상황은 다르다. 한 사람의 편협한 사고와 독선으로 인한 엄청난 폐해를 낳는 결과를 초래한다는 것이다.

2007년 11월 2일

가치 변화

정상적인 행동이나 의식이 비정상으로 보이고 느껴지는 사회에 살고 있는 것 같다. 지극히 정상적인 삶을 추구하며 그렇게 살기를 당연한 인생의 과정이라고 깨닫고 있었던 사람들이 비정상적인 삶으로 보여지는 오늘의 사회 현상에 관하여 이것은 근간이 흔들리는 모순된 기형적인 사회 구조라고 판단한다.

적어도 몇십 년 전엔 열심히 땀 흘리고 노력하여 돈을 모으고 생활을 꾸려가고 소득의 일부를 저축하여 한 몸 누울 거처를 마련하고 자급자족을 위한 조그만 텃밭을 마련하는 과정을 가장의 역할 수순이었겠다. 참으로 소박하고 순수한 꿈같은 과거의 생각이다. 세상은 변했다. 아니 변했다는 말만으론 부족하다. 급변했다. 한여름 밤의 꿈꾸다 눈 비비고 깨어나 보니 상전벽해가 되었다. 보잘 것 없던 자갈밭이 화려하게 돈방석으로 변했다. 누구의 탓도 아니다. 산업화 개발에 따른 더불어 가속도가 붙고 급물살을 탄 세상이 급변한 것이다.

구시대적인 사고의 소유자는 이젠 대화의 장에서 할 말이 없다. 물론 그들만의 대화의 장이 존재하겠지만 매우 협소하고 소리 없이 나누는 파장 없는 대화가 아닐까 싶다. 농경사회에 길들어진 전원적인 사고는 오늘날 현대 사회의 빠른 속도에 맞출 수 없다. 그리고 오늘날 빠르게 진행하는 조직 사회는 느림에 길들어진 그들을 받아들이기에는 시간이 없다. 도태되고 탈락하는 낙오자를 끌고 에너지를 소비하며 앞으로 전진하는 배려는 없다. 그것은 곧 함께 자멸하는 길이기에 질풍노도와 같은 시대가 요구하는 속도에 걸림돌이 되는 장애물은 과감히 제거될 수밖에 없다.

주식, 펀드, 재테크...등등 위험 부담을 안고 있는 금융 지식 산업에 속하는 언어들이다. 알뜰히 한 푼 두 푼 모아 부를 이루는 시대는 없다. 지극히 정상적인 부의 축척이었던 구 대적인 방법은 이제 오늘날 더는 설 자리가 없다. 거북이와 토끼의 경주... 교과서에 나오는 우화다. 거북이의 끈기가 결국 승리하는 마침표를 찍는 낭만적인 결론을 제시하지만 실제와 얼마나 거리가 먼 이야기라는 것을 누구나 알 수 있을 것이다. 그래도 거북이 행로를 선택하고 받아들여야 하는 사람들이 부지기수 살고 있음을 부인할 수가 없다.

결국 토끼처럼 빠른 질주를 하기 위한 종잣돈을 마련하기 위해선 그나마 적은 돈이라도 저축하지 않으면 안 된다는 것이다. 그리고 종잣돈이 있다고 해서 누구나 재테크에 성공하는 것은 아니다. 금융 수익을 창출하기 위해선 많은 위험을 감수하고 피해가야 하며 최악의 경우엔 원금 손실이라는 리스크가 존재한다.

토지를 소유하고 내 한 몸 거처할 집을 마련하는데 투자라는 개념이 없었다. 토지는 농사를 지어 일용할 양식을 얻는데 필요한 땅이라고 생각했고 집은 셋방살이를 벗어나 누구에게 간섭받지 않으며 마음대로 살 수 있는 내 집이라는 개념에서 비롯된 소유하게 된 동기다. 그러나 이러한 소박한 의식이 지금에 와 얼마나 어리석게 보여지는지 세상 돌아가는 상황을 조금만 눈 돌려 보면 누구나 알 수 있다. 찬서리 맞은 부동산 시장이라고 해도 아직도 집은 재테크의 수단이 되고 있으며 부족한 토지는 부르는 게 값이다. 다소 주춤하다 해도 집값 토지 값이 떨어지기는 쉽지 않다.
이윤과 이익을 목적으로 사는 사람들이다. 값이 떨어지면 부득이

한 사정이 없는 한 팔려고 하지 않는다. 주춤하고 소강상태에서 다시 오르기를 반복됐다. 소득에 비해 주택 토지는 상승 고지를 향해 거침없이 달려왔다.

오늘날 우리가 사는 사회는 지극히 정상적인 구조라고 말할 수 없다. 누구의 잘잘못을 탓할 수도 없는 산업화가 낳은 기형적인 구조다.

2007년 10월 25일

1988년 1월 <농부의 하루>

파산

파산이란 깨어 흩어진다는 한자어다.
파산이란 언어를 종종 듣는다. 개인파산, 또는 기업파산이란 말이 회자되곤 했었다. 파산은 곧 국가로부터 국민으로서 받아야할 권리를 포기 한다는 사법적 판결을 의미한다.
개인이나 기업이 파산 신청을 하고 적절한 심사를 거쳐 국가로부터 받아들여지면 채무 종료를 하고 재기할 기회를 얻는다.
그렇지만 그로인한 채권 채무 피해는 고스란히 채권자에게 돌아가고 물적 심적 고통이 따르고 억울한 폐단을 낳게 한다.
사실 부실 금융 채무는 거대한 조직의 산업이기에 대부분 심각한 위기를 초래하지 않는다.

하지만 개인 채권은 이중삼중 심각한 경영난에 봉착하고 연쇄부도로 이어지는 최악의 상황이 발생하기도 한다. 이러한 타에 의한 잘못으로 발생한 손실을 아무도 책임을 져주지 않는다. 상거래 또는 기업 간 거래는 법의 보호를 받을 확실한 제도적 장치가 없다. 사기 행위에 해당하지 않는다면 채무는 민사소송은 가능하지만 법적인 구속력이 없기 때문에 채무자가 변제하겠다는 말로만 해도 언제까지라는 약속 없어도 채무자는 일상 생활하는데 큰 무리가 없다.

이를 악용한 악덕 기업가나 상인이 버젓이 존재하고 이를 철저하게 가려낼 법적인 장치가 없는 게 현실이다. 완벽한 법적 보호받을 수 없는 위험 부담을 안고 사업을 하고 장사를 해야 한다. 그리고 그 위험에 대한 책임은 개인 간 기업 간 일로 치부되고 알아서 현명한 판단 아래 거래를 해야 한다. 실은 외상 거래를 하지 않는다는 원칙을 세우고 철저하게 상거래를 하면 스스로 위험에서 벗어날 수 있는 여지가 분명 있다.
타인보다 조금 더 돈을 벌겠다는 욕심이 화를 부르는 예가 다반사다. 실질적인 현금 거래만 하는 상거래 시장, 상인이 있다. 현재 환경을 탓하기 보단 스스로 위험으로부터 빠져들지 않고 안전한 상거래를 하느냐 마느냐는 본인의 선택이다. 선택에 의한 결과에 대하여 세상이 잘못되었다고 탓하는 의식은 어리석은 사고다. 분명 선택의 여지가 있는데 리스크를 안고 위험한 방법을 선택한 잘못은 본인의 의지에서 비롯됐다는 것이다. 결과 이후 세상 탓을 해봐야 현재 달라지는 것은 아무것도 없다.

내가 다니는 직장은 위에 열거한 논리와 밀접한 관계가 깊은 직업에 속한다. 법인 설립을 갖춘 중소기업이라고 볼 수 있고 엄밀히 따지면 상업, 즉 장사를 하는 직장이라고 말 할 수 있겠다. 다년간 종사하면서 느낀 게 많다. 세상에 대한 불합리한 구조와 상거래에서 발생하는 사람과 사람 사이의 갈등, 속고 속이는 선의에 거짓말, 때론 인간이기를 포기하고 싶은 화가 치밀어 오르며 사람을 사람같이 안 보는 비인격적인 행위에도 곧잘 가담했다. 치열한 경쟁사회의 논리를 굳이 예를 들지 않더라도 이익을 창출하기 위한 수단을 동원하고 실행해야 하는 직업전선은 쉬임이란 없다.

이러한 완벽하지 않은 사회 구조에서 부단히 노력하며 수익을 도모하고 직장과 나 개인을 위한 이익을 위해서 발로 뛰어야 한다. 물건을 주고받으며 곧바로 돈을 받는 상거래라면 그다지 큰 문제가 발생하지 않는다. 그러나 물건을 먼저 주고 돈은 나중에 받는 현 시스템은 여러 가지 부작용을 낳는다. 부도와 파산으로 물건은 돌려받을 수 없는 상황이 발생하고 받아야 할 돈은 고스란히 떼이는 경우가 다반사다. 이러한 모순된 상거래 시스템에서 나는 직장 생활을 하고 있다. 물론 알뜰하게 작은 돈을 소중히 여기며 외상 거래를 하지 않으면서 안전한 경영을 하는 소규모 장사도 많다. 어쩌면 이러한 작지만 알찬 시스템이 지금 시점에 우리에게 더 필요한 경영 방식일지도 모를 일이다. 겉모습만 화려한 속빈 큰 규모의 기업은 도산하는 데는 하루아침이다. 하지만 작은 규모의 기업은 외풍에 그다지 영향을 받지 않는 장점이 있다. 그리고 잃어도 손실이 미미하고 도산에 이르는 예가 드물다.

욕심이 화를 부른다고 했다. 작은 것이 꼭 보잘 것 없는 것은 아니다. 작지만 장인정신을 가지고 꿋꿋하게 세상을 상대로 알뜰하게 이익을 창출하고 탄탄한 경영을 하는 자영업자도 많다. 적어도 이들은 타인에게 피해를 주지 않으며 사회의 몫을 다하고 있다는데 존경을 해줘야 한다는 것이다. 대기업의 몰락 그로 인한 대마불사처럼 느꼈던 은행도 힘께 파산하는 억사적인 광경을 목도하지 않았는가?

오늘날 경제 상황은 성장 위주의 대기업 중심 경영 방식이 아니다라는 것을 경제 전문가들이 지적하고 있다. 성장 제일주의 과도기를 지나 이젠 글로벌 경영 시대에 돌입했다. 자기 자본 비율이 기업의 위기를 대처할 큼만 담보되어 있지 않다면 그 기업은 언젠가는 파산을 초래한다는 것이다. 그리고 이젠 금융기관 즉 은행에서 담보 물건 또는 사업성을 믿고 함부로 돈을 빌려주지 않는다. 그만큼 기업을 상대로 이윤을 남길 만큼 성장 메리트가 별로 없다는 판단에 의한 고도의 금융 이익 집단의 결론이자 비록 돈 장사하는 은행이라고 해도 잘못 경영하면 퇴출된다는 현실을 경제 혼란 때 뼈아프게 경험했기 때문이다.
한보철강, 대우그룹 도산으로 은행도 합병하거나 외국에 매각되기도 했다. 외환은행이 외국계 사채업자나 다름없는 론스타에 팔려 막대한 이익을 남기고 떠난 웃지 못할 일도 있었고 지금도 개인 채무자를 상대로 투자금액의 몇 배에 달하는 이윤을 남기고도 세금을 내지 않아 법적 소송 중에 있다. 부실기업을 정리하는 성업공사(지금의 캠코)에서 헐값에 매각한 잘못도 속속 드러나고 있다.

거래하는 중소기업이 부도를 냈다.
고의든 경영상의 잘못이든 부도로 인한, 이익은 고사하고 외상으로 납품한 물품 값 수금은 물거품이 됐다. 참으로 통탄한 일이다. 그리고 부도낸 거래처의 뻔뻔한 넋두리와 제스처는 사람이 싫다라는 느낌을 받게 한다.

석고대죄해도 모자랄 판에 당당함은 오늘 날 이 시대의 불합리란 사회상이라고 해도 과언이 아니다. 죄지은 사람이 당당하게 느껴지는 사회가 과연 올바른 사회일까? 병가지상사처럼 발생하는 기업 부도 세상이 어렵기 때문이라며 발뺌하는 뻔뻔한 부도낸 기업가, 법은 멀고 주먹도 멀어진 사회에서 이들이 활개치며 또 다른 피해를 입힐 대상을 찾아 재기를 꿈꾸는 불합리한 사회구조에서 무얼 바라겠는가? 이러한 시스템 운영 방식을 개선하지 않는 한 앞으로 계속해서 발생할 위험을 감수하며 상거래를 해야 하는 직장 현실이 안타깝다. 욕심을 버리지 못하고 또 아귀다툼의 현장에 발을 들여놓아야 하는 심정을 누가 알겠는가?

이 것마저도 포기하면 생활 자체도 포기해야 하는 현실이 내 앞에 놓여져 있다. 부도난 금액은 변제한다는 약속도 기약도 없이 그나마 기업을 살려야 한다며 지금부터 납품하는 물품 대금만 대납하며 거래를 하자는 제의, 속으론 울화통이 치밀어 욕설을 퍼붓고 싶지만 이러한 제의에 누군가는 이익을 목적으로 하는 또 다른 경쟁 업체가 있기에 그 것마저 놓칠 수 없는 절박한 심정에 과감히 거절하지 못하는 모순된 시스템을 그대로 답습해야 하는 게 너무 싫었다. 하지만 내 개인적인 감정으로 판단할 일이 아니다. 기업 이윤에 어떤 선택이 옳은 것이냐가 더 중요하다.

기업이나 상거래는 이윤의 목적이 가장 크다. 누가 밉고 싫다고 해서 외면할 일이 아니다. 언제나 목적이 우선한다는 것이다. 여기에 감정이입이나 사견은 사실 개입불가가 당연하다. 목적을 위해선 수단과 방법을 가리지 말라는 전투적인 언어가 경쟁 사회에 정의처럼 회자되기도 한다. 조직 사회에 몸담고 있으면서 내 뜻대로 행동하고 판단하는 것은 조직 경영을 해칠 수 있다.

조직은 시스템에 의하여 운영해가는 다수의 사람들이 모여 결성한 가장 합리적인 결론에 의한 단체이며 여기에 의논을 거쳐
목적이 주어지고 실천하는 공동체다. 목적은 개인에겐 다소 불리하게 작용하더라고 다수를 위한 약속이기에 절대 근거가 있고 원칙에 준하기에 따라야 한다. 이에 반하는 개인적인 판단 행위에 대해선 책임이 따른다. 이를 감수하며 옳다고 생각하는 방향으로 밀어붙이는 강력한 리더쉽도 때론 인간사회에 필요하지만 결과가 뜻하는 방향으로 흘러가지 않는다면 파급은 치명적일 수도 있다는 것을 명심할 일이다. 더욱이 경영자의 실수와 고용자의 실수는 현저하게 다르게 받아들여진다.
경영자는 좀 더 나은 발전을 위한 시행착오일 수 있지만 고용자의 독자적인 실천은 룰을 깬 이단자가 될 수 있다는 것이다. 이러한 사회 구조에서 나의 선택은 언제나 중간 영역에 머물러 갈등과 우유부단함을 매번 보이고 있다. 경영자의 강력한 요구가 없으면 내 나름대로 가장 안전한 방법을 선택하고 결행한다. 그

러면서고 지나고 나면 잘못 방향을 설정하지 않은가를 반문하며 도무지 나의 판단에 대한 신빙성을 아직도 가늠하지 못하고 있다는데 스스로 원망한다.

현시점에 내가 할 수 있는 것은 무엇인가 묻는다.
부도난 시점에 나의 역할이란 겨우 작은 이익을 쫓아 물건을 또 납품해야 하는 게 과연 옳은 선택인가? 다소 어렵더라고 과감히 떨쳐버리고 거래를 중단하는 게 옳은 방법인가? 여러 번 되뇌이지만 속상한 감정만 솟을 뿐 명쾌한 판단이 서질 않는다.
책임을 질 채무자가 오히려 당당한 사회구조 시스템에서 이윤을 추구하고 올바른 세금을 납부하고자 하는 사람이 누가 있을까? 병들었다. 썩었다. 이런 자들이 허술한 경제적 구조 영역에서 활개치며 타인을 피해주고 도탄에 빠뜨리는 행위는 사회악이다.

방만한 경영에 남의 돈을 물쓰 듯 하는 무책임한 경영자는 이 사회에서 퇴출되어야 마땅하다. 한 번 부도를 내면 사업자등록을 못내는 것만으로는 부실 경영의 죄를 묻는 것은 부족하다. 채무는 시효를 없애고 죽을 때가지 의무를 지녀야 책임 의식이 커진다. 부도를 냈다면 범죄에 해당하는 법을 제정해야 한다. 그래야 기업을 벌여놓고 무책임하게 경영하여 타인에게 피해를 주는 일이 줄어들 것이다. 고의 부도는 극형에 처해야 할만큼 단호한 법의 의지가 필요하다. 경제혼란 때 연쇄부도로 자살을 한 경영주들이 많았다. 이들을 자살로 내몬 자들은 살인죄나 다름없다.
하지만 버젓이 그들이 또 사업을 벌이며 가난한
영세업자들을 울리고 있겠다.
남을 이용해 내 이익을 취하려는 그릇된 사고방식을 가진 기업은 도태되고 사라져야 할 사회악이다. 대기업도 이에 귀 기울여야 할 대목이다. 강성노조의 욕구를 채워주기 위해 영세한 하청

업체에 물품 가격을 깎고 제품 가격을 인상해 기업 이윤을 극대화하고 혼자만 배불리려는 속셈은 이젠 너도 알고 나도 아는 세상이 되었다. 적정한 분배가 없는 성장은 결국 사회를 병들게 하고 후진국을 면키 어려울 것이다. 이를 잘 조절하고 감시해야 할 국가 기능이 떨어지고 지도자의 자질이 부족하면 국력은 더욱 악화되고 점점 더 가난한 나라로 전락하고 말 것이다.

2007년 10월 3일

1986년 8월 24일 남양주 진접<벼락소 유원지>

예식장엘 가다

50고개를 바라보는 나이에 이르니 동창생 자녀들이 결혼을 할 나이에 들어섰다. 성장한 자녀들이 저마다 짝을 찾아 결혼 예식을 올리는 경사가 부쩍 많아졌다. 어젠 남부터미널 역 근처에 있는 컨벤션 웨딩홀에서 동창생(상희) 딸아이가 예식을 올렸다. 동창생들이 대거 모였다. 동창 모임을 가진 후 회칙을 정하고 친목도모하고 행사엔 모두 참석하고 축하를 나눈다.

새로운 동반 여정을 시작하는 신랑 신부를 위한 행운을 빌어주며 축배도 나누는 만찬이 참석한 이들을 즐겁게 했다. 사실 뜻있는 행사를 빌미로 먹고 마시고 배부른 잔치를 벌인다. 이게 이웃과 지인들과의 돈독한 우정을 쌓고 품앗이 구실을 한다.
뜻 있는 행사를 위해 그 동안 모은 돈으로 아낌없이 지출을 하고 십시일반 부조금도 받는다. 주고받는 기브 앤 테이크가 자연적으로 잘 이뤄지고 예부터 전해오는 보통 사람들의 인지상정에 속하는 전례라고 하겠다.

딸아이를 떠나보내는 아비의 마음은 서운한가 보다.
안경을 벗고 눈물을 훔친다. 강한 것 같으면서도 여린 마음을 지닌 신부의 아버지의 눈물, 애지중지 키운 딸이 새로운 가정을 향하여 떠나간다는 게 실감나지 않은 모양이다.

각별한 사이였다는 부녀지간 정이 멀어진다는 아쉬움 때문이리라, 출가외인이라는 법적인 분리와 독립된 생활을 시작하는 딸아이에 대한 걱정과 대견함이 교차하는 부녀지간 애틋한 감정의 눈물이 딸 가진 아비의 모든 마음일 것이다.

떠나고 빈자리 다시 채워지지 않은 허전함으로 오랫동안 비워질 것이다. 인생이 다 그런 것이라며 애써 인정하며 사람은 숱한 별리와 상봉 그리고 영원히 사라지는 아픔을 겪으며 성숙하고 종내에는 세상을 종지부 찍는 엄연한 사실을 누구나 피해갈 수 없는 시효가 있는 생명체다.

2007년 9월 17일

1988년 1월 3일

건강 검진을 받았다

산업근로자는 일 년 한 번 건강검진을 무료로 받는다.
의료보험공단에서 그동안 착실히 의료보험료를 낸 비용으로 처리를 한다. 검진을 받을 때마다 소망하는 것은 불치병이나 심각한 중병이 걸리지 않았으면 하는 바람이다. 내 간절한 소망과는 거리가 먼 치명적인 병이 걸린다면 어떻게 대처할 것인가 생각해 본 적이 있다. 어쩔 수 없는 상황이 내게 닥쳐오면 과연 나는 얼마나 유연하게 대처할 수 있을까 생각해봤다. 가정 가족 아이들....맨 먼저 떠올랐다. 미우나 고우나 가족이라는 영역이 먼저 걱정되는 것이다. 아무리 냉정하고 부부 갈등이 있다 해도 가족은 가장 가까이서 문제를 해결해야 하는 사람들이다. 만약 불치의 병이 걸려 죽음을 대비해야 하는 상황이라면 어떻게 정리를 해야 하나 준비된 것은 하나도 없기에 이러한 갑자기 닥친 상황을 생각해 볼 일이다. 무엇보다 금전 문제를 깔끔하게 정리할 필요가 있다.

떠난 후 발생하는 갈등을 최소화하기 위해 일목요연하게 나와 관련된 주변 환경을 깨끗하게 정리할 필요가 있다. 작은 돈이라도 어디에 보관되어 있고 어느 은행에 저축되어 있고 비밀번호라든가...그리고 사후 시신처리 문제도 서면으로 작성해 놓는 것도 가족들이 쓸데없는 시간을 허비하며 의논할 필요 없게끔 하는 게 망자의 몫일 것이다. 불의의 사고로 식물인간이 되어 인간으로서 존재할 이유가 사라진 뇌사상태에 이르거나 놓여질 때 인공호흡기를 사용하여 무리한 생명연장을 하는 부질없는 수고를 하지 말 것이며 죽으면 쓸모없을 정상적인 장기나 안구 등등... 기능적인 부분을 기증하여 애타게 이식을 기다리는 환자에게 나눠주고 마지막 뜻있고 보람 있는 선택을 가족으로부터 이행하라는 유언장을 작성할 필요가 있다고 생각했다. 존엄한 인간으로 마지막 행운을 인류에게 나눠주고 뜻있는 죽음을 맞이해야 할 것이다.

엊그제 방송에서 보았다.
대학병원 의사인데 어느 날 혈압으로 쓰러져 사경을 헤매다 회생하였다고 한다. 그는 죽음의 그림자와 동행했던 시간을 회상하며 자신이 갑자기 사고를 당했을 때 처리를 어떻게 해야 하는지를 서면으로 작성해 변호사를 통해 공증을 하여 영정으로 쓸 초상화 액자에 함께 넣어 두었단다. 자신이 사고를 당해 도저히 살아날 가망성이 없거나 사망에 이르렀을 때 가족들이 공증서를 보고 그대로 이행하라고 유언을 했다고 한다. 이것은 자신의 의지와는 무관하게 식물상태와 뇌사상태에 놓였을 때 생명윤리로 인한 생명 연장을 위한 산소 호흡기를 꽂거나 심장 박동을 위해 충격기를 사용하여 고통을 주는 행위를 절대 하지 말라는 부탁이었다고 한다.

의식이 있고 고통이 따르면 진통제 투여해 고통을 줄이는 것으로 의료행위를 다하라고 적었단다. 산다는 것은 희망적일 때 유효하고 바람직한 것이지 생명은 소중하다는 윤리에 사로잡혀 쓸데없는 시간 낭비를 하지 말라는 마지막 떠날 준비를 하는 현명한 자의 바람이자 뜻일 게다. 동감하는 부분이 많았다. 범인들도 얼마든지 실행할 수 있는 그다지 어렵지 않은 요구이자 권리라고 생각했다. 오히려 생명 윤리에 사로잡혀 고통을 빨리 끝내고자 하는 본인의 의지와는 무관한 의료행위를 일삼는 가족 또는 병원 관계자의 지나친 윤리의식이 힘겨운 마지막을 보내게 하는 누를 범하고 있을지 모를 일이다.

법은 지켜야 하고 준엄한 약속이지만 모호한 법 때문에 한 인간이 고통을 받아서는 안 된다는 것이다. 생명은 신의 영역이라며 외면하기 보단 실질 상황에 맞게 적어도 가족의 판단이나 의사의 판단에 따라 안락사를 하는 게 말 못하고 의식이 없는 환자에게 도움을 주는 마지막 배려가 아닐 듯싶다.

검진을 받으면서 이젠 내 자신 육체에 관하여 자가 진단을 내리며 많은 부분 망가지고 있다는 것을 실감한다. 다리에 핏줄이 굵어지며 푸르게 튀어나오는 하지정맥류도 앓고 있고 혈압도 높으며 기온이 선선해지면 성인 아토피가 재발한다.
복부 비만도 건강에 적신호다. 자꾸만 복부만 살이 붙고 신장(키)에 비해 체중이 많이 나간다. 70킬로그램을 넘었다. 이러한 성인병에 주된 원인이 되는 질환을 골고루 가지고 생활하고 있다. 소우주라고 하는 인체 내부에선 인지하지 못한 또 어떤 질환이 진행 중이거나 진행했는지 정확히 알 수 없다. 다만 아직은 표면상 심각한 증상으로 안 나타나기에 불안하지만 그렇게 살얼음판을 걷듯 현실 생활을 이어가고 있을 것이다. 검진은 병을 키우기 전에 발견하여 조기 치료 목적과 예방 차원의 무료 검진이다. 무료 검진은 공짜라는 인식 보단 미리 진단하여 조기에 발견하여 많은 의료비용을 들이지 않고 치료를 하고 수명도 연장하는 의료보험공단의 현명한 판단의 시행이다. 다소 귀찮고 생활에 침해 받는다고 해도 이쯤은 감수하고 적극적인 진료를 받는 게 나 자신은 물론 사회적 낭비나 실질적 비용을 줄이는 결과가 될 것이다.

혈압을 재고 신장을 재고 시력을 쟀다.
시력에 문제가 생겼다. 일시적이긴 하겠지만 왼쪽 눈은 지극히 정상이었지만 왼쪽 시력을 측정하면서 가렸던 오른쪽 눈이 측정판 숫자들이 두 개로 보였다. 그리고 숫자가 아른거렸다. 시력은 정상이라고 자부해왔는데 갑자기 나타난 난해한 시력을 이해할 수가 없었다. 단지 시력만 떨어졌다면 별 문제는 없다. 보조 기구인 안경을 쓰면 된다. 하지만 혈압이나 그밖에 여타
질병으로 눈이 안 보인다면 이것 심각한 문제다. 생명과 직결된다는 것이다. 당뇨로 인한 합병증으로 눈이 멀어 장님이 되는 예가 있다. 실명은 삶에 있어 그 어떤 신체부분보다 절실하고 소중한 부분이다. 시력을 아예 잃는다면 세상을 보는 눈은 사라지고 보고 느끼는 감각은 소멸되며 그야말로 모든 게 끝장난다고 봐야 할 것이다. 나의 신체는 아직 당뇨에 대한 보고는 없다. 검사결과가 나와 봐야 알겠지만 큰 형님이 당뇨가 있어 형제 중에 병력으로 전혀 무관하다고 장담할 수 없다. 잠깐 스쳐가는 일시적인 장애라고 생각하고 있지만 불시에 찾아오는 병은 예측 불허다. 자가진단으로 장담은 무리다.

혈액을 채취하고 위암 검사도 받았다.
혈액 채취는 에이즈, 간염, 고지혈증, 혈당을 판단하고 검진하는데 필요하다. 당뇨는 소량의 받은 소변을 통해 곧 바로 알 수 있다. 작은 종이 막대에 세 개의 색 인식표를 통해 판단한다.
위암 검사는 내시경 검사와 위장약 비슷한 하얀 액체를 들이마시고 엑스레이와 유사한 촬영을 하여 판독하는 방법인 조영촬영 방법 두 가지를 알려주며 본인 의사에 따라 두 가지 중 한 가지를 선택하라고 해서 조영촬영 방법을 선택했다. 이태 전 내시경 검사를 받은 적이 있다. 몹시 힘들었었다. 식도 부분 마취를 하고 입을 통해 내시경 호스를 집어넣어 촬영 녹화하여 모니터로 판독하는 방법으로 지금까지 위암 진단을 내리는데 가장 정확한 방법에 속한다. 다소 힘든 점을 감안한다면 그 방법이 가장 효과적일 수 있겠다. 고통이 싫어서 내시경 검진을 포기하고 조영 촬

영 방법을 선택해 건강 검진을 마쳤다.
혈압은 관리를 하고 있지만 약을 투여하지 않으면 곧 바로 높아진다. 내가 혈압이 높다며 이야기 하면 옆에서 나는 아닌 것처럼 떠들던 직장 동료는 사실 나보다 혈압이 더 높다. 대부분 사람들이 혈압으로 인한 그 어떤 증상을 느끼지 못하기 때문에 정상인 것처럼 모르고 생활하는 사람이 많다. 실제로 직장 동료도 그런 분류에 속한다. 혈압을 재 보지도 않았고 관심도 없었으니 모를 수밖에 없다.

내가 혈압이 높다니까 마치 인생 종친 것마냥 쳐다보던 동료는 고혈압 위험군에 속해 있었고 혈압을 조절하지 않으면 심각한 상황이 초래될 수 있는 매우 높은 수치였다. 자기 신체에 대한 관리에 전혀 무신경하고 나는 아닌 것처럼 담담할 수 있는 직장 동료를 보면서 나는 괜한 엄살을 부린 것 같아 씁쓸하기까지 했다. 모르면 우기면 된다는 용감한 의지의 사나이들이 직장 동료다. 아직도 혈압에 관하여 심각성을 깨닫지 못하고 있는 듯하다. 혈압을 잠재적인 폭탄이지 높다고 해서 당장에 쓰러지거나 통증을 수반하는 그런 증세가 없기에 대부분 간과하며 대수롭지 않게 치부해 버리곤 한다. 동료들도 그렇고 나도 그럴 것이다.

높은 혈압에 혈관이 견디지 못하여 터져 버려야 심각한 상황에 돌입하는 혈압은 소리 없이 찾아오는 죽음의 병이라고 의사들은 말한다. 철저한 관리가 필요하며 적절한 운동 식이요법을 통해 조절도 가능하다고 한다. 콜레스테롤 수치도 줄이고 음식은 짜지 않게 먹고 관리를 잘하면 평생 제 명을 다하여 아름다운 운명을 맞이할 수 있다고 한다.

해마다 건강 검진을 받을 때마다 마음은 편치 않다.

40대엔 심전도 검사라는 추가 항목이 주어진다. 몸이 늙는 것처럼 심장에도 문제가 생기는 게 사십대이기 때문이다.
심전도 검사는 심장이 정상적인 박동을 하는가 측정하는 검사다. 심장이 약하거나 문제가 생기면 불규칙하게 박동한다. 심혈관질환 혈전, 즉 피떡이 심장 혈관을 막아 급성 쇼크를 일으키는 심근경색은 초를 다투는 위급한 상황이 발생한다.

심장 혈관이 막혀 심장이 멈춰 뇌에 혈액을 공급하지 못하면 심각한 뇌 손상을 일으켜 팔다리 한쪽이 마비되거나 더 악화되면 식물인간 또는 뇌사상태에 이르고 영원히 깨어나지 못하는 치명적인 상황이 발생할 수 있다고 한다.

가슴이 답답하고 명치를 바늘로 찌르듯이 아프면 쓰러지기 전에 곧 바로 병원을 찾아 혈관을 뚫는 처방을 하거나 혈관 확장 수술을 받아야 한단다. 시간이 늦으면 심장마비로 사망에 이르기도 하는 치명적인 혈관질환에 속한다.

나이가 들면 신체 기능이 떨어져 정상 범위에서 벗어날 수밖에 없다. 선천적으로 튼튼한 사람도 있어 오랫동안 아무 탈 없이 여생을 마치는 사람도 부지기수지만 반면에 소수의 사람들은 심장질환에 시달리며 생사를 넘나드는 불행한 사람들도 있다. 고속성장한 다분화(多分化) 사회에서 살아야하는 현대인들에겐 스트레스와 각종 질병이 그 수가 날로 늘어가고 심장 질환 고혈압 혈관계 질환이 생명의 시효를 좌지우지하고 있다고 하겠다.
본인이거나 가족 중에 이러한 사회생활을 할 수 없는 상황을 초래하는 중병이 걸리면 온 가족의 삶의 형태가 무너진다.
가족이 정상적인 생활을 할 수가 없다. 더욱이 돈이 없으면 그 심각성은 더욱 크다. 가족 누군가가 병간호를 해야 하고 돈을 벌

수도 없고 오히려 병원비를 감당하지 못하는 어려움에 처하기도 한다. 열심히 벌은 돈 하루아침에 날려버리는 우환은 보통 삶의 가정엔 치명적인 문제가 될 수 있다. 나 역시 당장에 병원에 입원할 정도로 중병에 걸린다면 가정이 파탄날 수밖에 없다. 수입은 끊기고 가진 돈마저 병원비로 날려 버리고 말 것이다. 그런 최악의 상황이 화려한 현대 사회에 곳곳에 도사리고 있는 것이다. 나는 아닐 뿐이지 건강하지 못한 불행한 삶들이 주변에 종종 있다는 것이다. 아닐 뿐이라는 언어는 현재이지 미래는 장담할 수 없는 내 앞에 고민이 되고 현실이 될지 아무도 모른다는 것이다.

평소 건강관리는 귀찮은 부수적인 문제가 아니라 일생을 다하는데 꼭 필요한 과제가 되어야 할 것이다. 돈 보다 더 소중한 건강을 지켜야 한다는데 어떤 이유가 우선이라고 말 할 수 없으리라. 나의 건강은 누가 지켜주는 게 아니라 나 스스로 지켜야 한다는 것을 명심할 일이다.

2007년 9월 15일

가을이 왔다

단풍이 들지 않은 수락산 푸르름이 아직도 여전하지만 기온은 분명 가을이다. 아침저녁 싸늘한 공기가 방안을 감돈다. 여름 내내 홑이불을 덮어도 덥기만 했었는데, 며칠 전 서늘한 기온에 밤잠을 설쳐 좀 더 두꺼운 이불을 꺼내 덮는다.

기온 변화는 나의 신체에서 민감한 반응이 나타난다. 추우면 늘 괴질처럼 붙어 다니는 아토피가 재발한다. 오래전부터 가을부터 겨울까지 내 생활과 함께하는 아토피 피부질환이 나를 괴롭힌다. 가려움증을 최소화하는 방법밖에는 달리 선택이 없는 질환에 시달리며 겨울을 보낸다. 목욕 후 보습제 역할을 하는 오일을 발라주고 몸을 따뜻하게 하여 상태가 악화되는 것을 막는다. 과로 스트레스를 줄이고 충분한 수면을 취하여 면역력 강화에 노력을 기울여야 한다.

나이가 들면서 할 일이 많아졌다.
나잇살이라고도 하는 뱃살을 빼야할 의무가 생겼다.
문지르고 꼬집고 윗몸 일으키기...여러 가지 방법을 동원해도 뱃살은 쉽게 빠지지 않는다. 체중을 달아봐도 숫자는 떨어지지 않으며 올라가지 않으면 다행이다. 예전 같지 않은 건강상태도 그렇고 준비된 노후를 맞이해야 하는 의무는 아직 요원하다.

미래에 대한 근심 걱정 특히 생활고에 관한 문제는 고민 따위로 끝나는 게 아니라 목숨이 붙어 있는 날까지 어떤 이유로도 변명할 수 없는 지극히 현실적인 내 앞에 과제이며 피할 수 없는 책임이 분명한 숙제다. 일생이 다하는 날까지 나머지 공부를 해서라도 끝내야 하는 숙제, 그리고 반드시 풀어야 한다는 것,

한 눈을 곧잘 판다.
쓸데없는 일이지만 정신적 심리적 위안을 삼는 일이기에 곧잘 적극 가담한다. 소소한 일상을 그려가는 보잘 것 없는 골방얘깃거리에 정신을 판다. 가족들이 함께 공유하는 싸이미니홈피에 정신이 팔렸다. 싸이질은 우리 세대엔 좀 낯설다. 그래서인지 공유하는 우리들 세대가 별로 없다. 하지만 조카들 세대는 활발하다. 올려놓은 일상의 사진을 보면서 생활상을 엿볼 수 있다.톡톡 튀는 언어 또한 기상천외하다. 재밌다.

그들이 만들어 내는 신조어(비속어라고 해도...)는 기성세대에겐 무척 낯설다. 종종 신조어의 뜻을 모를 때가 많다. 언어의 변화다. 자연발생적인 언어를 탓할 수는 없다. 다만 기존 맞춤법은 알며 더불어 변화를 가지는 현명함을 바랄 뿐이다.
경박한 글이나 언어도 한 시대가 요구하는 도구이며 문화의 산물이다. 표준어라는 정의도 시간이 지나고 세월이 쌓이면 고치고 다시 국어사전을 갱신한다. 그게 시대가 요구하는 변화이며 문화의 성장이겠다.

이제 세상은 다변화와 점점 더 복잡해지고 있다.
다양한 문화의 형성이 빚어낸 결과겠다. 단조롭고 범위가 좁았던 과거의 획일화 사회에서 글로벌 문화에 돌입한 오늘은 볼 것 못 볼 것 그 범위가 넓고 선택의 폭이 다양해졌다.
다문화 시대에 우리는 지식 홍수에 허우적거리고 있다. 특정 분류의 지성인들의 산유물이었던 글쓰기라든가 예술 문학이 더는 그들의 전유물이 아니라 평범한 사람들도 얼마든지 공론의 의미를 지닐 만큼 수용의 폭이 넓어졌다. 하고 싶다면 개인의 의지에 따라 누구나 주역이 될 수 있고 그 욕망을 풀어낼 다양한 통로가 놓여져 있다. 2007년 9월 2일 07:02:49

마트에 가다

휴가랍시고 피서도 안 가고 거실에 앉아 컴퓨터만 하는 꼴이 눈꼴 시려웠던지 무더운 삼복더위에 비지땀을 흘리며 아내가 밖에 외출했다가 돌아와 하나로 마트에 함께 가자고 했다.
이틀 집에서 휴가를 보내는데 허리도 아프고 엉덩이가 아플 정도다. 마치 한 달 정도 쉬임한 것처럼 실업자 느낌이다. 욕조에 들어가 샤워를 하고 간단한 옷차림으로 외출을 했다. 덥긴 덥다. 차량 에어콘 버튼을 최고 4단까지 레벨을 올려 시원한 강한 바람을 차 안에 가득 불어 넣으며 창동 하나로 마트로 차를 몰았다.

피서철이라 피서가서 먹고 마시고 필요로 하는 물품을 구입하고자 하는 사람들로 제법 북적였다. 대형 마트는 제품 가격이 저렴하다. 그래서 많은 물품을 준비하는 사람들은 대부분 소형보단 큰 매장을 찾는다. 동네 구멍가게 보단 조금 싼 편이어서 찾는 이유도 되겠지만 편리한 주차 공간 다양한 구색을 갖춘 대형 매장이라는 장점이 구매욕을 자극하고 충분한 이유가 있기 때문에 소비자들의 발길이 잦은 것이다. 그리고 무엇보다 대형 마트에선 호객행위도 없으며 소비자들이 마음 놓고 물건을 고를 수 있으며 구매 후 맘에 들지 않으면 반품을 해도 소비자에게 선택의 잘못을 전혀 묻지 않으며 언제나 친절하다.

실수에 대한 보상을 다음에 찾아와 구매 해줄 것을 기대하는 고객 관리 차원의 서비스 일환이며 편안하게 소비자의 심중을 헤아려주기 때문에 마음 놓고 고르며 소비자의 욕구를 해갈해 준다는 것이다. 옛날에도 소비자는 왕이라고 이론적으로 떠벌렸지만 실상을 그렇지 못했다.

단골손님이 아니면 언제 또 올지도 모른다는 얄팍한 상술에 목소리를 높이며 소비자를 비난하는 일이 빈번했었다. 물론 다 그렇다는 것은 아니지만 그런 경험을 많은 소비자들이 당해 왔기 때문에 마음이 여린 사람은 아예 포기하고 반품을 하지 않거나 구매 물품이 다소 결함이 있어도 재수가 없어 잘못 골랐다며 선택에 대한 자신의 탓으로 돌리며 포기하곤 했었다.
구시대의 어려운 현실 때문이었다고 변명할 수도 있겠지만 이미 그러한 구태에서 벗어나지 않는 한 소비자의 마음을 절대 움직일 수 없다.

아직도 그런 구시대적인 행태의 관습에 젖어 깡패처럼 으름장은 놓으며 소비자를 궁지에 몰아넣는 곳이 있다. 얼마 전 전자제품을 사러갔다가 가격만 물어보고 다음에 온다고 나오면서 그런 봉변을 당한 적이 있었다. 실제 경험하고 나니 네티즌들이 하는 말이 거짓이 아니었다는 것을 확인 할 수 있었다. 전자제품 하면 세운상가 다음으로 대단위 시장이 형성된 곳을 누구나 알 수 있겠다.

가격만 물어보는 소비자가 얄미웠을 것이다. 그들은 소비자들이 그렇게 만들었다고 항변 할 것이다. 등 돌린 소비자들이야 외면하고 다시는 그들을 상대 안 하면 그만이지만 그 직업을 그만두는 날까지 소비자들을 상대로 장사를 해야 하는 입장은 전혀 다른 것이다. 소비자와 그런 행태로 악순환을 거듭하면 거듭할수록 그들의 종말이 멀지 않다는 것은 분명하다.
더구나 수요는 적고 공급이 포화상태인데 어디를 가나 제품들이 다양하게 넘쳐 나는데 굳이 불친절한 곳에서 푸대접 받아가며 물건을 구입할 이유가 전혀 없다는 것이다. 소비자의 지갑을 열게 하기 위해서는 정말로 왕처럼 모셔야 가능하다.

마음에도 없고 성질이 나도 참고 또 참고 소비자의 마음을 헤아리고 적극적인 마케팅을 펼쳐야만 그나마 관심을 기울인다는 것을 명심할 일이다. 장사는 그만큼 잘난 나를 버리고 소비자의 입장에서 생각하고 그렇게 해야겠다는 의지와 실천이 뒷받침 돼야 소비자의 마음을 움직일 수 있다는 것이다. 소비자는 내 돈을 내고 사기 때문에 당당한 권리이자 까다로울 수밖에 없다. 시장 바닥에 흔한 말로 '남의 돈 먹기가 결코 쉬운 일이 아니다.' 라는 말이 있다.

그만큼 소비자의 주머니를 비우게 하기 위해서는 마음을 움직여야 한다는 것이다. 장사뿐 아니라 사람의 마음을 움직이면 안 되는 일이 없다는 것이다. 때론 작은 이익을 쫓아 피도 눈물도 없이 사는 사람들인 것처럼 피상적인 삶으로 보여지지만 마음을 움직이는 감동을 주면 값비싼 대가를 치러도 결코 아깝지 않은 게 사람이다.

이젠 먹고 살만하다고 제품에도 신경을 쓰는 주부들이 많아졌다. 질보다 양이 더 중요했던 어렵던 시절이 아니다. 양보다 질이 더 중요하게 생각하고 당연한 바람이다. 특히 가공 식품은 안전하지 않다는 실험 결과를 매스컴을 통해서 종종 방송하면서 의학 지식이 없는 보통 사람들도 인체에 유해하다는 것을 누구나 알고 있다. 고소한 맛을 내는 과자는 대부분 인체에 해로운 트랜스지방이 함유되어 있다.

트랜스지방은 70년대 연구 개발하여 만들어진 혁명적인 제품으로 오래 보관해도 변질되지 않으며 과자, 식빵, 거의 공장에서 만들어지는 식품 과자류는 트랜스지방으로 고소한 맛을 냈다. 지금도 사용한다. 해롭지만 규제를 할 만큼 명확한 근거가 없고 해롭다는 것은 이미 확인 되었지만 인체에 미치는 영향에 관하여 어느 정도인지 임상 실험이 없기 때문에 소비자 스스로 선택의 자유만 있을 뿐이다. 식물성 기름도 고열을 가하면 트랜스지방으로 변한다고 한다. 신이 내려준 최고의 선물이라는 가장 좋다는 기름 올리브유도 열을 가하면 트랜스지방으로 변한다고 한다. 기름은 가급적 직접 열을 가하지 말고 끓여 먹는데 넣거나 그냥 반찬에 버무려서 먹는 게 안전하다고 한다. 사실 가공 식품은 국민들에게 오래도록 길들어진 제품이며 바쁜 직장인들이 손쉽게 애용하는 식용품이 많다. 빵과 우유...아침 식사를 대신하는 샐러리맨들도 많고 아이들에겐 과자에 대한 유혹을 쉽게 뿌리칠 수 없다.

그뿐인가 유전자 변형 식품이 서서히 우리 식탁을 잠식하고 있다. 식물 동물...인류의 윤택한 삶을 위해 유전자 연구를 통해 슈퍼 소, 또는 양과 소의 유전자를 결합해 몸집은 쇠털과 모양은 양의 기형적인 동물이 탄생되기도 했다. 이러한 변형된 고기와 식품이 미래 인류에게 어떤 영향을 미칠지 아무도 모른다는데 두려운 것이다. 인류에게 축복이 될지 재앙이 될지 현재로선 아무도 장담하지 못한다는 것이다. 미래 대체 식량을 찾아야 하는 연구는 계속되어야만 하지만 자연의 순리를 거스르지 않는 획기적인 인류에 기여하고 윤택한 삶의 질을 높이는 필요한 에너지 자원이었으면 더할 나위 없겠다.

마트엔 대부분 국내에서 제조한 제품이 더 많겠지만
공장에서 만드는 과자나 식품은 수입 제품이 눈에 많이 띈다.
수입 과자류는 중국산 제품이 많다. 국내 유명 대기업에서 수입해서 판매하는 제품도 많았다. 중소기업에서도 수입하고 온톤 수입품이 진열되어 있다. 제조는 중국 국내 판매사만 표기되어 있는 저가형 과자류가 진열장을 점거하고 소비자를 기다리고 있다. 식품에 관하여 중국산은 믿을 수 없다는 소비자들이 많다. 그만큼 불량 식품을 많이 생산하고 수출하여 자국에서도 언론에 공개되기도 했다. 식품이 아닌 소비재는 사실 인체에 유해하더라도 직접적인 해악은 미미하기에 싼 맛에 종종 쓰곤 했었다.

하지만 식품은 다르다. 불량 제품을 먹으면 인체에 직격탄을 맞는다. 조금 비싸더라도 안전한 제품을 선호하고 선택하는 게 사치라고 누구도 말하지 않을 것이다. 내 가족의 건강을 지키는 데 있어서 값을 논한다는 것은 어불성설이다. 가격이 저렴하고 값이 싸다는 이유로 국내에 물밀듯이 들어오는 식품 소비제품들이 중소기업들의 경영난을 가중 시키고 있다.

이젠 국내에서 제조해서는 제품 단가를 제대로 받을 수 없는 현실이다. 고임금 저생산에 돌입한 영세한 기업들이 피눈물을 삼키며 사업을 접는 비극적인 일들이 주변에 종종 볼 수 있다. 산업경제는 지금도 최악의 상황인데 향후 5년 10년 후는 더더욱 가혹한 현실이 도래할지도 모른다고 경제 전문가가 진단을 내린다. 사회 전반에 드리워진 어둔 그림자는 이 나라 지도자도 해결할 수 없는 위기에 놓여져 있다. 산업 인력은 갈수록 줄어들고 의료 발달과 식생활 개선은 인간의 수명을 늘리고 고령화 사회로 빠르게 진입하고 있다. 미래 세대가 짊어져야 할 짐이 점점 더 무거워지고 있는 것이다. 세상을 살기 좋아졌다는데 어렵다는 것은 참으로 이율배반적이다.

상대적 빈곤감이 국민의 의식을 가난으로 몰고 가는 것이리라, 부익부 빈익빈...시간이 지날수록 격차는 더더욱 벌어지고 열심히 일하면 희망이 보이는 사회가 되어야 하는데 이미 오늘의 사회는 그러한 구호 같은 이론이 격에 맞지도 않으며 퇴색한지 오래 되었다. 그래도 열심히 일하고 작은 돈이라도 저축하는 길밖에 가지지 못한 자의 선택은 그 길밖에 없다는 결론을 내린다. 달콤한 희망이란 단어를 가슴에 새기며 오늘도 일터에 나가지 않으면 안 된다는 것이다. 그것은 세상이 날 버려도 온갖 가혹한 시련이 오더라도 살아야할 의무가 있으니까,

2007년 8월 2일

1988년 7워 28일 청평에서

팔월 휴가

팔월이다.
동시에 5일간 휴가다. 매년 팔월 초엔 연례행사처럼 휴가가 주어진다. 샐러리맨에겐 약간의 보너스도 받고 유급으로 4~5일 금쪽 같은 휴일이 주어진다. 더위를 피해 간다는 뜻의 피서(避暑) 이제 피서는 어느 특정한 사람들의 선택적 전유물이 아니라 보통 사람들이 때(삼복더위)가 되면 갈 수 있는 다양한 문화의 하나일 뿐이다. 강으로 바다로 계곡으로....또는 방콕이라고 하는 방안에서 꼼짝 않고 세숫대야 물에 발 담그고 선풍기로 더위를 달랜다.(내가 가장 좋아하는 피서법)

각자가 생각하고 선택한 장소에서 며칠 놀고 보내는데 필요한 그릇이나 침구류 식사를 해결할 도구들을 챙겨 집을 떠난다. 실질적인 피서 방법은 냉방이 잘 되는 백화점 같은 대형 건물 안이 제격이겠지만 피서란 꼭 더위를 피한다는 의미만 있지 않기에 작렬하는 태양 무더위를 감내하면서 바다로 강으로..곳곳으로 사람들이 선택한 장소로 이동하는 것이다.

일상으로부터 탈출이며 생활공간에 익숙한 습관으로부터 기분을 전환하고 정신적 세계를 환치하는 구실이 되기도 한다.
집을 떠나 며칠 환경이 바뀐 곳에서 보내야 한다는 것은 많은 불편을 감수하고 감내해야 한다.

집은 당사자에게 가장 생활하기 편리하게 갖춰진 공간이지만 그곳을 떠나 며칠이라고 해도 익숙하지 않은 곳에서 생활한다는 것은 완벽하게 욕구를 채워줄 바탕이 될 수 없다. 부족하면 부족한대로 남으면 여유 있게 현실이 요구하는 대로 맞춰서 일정을 보내는 게 당연할 수밖에 없다. 그 것마저 불편하고 싫다면 아예 집 떠나는 것을 포기하는 게 상책이겠다. 휴가를 보내기에 적절한 장소는 찾는 이들이 많고 북적거리고 혼잡하다.
좋은 조건을 갖춘 곳으로 몰려드는 현상은 지극히 자연스러운 것이다. 명절 또는 휴가...아무 때나 주어지는 게 아니기에 한꺼번에 몰리고 이동하는 현실을 탓할 수는 없다. 다만 관심을 기울여 잘 알려지지 않은 소박한 장소를 물색하면 많은 사람들이 모여 발생되는 불편함을 줄여 효과적인 휴가를 보낼 수 있겠다. 어떤 사람은 사람들이 많이 모여 떠들고 부대끼며 노는 게 더 좋다는 사람도 있다. 사람이 많지 않은 곳에 가서 무슨 재미로 노느냐는 이유 있는 반문이다.

여러 사람이 어우러져 여흥은 돋우며 함께 즐기며 노는 게 사람 사는 맛이 아니냐고 말한다. 사람은 각자가 생각하고 행동하는 방향에 의해 그에 맞게 기분을 맞추고 환경을 조율하는 전천후 능력을 갖고 있다. 생각하기에 따라 똑 같은 상황을 놓고 어떤 사람은 스트레스로 작용하지만 어떤 사람은 스트레스를 해소하는 방법이 되기도 한다. 현실 상황을 스스로 바꿀 수 없다면 주어진 환경을 즐기라는 말이 있다. 생각을 바꾸는 발상의 전환이 필요하다는 얘기다. 바뀔 수 없는 현실을 놓고 갈등하고 고민해봐야 자신만 손해고 아까운 시간을 허비하는 꼴이 되고 만다는 것이다. 선택은 신중하되 결정을 하였다면 잘잘못을 논하지 말며 그저 상황에 따라 즐기며 소중한 시간을 추억으로 남기는 현명한 사람이 되라는 충고의 말이다.

낯선 곳으로 이동은 불편함뿐만 아니라 환경에 대한 익숙한 정보가 없기 때문에 실수가 잦을 수 있다. 실수는 누구라고 할 수 있고 완벽하지 않은 사람이기에 발생할 수 있는 흔한 일이다. 문제는 가벼운 실수는 그야말로 실수다. 하지만 생명이 왔다갔다하는 사고와 같은 치명적인 실수는 참담한 결과를 낳는다. 이제껏 살아왔던 생활이 바뀔 수도 있고 사고 이전으로 돌아갈 수 없는 후회막급의 엄청난 현실로 숨통을 옥죌 수도 있다. 그리고 사고는 어느 특정한 사람에게 찾아오는 게 아니라 누구에게나 사고날 가능성에 놓여져 있다면 바로 당신이 비운의 주인공이 될 수 있다는 것이다.

그렇다고 위험하다고 자동차를 타지 않고 걸어서 갈 수도 없다. 물이 무섭다고 물가에 가지 않으면 되지 않느냐는 바보 같은 질문이 필요할까? 위험은 원하든 원치 않든 내 의지와는 무관하게 일생과 함께 존재하는 무형 유형의 주변의 상황들이다.
현명한 판단과 지혜를 발휘해 적절히 대처해가며 주어진 삶을 지켜가는 게 개인의 몫이며 운명이다.

해마다 피서철이 되면 각종 사고 소식이 매스컴을 달군다.
방송사 취재 기자는 좀 더 자극적이며 호기심을 유발하게끔 리얼하게 취재 편집하여 방송을 하여 시청자들의 감각을 건드린다. 사실 개인적으로 알권리보다는 알아서 국민들이 좋을 게 없는 사고나 불편한 진실들은 방송을 안 하는게 좋다는 생각도 든다. 일탈은 사람의 도덕적인 관념의 둑을 조금씩 허물어 상식적이지 않은 상황으로부터 관대해진다. 자연히 행동이나 행위에 자기 합리화하는 심각한 오류가 발생한다. 평소엔 냉철하고 명석했던 정신적 판단 능력이 느슨하고 흐트러진다는 것이다. 집시처럼 떠도는 피서지의 풍경은 마치 무법천지처럼 환락적이며 흥청거리는 밤 풍경을 제공한다. 술도 많이 마시고 억눌렸던 원초적 본능이 치밀어 오르며 끝내 한계를 넘어 상황이 요구하는 대로 행동으로 옮기는 작업에 서슴지 않는다.

교통사고 익사사고 폭력 절도 공급 부족을 빌미로 이익을 극대화하려는 제공자와 수요자와의 갈등으로 빚어지는 바가지 상혼, 인간관계에서 발생하는 천태만상이 피서철 피서지의 악몽이 될 수 있다는데 주의할 필요가 있다.

각종 사고에 연루되지 않는다면 피서란 단어가 주는 느낌은 얼마나 낭만적인가? 갈매기 울고 날며 하얀 포말을 일으키며 다가오는 해변 백사장에 몸을 눕히고 팔월의 태양과 맞장뜨는 뱃장은 어떻고, 촐싹거리며 해수면을 미끄러지는 어울리지 않은 개헤엄치는 꼴도 보기 좋은 바닷가의 유정은 그들만의 하루가 너무 짧다. 바다보다 작지만 시원한 물줄기 여울 되어 흐르는 강물에 가을 김치 담그듯 몸을 아낌없이 푹 담가 팅팅 불어 여름 더위 가볍게 날려 보내는 강변의 추억은 또 어떤가?

그리고 내가 가장 좋아하는 피서지 선택으로 손꼽는 계곡은 얼마나 신선한가? 떨어지는 물소리 경쾌한 나무그늘 완벽한 계곡 웅덩이에 발만 담가도 온몸이 짜릿하게 시려오는 그 맛을 잊을 수가 없다. 앉을 자리는 매우 협소하지만 내 몸 하나 걸칠 곳 없는 인색한 자연은 아니다. 계곡의 주인인 물고기들이 한가롭게 유영을 하고 사연을 담은 나뭇잎 배가 높은 곳의 겸손을 갖춘 위상을 싣고 낮은 곳으로 흘러간다. 풍광이 좋은 산수엔 신선이 놀다간다.

득도와 깨달음의 상징적인 태고의 신비를 간직한 물 좋고 산 좋은 계곡에서 한여름 밤 꿈을 꾸며 신선이 돼 보는 것도 괜찮을 것이다.

2007년 8월 1일

자아 성찰

10년을 계획하고 꾸준히 성실하게 시간을 투자하면 전문가 수준에 도달할 수가 있다고 한다. 이는 무슨 일이든 10년 세월을 한 우물파기에 도전하면 뜻을 이룬다는 말과 일맥상통한다.
문제는 아무 생각 없이 시간만 흘려보내며 10년 동안 한 우물을 판다고 해서 샘물이 나오지 않는다는데 문제가 발생한다.

많은 사람들이 계획 없이 10년이란 세월을 보내며 청춘을.. 또는 인생을 허비하고 있기 때문에 실패자의 오명을 벗어날 수가 없다. 그리고 오늘에 비굴한 자신의 삶이 세상 때문이라고 탓하며 푸념하면서 그렇고 그런 동년배들끼리 모여 신세 한탄만 하며 소주잔을 앞에 놓고 심리적인 동병상련의 아픔을 나누며 동지애를 느끼며 맞장구를 친다. 혼자만 느끼고 싶지 않은 때늦은 지각생의 불안한 심리를 토로하며 돈이 인생에 전부냐 뇌까리며 가진자 성공한 자의 치부나 헐뜯으며 마음을 달랜다.

도전할 용기도 없으며 노력도 하지 않고 불평불만과 부정적인 논리만 늘어놓으며 변명하기에 급급한 게 실패자의 전형이다. 얕은 지식으로 마치 세상일들을 꿰뚫고 있는 듯이 화려하게 말로 치장하는, 그야말로 말로만 떠벌리는 어리석은 행태가 실패자의 모습이라는 것이다.

이 글을 쓰면서 나는 스스로 자문하고 있다.
내 자신이 10년이란 세월을 한 직장에서 이제껏 근로하고 생활을 해왔다. 결코 짧은 시간이 아니다. 위에 쓴 글은 나를 향한 반성의 글이자 철저하게 내 자신을 분석한 자문이라고 할 수 있다. 애석하게도 계획 없이 그저 하루하루 시간을 보내며 10년을 넘게 지나쳐 왔으며 아직도 명확한 계획이 없으니 스스로 실패자라고 자인하고 있는 셈이다. 중심도 없고 알량한 주워들은 지식으로 변명하기에 급급한 초라하고 볼품없는 자화상을 보고 있는 것이다. 나이는 숫자에 불과하다는 말은 그야말로 말로서 가능한 것일 뿐 정녕 나이가 들고 힘없고 거동 불편할 때 과연 이런 말이 타당성이 있을지 의문스럽다. 사업도 비즈니스도 젊고 패기가 넘치고 싱싱할 때 효과를 극대화할 수 있다. 세대 간 갈등은 고사하고 젊기 때문에 젊어야 가능한 직업이 대부분이라는 것을 간과해서는 아니 된다는 말이다.

나이가 들면 동 세대끼리는 잘 통할지 모르나 세대 간 좁힐 수 없는 엄연한 현실을 극복이란 단어론 절대 부족하다는 것이다. 그래서 삶에 있어서 때와 시기가 있다는 논리가 누차 강조되고 그렇게 적재적소에 잘 맞추어 살면서 삶을 윤택하게 이끌어가면서 사회적인 신분도 상승하고 질 좋은 생활을 누리게 되는 것이다.

때와 시기를 놓치면 훨씬 많은 시간과 에너지를 소비해야 함께 시작한 동행자를 따라 잡을 수 있다. 하지만 그것조차도 실천의 의지가 없거나 포기하면 영영 실패자의 대열을 벗어날 수 없다는 것이다. 쓴소리는 사실 듣기 싫다. 특히 주변으로부터 개인의 삶에 대하여 질책이나 힐난을 듣는다면 더더욱 상처가 깊다. 스스로 깨닫지 못하면 충고라도 새겨둬야 하는데 좋은 말이라도 듣는 사람은 결코 관대하게 받아들이지 못한다.

백 개의 뛰어난 지식을 가진 사람보다는 보잘것없는 한 개의 지식으로 실천하는 사람이 현명하고 성공한다는 진리를 깨달을 일이다. 골방에 쌓아 놓은 온갖 노하우와 지식은 아무런 가치가 없다는 것이다. 결국 실천하지 않는 자에겐 바람처럼 공기처럼 허공에 뜬 무형의 존재라는 것을 인식해야 한다. 모험과 도전 실행 없이 가능한 것은 아무것도 없다는 것이다. 불가능도 불도저처럼 밀고 헤쳐나가는 자에게 가능으로 바뀔 수 있는 대상이지 실천하지 않는 자에겐 불가능도 가능도 없다.

2007년 7월 19일

고향집

부자란?

부자는 외로운 늑대 같은 독자적인 삶을 추구한다.
양떼 같은 떼거지로 몰려다니는 다수의 군중이 아니다.
부자의 길이란 외롭고 고독한 자기와 싸움이며 절약이 몸에 배인 근성이다. 집요하고 외풍에 흔들리지 않으며 냉철한 이성적 판단이 요구된다.

감성이 사안을 지배하면 판단력이 흐려지고 실패의 길을 걷게 된다. 최면을 중시하거나 겉치레를 향한 의식이 강하다면 부자의 덕목에서 탈락이다. 물건을 살 때에는 세 번을 생각하고 그래도 필요성을 느낀다면 구입을 한다. 종잣돈을 모으기 위해 전력투구해야 하며 종잣돈을 마련하여 적절히 부풀리는 체계적인 계획이 매우 중요하다. 재테크는 어렵고 실패할 수도 있는 까다로운 숙제다. 적금, 펀드, 주식, 부동산, 다양한 종류의 재테크 수단이 있지만 누구에게나 성공적인 이익을 남게 해주지 않는다는 것이다. 더욱이 주식이나 펀드 투자는 원금 손실을 가져다주는 리스크가 존재한다.

부자는 부자가 될 밖에 없는 생활이 몸에 배어 있다고 한다.
허튼 돈을 쓰지 않으며 작은 돈 즉 은행 수수료 적금 가입에 0.1퍼센트의 이윤에도 목숨을 걸만큼 철저하게 관리를 한다. 근면하고 검소하며 주위 사람들로부터 지독한 구두쇠라는 소리에도 별 관심이 없다. 주관이 뚜렷하고 목표를 세우고 정한 목표를 달성하면 더 큰 목표를 세우고 끝없이 정진한다.
서류 하나 하나 꼼꼼히 챙겨 차후 발생한 소지를 사전에 차단하는 치밀한 면모를 보이며 까다로울 만큼 매사에 신중한 태도가 몸에 배어 있다.

어찌 어찌 살다보니 부자가 되었다는 사람은 없다.
부자가 되기 위해 노력하고 끝없이 목표를 향하여 남보다 열심히 일하고 수입과 지출을 철저히 관리하여 얻은 성공의 열쇠라는 것이다.

부자는 합리적인 사고와 대부분 합법적인 테두리에서 재테크에 중점을 둔다. 법에 저촉이 되어 오점을 남길 만큼 다급하거나 초조하지 않기 때문에 가장 안전한 방법으로 이윤을 남기는 투자에 역점을 둔다. 온갖 탈법 탈세 불법 증여를 일삼는 기업가 부자와 진정한 부자와 다르다는 의미다. 세간에 알려지지 않는 숨은 부자들의 덕목을 말하는 거다.

돈을 버는 것보다 지키는 것이 어렵다고 한다.
고소득을 보장한다고 투자를 권유하는 사람들을 조심하라,
세상엔 공짜가 없듯이 단시간에 고수익이나 이윤을 남겨 준다는 논리에 귀 기울이지 마라, 돈 되고 많이 벌 수 있는 조건이 있다면 당신에게 돌아올 기회는 전무하다. 절대 당신에게 차례가 돌아오지 않는다. 대부분 사기성이 농후한 감언이설이다.
굳이 불행한 사태를 체험할 필요는 없겠지만 이미 경험을 하였다면 값비싼 수업료를 지불하고 예방주사를 맞은 것처럼 쉽게 무너지지 않는 사기꾼으로부터 튼튼한 방어 진지를 구축한 셈이다.

돈은 쓰기 나름이다. 천원 벌어서 천원 쓰면 남은 게 아무것도 없다. 백 원 벌어서 십 원 쓰면 구십 원이 남는다. 예를 들어보자 똑같은 월급을 받으며 직장 생활을 시작한 두 사람이 있었다. 십년 후 두 사람의 봉급은 오른 만큼 같았지만 불어난 재산은 달랐다. 한 사람은 내 집을 장만하여 안정적인 생활을 하고 있었

지만 한 사람은 아직도 전셋집을 벗어나지 못하고 전전하고 있었다. 집을 가진 사람은 집을 가지지 못한 사람보다 덜 지출하고 저축을 늘렸다는 것이다. 지극히 정상적인 재산 증식은 저축밖에 없다. 저축을 해서 종잣돈이 마련되면 그 다음 재테크에 관심을 기울이는 순서가 된다.

밑 빠진 구멍을 막지 못하면 제아무리 많은 돈을 벌어도 언젠가는 다 빠져나간다는 진리를 명심할 일이다. 빠져나가는 구멍을 막으면 차곡차곡 쌓이는 재미와 보람도 함께하고 정신도 충만해 몸도 건강해진다고 한다. 부자는 항상 얼굴에 생기가 돌며 초라한 행색에도 몸이 움츠러들지 않는다. 돈이 많아 걱정이라는 소리는 부차 문제다 혹 돈이 많아 걱정이 될까봐 돈을 모으지 않고 쓰고 있다는 바보 같은 사람은 없겠죠, 복권 맞은 사람은 말년이 불행하다는 속설 때문에 복권을 사도 맞지 않기를 바라는 사람 손들어 보라면 아무도 손들 사람 없을 것이다. 돈이 많으면 불행해질까봐 돈을 모으지도 벌지도 않는다는 궤변을 늘어놓는 어리석은 사람은 결코 없을 것이다.

부자는 돈 관리도 철저한 만큼 쓰임도 그렇지 않은 사람보다 더 올바르게 쓴다는 것을 염두에 둘 일이다. 부자는 아무나 되는 것이 아니기에...물론 돈이 많아 문제가 되기도 하지만 세상이 범죄자 보단 정상적인 생각을 가진 사람들이 많이 존재하기에 이 사회가 존립하는 것처럼 부자 또한 문제를 가진 부자보단 지극히 정상적인 부자가 더 많다는 것을 상기할 일이다. 괜한 부자에 대한 시기심에 부정적인 문제만 침소봉대하며 확대하는 치졸한 사고는 자신에 삶에 아무런 보탬도 안 되며 부정적인 인식만 더할 뿐이다. 2007년 5월 20일

삶

마음껏 하고 싶은 일을 하면서 사는 게 이상적인 삶이라고 하는데, 이상과 현실은 그 차이가 엄청나다. 하고 싶은 일 또는 취미가 돈도 벌고 윤택한 생활을 보장해 준다면 더할 나위 없는 이상적이며 현실적이다. 허나 이상적인 취미도 일상으로 이어지고 바쁘게 매어 돈벌이로 전락하면 더 이상 이상적이 취미가 아니다. 고달픈 노동의 현장이 되는 것이다.

그나마 하고 싶지 않은 일에 매달려 답답한 일과에 허덕거리는 최악의 현실보다는 그래도 훨씬 긍정적이라고 하겠다. 노는 것도 일상으로 이어지면 일이 되듯이 세상사란 어떤 일을 하느냐에 따라 즐거운 행운이 따라오는 게 아니라 무슨 일을 하든 하고자 하는 생각이나 실천이 현실적 상황을 바꾸며 고통이 될 수 있고 환희가 될 수 있다는 얘기다.

현대인의 건강을 해치는 한 가지 중에 스트레스를 빼놓지 않는다. 스트레스란 삶에 있어서 부작용만 따르는 게 아니다. 적당한 스트레스는 긴장감을 잃지 않으며 삶의 활력을 돕는 역할을 한다고 전문의가 말한다. 이는 건강을 해치지 않을 정도로 외부로부터의 긴장을 요하는 자극이 필요하다는 얘기다.

똑 같은 상황을 놓고 누구는 심하게 스트레스를 받는 반면 누구는 물 흐르듯이 쉽게 넘어가는 현명한 지혜가 있다.

2007년 2월 15일

인간관계

사람을 만나면 보기만 해도 즐거워지는 사람이 있고 멀리 있어도 불쾌한 사람이 있다. 이러한 후자의 사람이 가까이 함께 생활한다면 여간 당혹스러운 일이 아닐 터이며 생활 전반에 악영향을 미칠 수 있다.

자존심을 상하게 하는 사람, 상대방을 깎아내리려는 사람, 자신만이 언제나 옳고 다른 시선엔 오로지 부정적으로 판단하는 사람, 주관도 없고 상황 판단도 제대로 못하면서 고집만 내세우는 사람, 상황을 이해하지 못하고 동문서답하며 끝까지 옳다고 우기는 사람, 그리고 괜시리 주는 거 없이 밉다는 사람, 참으로 세상은 다양한 사람들로 주변이 꽉꽉 채워져 있고 자신의 하루를 굳히기란 여간 힘든 일이 아니다. 열거한 여러 가지 예문 중에 타인으로부터 자신의 행동이나 행위가 비쳐질 수 있는 언어가 없다고 단언할 수 없을 것이다.

내 자신이 올바르고 똑똑해서 나는 이 예문에 해당하지 않는다고 장담하지 않는다는 것이다. 다만 이를테면 자신을 비롯 타인 누가 됐든 이러한 유형에 속해 있다면 불쾌한 시간을 보낼 수밖에 없다는 사실을 말하고 있는 것이다. 직장에서 사회에서 가깝게는 그 비극적인 상황이 가족이 될 수도 있다.

타인이라면 외면하거나 만나지 않으면 되지만 가족이라면 이것은 심각한 문제다. 그리고 개선의 여지가 없다면 매우 절망적이다. 잘못하고 있는 부분을 놓고 고치려고 노력을 하지 않거나 잘못이 없다고 생각하고 판단하며 잘못된 행동이나 행위가 계속되고 가속화되면 가정이 송두리째 무너져 버릴 수 있다는 것이다.

이러한 상황이 전개된다면 정신과 치료도 염두에 둬야 하며 노력을 기울이지 않으면 심각한 폐해가 생활 전반에 악영향을 끼친다는 사실을 간과해서는 안 된다는 것이다.

현대는 잠재적인 정신 질환을 앓고 있는 사람이 많다고 전문의가 진단한 바 있다. 잠재적인 폭탄을 안고 살얼음판을 걷고 있다는 것이다. 지극히 정상적인 사람이 갑자기 흉악한 범죄를 저지르기도 하는 불특정 다수의 비인격이 존재한다는 것이다. 아무 도덕적 의식 없이 상대를 가격하는 싸이코패스나 범죄를 저지르고 태연하게 정상적인 생활을 하는 이중인격자들이 경제 문화 지적 상승과 함께 범죄도 성장했다는 것이다. 복잡 다양한 사회구조는 다변화한 각종 범죄 유형으로 사회질서를 파괴하고 인류의 악으로 등장해 사회적 비용이 발생하고 국가는 적잖은 대가를 지불하고 있는 셈이다.

주변 환경도 중요하지만 인간관계 형성은 생활의 실질적인 변화를 주도하는 중요한 키워드다. 아무리 적극적인 사고와 행동의 소유자라고 해도 환경이 아닌 사람이 장벽으로 놓여져 있다면 생각하기에 따라 이해를 구할 수 있는 같은 사람이라는데 돌파구를 찾는데 여지가 있을 법도 하지만 복잡 미묘한 인간의 심리는 그렇게 간단하게 해결될 수 있는 문제가 아니라는데 절망적이다. 인간관계는 잘 어우러지고 이해관계가 맞아떨어지면 진행에 있어 가속도가 붙고 빠르게 진척될 수도 있다. 하지만 어떤 이유로 장벽이 되어 더는 나아갈 수 없는 존재로 등장한다면 물질적 심리적 부담은 상상을 초월한다.

흔한 말로 이웃을 잘 만나야 배우자를 잘 만나야 또는 동료를 잘 만나야 한다는 말이 있다.

자신 상대 모두 해당되는 말이다. 누구에게나 사람을 잘 만나야 삶이 파괴되지 않고 올바르게 성장한다는 것이다.
가까운 사람으로 인하여 좀 더 나은 발전은 고사하고 피폐해지고 성장에 저해되는 요인이 발생하는 일이 비일비재하다.
도움은 주지 못할망정 피해만 주는 사람이 주변에 있다면 그 영향이 자신은 물론 가족에게까지 끼칠 수 있다는 것이다.
복을 가져다주는 사람이 있는 반면 행복을 빼앗아가는 사람이 있다는 것이다. 옥석을 가리는 선택의 여지도 없는 관계 형성에 속해 있다면 불행의 끝이 안 보일 수도 있으며 삶의 전반에 성장의 발목을 잡고 헤어나지 못하는 심각한 어둠이 계속된다는 것이다.

이 사회에 꼭 필요한 사람, 있으나 없으나 별 문제가 없는 사람, 절대 있어서는 안 되는 사람. 과연 자신은 어떤 분류에 속하는지 성찰해야 할 의무는 없더라도 판단은 하고 있을 것이다. 나는 이 사회에 어떤 존재인가?

궁색한 변명 아닌 변명으로 악이 있기 때문에 선을 구별하고 판단할 수 있다는 궤변을 늘어놓으려는 의도를 가진 사람이 범죄유형에 속해 자행하고 있다면 얼마나 절망적인가? 존립의 근거를 악의 축에서 바라보는 시각을 가진 비약적인 사람이 늘어나고 주변 도처에 존재한다면 건강한 사회로 성장하기엔 역부족이다.

궤변론자들이 많아졌다.
소수의 주장을 받아들여야 한다는 목소리가 힘을 얻고 있는 추세다. 바람직한 공감의 소수의 주장이라면 좋은 세상으로 가는 길이다. 하지만 사회질서를 교란하고 성장의 발목을 잡는 저해

요인의 주장을 굳이 수용해야 할 의무는 없을 듯싶다. 이기와 욕심 자신의 이익을 위해서 목소리를 높이는 소수 집단의 요구를 들어줄 만큼 이 사회 번영의 급행열차는 빈 칸이 없음을 염두에 둬야 하며 권리와 의무를 착각하는 어리석은 결과를 추종해서는 안 된다는 것이다.

2008년 12월 28일

자화상

맘마미아

영화(맘마미아)를 보았다.
극장엘 가본지가 얼마나 오래되었는지 기억도 안 난다. 아주아주 오래 전 가물가물한 기억뿐이다. 그만큼 극장을 찾는다는 게 나의 삶엔 그리 간절히 원하는 부분이 아니기 때문일 것이다. 영상문화에 대한 인식 부족이 아니라 시간을 비워가면서 극성스런 마니아가 되기엔 나의 삶과 거리가 있다. 그렇다고 영화를 좋아하지 않거나 의도적으로 무시하려는 행위가 아니라 꼭 영화를 극장엘 가지 않더라도 다른 통로로 얼마든지 볼 수 있고 선택의 여지가 있기 때문에 대형 극장을 찾는 일에 그다지 관심을 두지 않게 되었을 것이다.

극장 안 웅장한 사운드와 거대한 스크린이 전하는 뛰어난 영상미와 시청각적인 감동이 다르겠지만 인터넷 또는 DVD로 볼 수 있는 기회가 많기 때문에 굳이 시간을 내서 극장엘 찾지 않는 것뿐이다. 사람들이 많이 모이고 예약하고 상영 시간을 기다리는 행위를 별로 달갑지 않은 성격 탓도 있겠지만 어쨌든 영화관에 가서 기다림의 미학을 가지며 영화를 보는 것에 대한 관대한 시선과 배려가 부족하다.

오랜만에 개봉관에서 상영했던 맘마미아를 인터넷을 통해 보고 다시금 극장에서 볼 수 있었다. 물론 공짜라는 매력이 굳게 닫힌 문을 연 셈이다. 상품 선전을 하기 위해 고객을 끌어모을 구실로 어느 상조회사의 상품 설명회를 상영 시간 전에 듣는 조건으로 나눠준 무료 시사회 초대권을 아내가 지인을 통해 가져와 저녁 시간 무렵 극장에서 보게 되었다. 세상에 공짜가 없다는 말은 한 번도 틀리다고 생각해 본 적이 없다.

공짜라는 유혹 이면에는 공짜를 빌미로 대가를 취하려는 의도가 분명히 숨어 있다. 그 어떤 것도 대가 없이 주어지는 것은 없다. 반드시 누군가는 대가를 치러야만 공짜를 공유할 수 있다는 것이다. 다만 내가 대가를 지불하지 않아도 함께 동석한 누군가가 그에 상응하는(회원가입) 대가를 지불했기에 영화를 관람할 수 있는 권리가 주어진 셈이다.

상조회사의 이사 직함을 가진 달변가의 현란한 화술에 매료되어 그들이 목적한 회원을 가입 받고 영화를 상영했다. 영화는 상영 시간 내내 아바의 히트곡이 끊이지 않고 영화 장면과 함께 같이 한다. 아바의 히트 곡이자 뮤지컬 맘마미아를 영화로 만든 작품이다. 팝 내용이나 뜻을 잘 알지 못해도 귀에 익숙한 음악이 흐른다.

4인조(여자 2 남자 2)혼성 그룹의 아바의 전성기를 기억한다.
우리 세대는 아바의 음악을 들으면 대부분 낯설지 않다.
7~80년대 많은 히트곡을 남긴 아바의 LP 라이선스 판을 지금도 가지고 있다. 오래 전 일이라 연도와 시기는 명확히 알 수 없지만 작은 음반 매점에서 샀던 기억이 난다.

그땐 팝을 이해하지 못해도 음악을 좋아하고 그 영역에 내가 존재하지 않으면 사는 의미가 없을 것 같은 강박관념이 지배적이었을 것이다. 젊음의 끓는 열정을 토해낼 탈출구의 대상이 음악이었다. 마치 그렇게 하지 않으면 문화적인 소외감에 빠져들 것 같은 착각이 견고하지 못했던 정신을 지배했을 것이다. 경제적인 실상과는 무관한 그런 행위를 나쁘게 볼 일은 아니지만 지금에 와 돌이켜보면 소중할 것도 또한 내 정신을 병들게 한 이유도 없다는 것이다.

시대적으로 좋아하고 미치도록 빠져들고 트렌드를 공유하는 감각적인 행위는 지금의 아이들과 그 때 나의 시절과 별반 다르지 않을 것이다. 그렇게 옆 길 시궁창에 빠지기도 하고 올곧은 길도 가면서 성장하는 것일 게다.

지금은 레코드판으로 음악을 듣지 않는다.
턴테이블이 아예 없다. 모터로 돌리고 레코드판 홈을 긁어 소리가 앰프를 통해서 증폭시키는 음향은 잡음이 많고 디지털 방식과 비교하면 불편하고 번거롭다. 아직도 아날로그 방식을 고집하는 많은 음악 마니아들도 많지만 컴퓨터 사운드 카드를 통해 앰프에 연결해 음악을 듣는다. 잡음이나 소음이 거의 없다. 음악을 많이 듣고 조예가 깊은 사람들은 아날로그의 풍부한 음향이 더 좋다고 하며 음역이 디지털보다 훨씬 넓다고 한다.
전문가의 영역은 따로 있을법하다.

나는 잘 모른다. 아날로그와 디지털의 음향의 차이를?..
다만 편리성과 수백 수천 곡 방대한 질적인 양을 저장할 수 있는 디지털 방식이 훨씬 매력적이라는 데 공감을 표하며 틈틈이 지난날 레코드판을 모으듯 cd 음반을 모은다.

2008년 11월 23일

패닉 상태에 빠진 증시

언젠가 주식을 모르면 모임 자리에서 할 말이 없다. 라는 말을 한 적이 있다. 펀드 주식 증권이란 말이 회자되고 모임 자리에서 열변을 토하며 돈을 투자한 주식이 가파르게 오르고 타이밍을 잘 조절해 주식을 팔아 얼마를 남겼네 하면서 또 투자를 했다고 하면서 난리 부르스를 추더니 갑자기 불어 닥친 미국 리먼브라더스 투자 은행이 도산 위기에 몰리고 세계 증시가 폭락하면서 국내 증시도 그 여파에 날개 꺾인 추락이 지속됐다.

바닥이라는 말이 엊그제인 것 같은데 오늘 코스피 1000선이 붕괴 되었다. 나도 은행에 갔다가 엉겁결에 투자한 주식형 펀드도 절반이 날아가 버렸다. 순전히 알토란 같은 틈틈이 부어온 적금형 펀드인데 한순간 물거품이 되는 시점에 도달했다. 정말 미칠 노릇이다. 지금 대부분 손해를 본 투자자들뿐이다. 반면에 증권사나 은행은 수수료로 수백억 원을 벌어들였다. 개미 투자자들만 손해를 본 셈이다. 물론 작년에 주식을 한 투자자들은 아마도 벌었던 수익을 모두 날려버리고 원점에서 다시 시작하는 위치에 놓여져 있을 것이다. 올 초에 투자한 사람은 거의 절반을 날려버렸다고 봐야 할 것이다.

주식은 도박이다. 도박은 딸 때도 있지만 잃을 때도 있다. 다만 따는 확률보단 잃을 확률이 높다는 데 주목해야 할 것이다. 승산이 없는 게임은 하지 않는 게 상책이다. 기관투자자나 외국 전문적인 투자 회사의 노련한 매수와 매도의 적절한 타이밍을 잘 아는 그들과 개미 투자자들과의 게임은 사실 중과부적이다. 아예 발을 들여놓지 않은 게 그나마 가지고 있던 돈을 잃지 않는다는 것을 명심할 일이다. 주식에 손을 댄 사람치고 손해를 보지 않은 사람이 없을 정도로 주식에 폐해는 특정한 사람들이 아니라 보통 사람들의 일상처럼 돼버렸다. 경제 발전을 목표로 주식회사에서 발행된 주식 증권, 투자한 돈으로 회사의 발전을 도모하고 이익을 나누는 좋은 뜻을 가지고 출발한 주식이 도박으로 변질되어 버렸다. 들불처럼 번진 도박 문화의 한 부분으로 정착된 주식, 정부가 허가하고 국민들에게 권장한 합법적인 도박이라고 시골의사라고 자칭하는 주식 칼럼을 쓰는 박경철씨가 말한 바 있다. 국민들을 도박판으로 끌어들인 합법적인 도박의 폐해는 오히려 음성적으로 지하에서 하는 도박의 그 규모보다 실로 막대하고 더 크다고 생각한다.

사실 통제나 규제가 없는 널린 세계의 도박판에 국민들이 대박의 꿈을 쫓아 금쪽같은 돈을 날리고 있는 셈이다. 정부와 증권사는 판을 벌여주고 수수료만 챙겨먹는 고리대금업자와 다름 없음이다.

국민의 기본 권리를 보장한다는 민주주의 사회, 헌법에 보장되어 있고 법을 집행하는 입법 사법 행정부의 의지에 따라 실천하고 국가의 안전을 도모한다. 국민의 재산권도 헌법에서 보장하지만 개인의 의지에 따라 이윤을 창출하기 위해 투자하고 게임에 빠지는 행위에 대하여 국가는 보장해 주지 않는다. 주식 경마 경륜 도박 성향이 짙은 게임에 승패는 본인의 책임이며 국가로부터 절대 안전을 보장 받을 수 없다.

스스로 이러한 유혹을 떨쳐버리지 못하면 국민을 위한 정부라고 떠드는 나라의 조직에게 재산을 빼앗겨 버리는 결과를 가져온다. 국가 사회가 나를 지켜주는 게 아니라 누구도 대신하지 못하는 자신을 스스로 지켜야 한다는 것이다. 나를 위한 외부로부터 아무것도 보장받을 수 없다는 것을 명심할 일이다. 지적 능력이 떨어지거나 사회 조직에 대한 판단력이 부족하면 그들로부터 이용당하고 지배 받으며 치욕적인 삶을 지속하게 된다는 속성을 깨달을 일이다. 무식이 죄가 된다는 말이다.
무식하면 용감하다고 했던가? 용감이 필요로 하는 상황이 없지 않지만 지식 산업이 지배하는 현대 사회는 무식이 무기가 된다는 막연한 기대는 어리석은 생각이다. 무지를 깨닫는 일이란? 게을리 할 수 없는 시대에 살고 있다는 것을 명심할 일이다.
남은 알고 나는 모르면 그들에게 이용당하며 삶을 저당 잡혀야 하는 일이 발생한다.

일회성을 끝나는 인생 끊임없이 스스로 담금질을 하여 세상을 보는 안목을 넓히고 유연한 사고와 자신의 삶의 흥망성쇠를 깨달으며 누울 자리 앉을자리 잘 살펴 불행을 자초하는 일이 생기지 않도록 안위를 지키며 미래의 좀 더 나은 삶을 영위해야 할 것이다.

아무도 대신할 수 없는 유일한 나의 삶, 올바른 정신과 과욕하지 않으며 스스로 책임지는 긍정적인 생각을 생활화하여 오늘보다 내일이 더 나은 발전적인 인생이어야 한다.

2008년 10월 24일

팔월이다

초복, 중복이 지났다. 말복을 앞두고 폭염에 시달리고 있다. '
말복이 지나면 선선해진다. 더위가 물러간다는 것이다. 요란스러울 것도 없는 자연의 계절 변화에 우리는 참으로 여러 가지 의미를 부여해 예찬하고 저주한다. 파릇한 신선함에 매료되어 칭찬하고 붉게 물드는 만추에 넋을 잃고 시인에 되기에 마다하지 않는다. 미치도록 더워서 싫고 살을 에이는 칼날 선 겨울은 추워서 싫고, 그렇지만 적절한 계절 변화에서 깨닫는 부분이 많을 것이다. 항상 불변한 획일적인 과정이라면 얼마나 권태롭고 지루한 일상인가 말이다.

변화란 부정적인 의미보다 긍정적인 면이 훨씬 가깝다고 할 것이다. 변화는 여러 가지 기회를 제공하고 신분 상승이나 현재보다 나은 삶을 추구하는 전초 기지와 다름없다. 무딘 사고를 새롭게 환치하며 미처 깨어나지 못한 내재 되어 있던 능력을 발휘하게 하는 단초를 제공하는 역할을 한다.
늘 주어진 일상에서도 짧은 시간 짧은 순간을 변화라는 아이콘을 항상 가지고 세상을 바라보는 시각을 가질 필요가 있다. 새로운 컨텐츠를 개발하며 하루하루 업그레이드를 하여 삶이 피곤하지 않게 주의를 기울일 필요가 있다는 것이다. 삶을 권태에 빠뜨리면 안 된다. 하다못해 소소한 일이라도 해야 한다.
육체적 노동이 아니더라도 정신적 노동을 하는 행위도 권태에서 벗어나는 방법이다. 금쪽같은 휴가 기간 동안 방법이 무엇이든 간에 새롭게 자신을 조명해보는 일을 해보는 것도 뜻있는 일이겠다. 삶이란? 누구의 것이 아니라 바로 자신의 것이기 때문에 자기 경영에 게을리하지 않는 성실한 의식을 가지고 하루하루 점검하며 살아가야할 의무를 지녔다.   2008년 8월 1일

제 2화 단상

일회성 삶인 유일한 자신을 중심으로 세상을
판단하고 살아가는 방법이 실질적으로 정상적인 사고다.

이를 부인할 만큼 가치 있는 사회적 지위나 위대한 역량이 담보되어 있다면 희생의 의미는 충분한 역할을 하겠지만 사소한 일에서 자신을 버리면서까지 밖으로부터 자신의 존재를 찾고자 하는 행위는 결코 바람직한 삶의 방법은 아니라고 본다.

보잘 것 없는 삶도 그저 평범한 삶도 또는 위대한 삶도 자신의 삶의 작은 의미 부여만큼 소중할 게 없다는 것이다. 존재의 의미에 대하여 어떠한 값진 수식어를 붙여도 태어나 살다가 죽는 것은 누구에게나 주어진 과정이다.

목숨을 담보할 만큼 세상에 드러낼 가치 있는 일이라면 내 한 몸 부서져라 부딪쳐 볼만하다. 하지만 그저 평범한 삶 속에서 나의 중심이 아닌 타의 중심이 되는 것은 나를 잃은 결과가 된다는 것이다. 자신의 존재 이전 이후는 사실 아무 까닭 없는 우주 공간일 뿐이다.

2008년 8월 1일

사는 일이란?

미래의 삶을 위한 충분한 담보가 확보되어 있지 않다면 큰 위기와 불행의 늪에 빠질 수 있다. 인생 막장에 다다라 무얼 할 수 있을 거라는 막연한 기대는 위험한 발상이다. 미래는 지금보다 더 생활에 악영향을 끼치는 일들이 자신은 물론 가족 영역까지 발생할 가능성이 높다. 비참한 노후를 맞이하지 않기 위해서는 지금 준비하지 않으면 안 된다는 것이다.

정신적인 힘이나 무장만으론 말년의 삶을 추스르기엔 역부족이며 실질적으로 재정적인 준비가 되어 있지 않으면 현실을 해결하는데 그다지 큰 힘을 발휘하지 못한다. 먹고 입고 생활하는 것은 순전히 물질적인 뒷받침이 되어 있어야 가능한 일이다. 이를 간과하고 그저 오늘이 요구하는 대로 살아가는 방식을 취한다면 미래는 자신의 불행에 대하여 아무런 책임을 지지 않으며 보장해 주지 않는다.

힘에 부치는 처절한 강도 높은 노동에 시달리거나 그것조차 할 수 없는 여력이 부족한 최악의 상태에 놓여질 수도 있다는 것이다. 현재의 건강, 원만한 생활, 문제없는 일상의 진행, 이러한 일들이 다행히 삶이 끝나는 날까지 순조롭게 이어진다면 그나마 행운이며 큰 비용을 지불하지 않아도 될 것이다. 하지만 건강이 나빠지거나 치명적인 사고에 몸을 다친다면 문제는 심각해진다.

이러한 사고는 예고 없이 찾아오는 원하지 않은 불행이며 불특정 다수 누구에게나 찾아올 수 있는 사람 사는 곳의 일이다. 최악의 상황을 예측할 수 없지만 사고에 대비하고 준비하는 자세는 치명적인 일이 터졌을 때 준비하지 않은 사람보다 충격을 훨씬 줄일 수 있으며 상황을 빠르게 해결할 수 있다는 것이다. 적절한 물질 축적과 평소 정신적인 훈련을 통해서 소중한 자신의 대한 주인의식을 깨달으며 준비하고 계획하는 습관을 늘 가져야 한다는 것이다. 이러한 사고의 유형은 직업 또는 일상을 책임져 주는 직장 생활에서도 적용되는 사람 사는 일이라고 할 수 있다. 직장이든 직업이든 영원이란 영속성을 지니고 있지 않다. 극히 짧을 수도 있으며 길어도 몇 십 년을 지속되지 않은 일들이 허다하다. 막상 어떤 이유에서든 직장을 잃으면 눈앞이 캄캄하고 막막해진다.

잉여인간으로 전락한 실망과 자괴감에 자기 연민에 빠질 수도 있으며 어떤 사람은 회복될 수 없는 지경에 이르러 삶의 의미를 잃고 나락으로 떨어지기도 한다. 준비되지 않은 현실 변화에 어쩔 줄 모르며 당황하지 않으려면 평소에 최악의 시나리오를 생각하며 대비하는 훈련이 필요하다.

미래는 어떤 방식으로든 내가 선택하지 않아도 환경이 변하고 자신의 뜻과는 무관하게 사회적 조류에 의해 흘러갈 것이다. 이러한 흐름을 감지하지 못하거나 감지하고 적절히 대처하지 않으면 자신의 몰락을 몸소 체험하며 오랜 시간 방황할 수도 있다. 시대적 사명이라는 언어가 있다. 세월이 가면서 적절히 자신의 신분 상승이나 몸값 올리기를 실패하면 후일 엄청난 에너지를 투입해도 자신을 변화시키는데 미약할 수도 있으며 실패할 가능성도 농후하다. 나이는 숫자에 불과하다고 누가 말했던가? 참으로 용기를 주는 언어임에는 틀림이 없지만 현실은 그렇게 숫자에 불과할 만큼 한가한 일련의 과정이 아니라는데 누구도 부인 못할 것이다.

유한한 인생을 놓고 여유를 부릴 만큼 한가하지 않다는 것을 명심할 일이다. 명예는 없어도 된다. 하지만 자신을 지켜줄 건강이나 적당한 물질은 꼭 필요하고 책임과 의무가 따르는 문제다. 하늘을 나는 이상주의자이기에 물질과는 담을 쌓고 살아도 아무 문제가 없다고 생각하는 착각에 빠진 사람이 있다면 위험천만한 발상에 지나지 않는다. 적당한 노동은 신체 건강에도 좋은 일이며 노동의 대가를 받는다면 더더욱 인생에 값진 보람이다.

사람은 어떠한 방식으로든 돈을 벌고 생활을 해야 하는 이유가 충분한 유기적 동물이다. 더욱이 가족이라는 영역을 책임지고 있다면 돈을 버는 것은 단순히 소일거리가 아니라 대단한 의무이자 때론 전투적이며 그 어떤 문제보다 큰 영향을 미치는 과제일 것이다.

살면서 매우 희망적이지 않아도 해야 하는 일이 있고 할 수밖에 없는 일이 있다. 직업은 특히 내 뜻에 반하는 하고 싶지 않아도 해야 하는 이유가 충분히 있다. 일을 하고 돈을 벌고 생활을 이어가는 과정은 어느 누구에게나 해당하는 필수적인 코스다. 돌아가지 않고 빠른 지름길이 있겠지만 하지 않으면 안 되는 일은 아니다.

어차피 해야 할 일이라면 생각을 바꿔야 한다. 피할 수 없으면 즐기라는 말이 있다. 버릴 수 있는 일이고 외면해도 되는 일이라면 별 상관이 없겠지만 어떠한 방식으로든 내가 몸소 실천하고 해결을 해야 하는 일이라면 그 대상이 혹독하고 도저히 불가능하다는 생각이 들더라고 즐기면서 극복하라는 용기 있는 충고의 언어다. 주어진 현실이 변화를 가질 수 없다면 자신이 변화를 시도하고 할 수 없다면 잠시 한 걸음 뒤로 물러서 기회가 올 때까지 기다리며 현실에 충실하는 방법을 선택하라는 것이다.

사실 인생은 잠시 머물다가는 존재일 뿐이다.
영원한 것은 지구상에 아직은 없다. 앞으로 유전공학이 발달하고 영원히 늙지 않은 DNA조작이 가능하다면 몰라도 현재까지 누구도 영원한 삶을 존속하는 자는 없다. 짧은 인생을 하고 싶지 않거나 해서는 안 되는 행위에 소진할 만큼 아까운 일이 더 있을까?

짧은 인생을 막연한 값진 삶이어야 한다고 충고하지 않는다. 다만 자신이 하고 싶은 일 그리고 해야 할 마땅한 과제를 놓고 외면하거나 포기해선 안 된다는 것이다. 가정이란 영역을 지키고 유지하기 위한 기본적인 소유와 소득을 올리는 행위, 사회적 기본 질서를 지키며 내가 필요로 하는 일정한 공급과 수요의 교환의 이윤을 절절히 챙기며 소비하는 행위 따위가 삶의 과정에 필요한 부분이다.

기본적인 마인드가 없는 무의미한 삶이야말로 인생에 최대의 적이다. 적과 동지를 구분 못하며 자신이 아닌 타의에 의해서 움직이고 조종당하는 일이야말로 인간으로 사는 최대의 수치다.

2008년 7월 27일

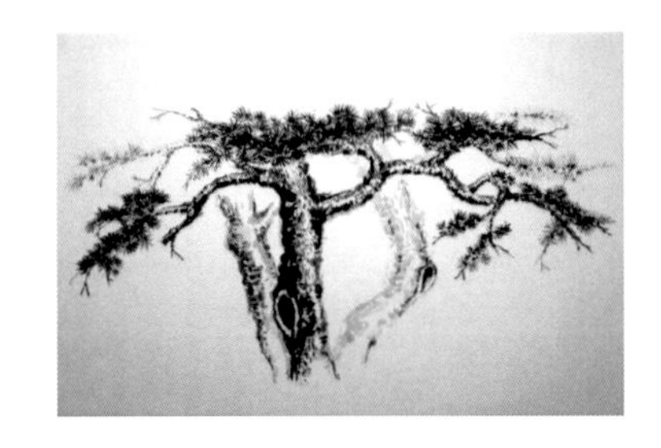

유일 唯一

유일무이한 자신의 삶을 어떻게 책임지고 어떻게 살아가야 하는가를 묻고 또 물어야 한다. 오늘이란 하루를 보내면 다시는 그 어떤 방식으로든 오늘을 다시 돌이킬 수 없다. 한 번 지나가면 그것으로 성공이든 실패든 끝이다.

넓은 의미의 인생 여정은 끝을 보기 위한 하루하루 과정일 뿐이다. 이 시대를 살아가는 누구에게나 시간은 똑같이 분배되어 있고 쓰임새는 각자의 몫이다. 시간을 경제적 효율에 극대화하여 부를 축적하는 사람도 있고 희생과 사랑으로 봉사를 하며 눈물겨운 값진 삶에 투자하는 사람도 있으며 바람 부는 데로 흔들리며 그럭저럭 흘려보내는 사람도 있다. 온종일 시체놀이에 하루해가 저물고 저문 밤 다시금 영원한 사후세계를 꿈꾸는 그 짓거리에 몸소 실천하는 행위를 멈추지 않는다.

각자의 삶이 요구하는 대로 주어진 시간을 소비하며 인생을 끝낸다. 주어진 시간을 뜻있는 일에 소비하고 할애하는 것은 매우 중요한 인생의 목표가 될 수 있다. 굳이 뜻깊은 일에만 시간을 투자해야만 값진 것으로 판단할 수 없지만 다만 쓸데없는 일에 시간을 낭비하고 불필요한 일에 매달려 소중한 시간을 허비하는 행위는 어떤 이유로든 합리화해서는 안 된다는 것이다. 한 번 실수는 할 수 있어도 거듭하고 습관에 빠지면 곤란하다 올바른 자신의 삶을 변화시키는데 큰 걸림 돌이 될 수 있다는 것이다. 더욱이 해서는 안 되는 일을 하는 범죄 행위는 자신을 도탄에 빠뜨리며 최악에는 격리 수용되어 일정한 시간을 활용은 고사하고 권리가 박탈당하고 구속되어 암울하게 보내게 될 수도 있다.
자신의 삶의 시간이 그 무엇이 됐든 통제하여 구속되어 있다는 것은 인생에서 최대의 불행이다. 자신이 의도하는 데로 시간을 사용하지 못한다는 의미는 곧 세상으로부터 자유를 잃었다는 뜻과 같은 것이다. 시간의 자유를 잃는 불행한 늪에 빠지지 않으려면 사회적 충분한 자기 의무를 지녀야 하며 공동의 규칙을 지켜야 가능하다. 지켜야 할 자기 의무의 포기는 자유를 박탈당하는 이유와 같다는 것이다.

사회적 의무를 지킨 만큼 자유를 얻는다는 평범한 인식을 포기해선 안 된다는 것이다. 악법이라도 지켜야 할 의무를 지녔다면 수용하고 행동에 적용해야 한다는 것이다. 개인적인 판단이 옳다고 해도 다수가 존재하는 사회의 제도적인 규칙이 스스로 정화되고 진화하는 과정이 오래 걸리더라도 따라야 한다는 것이다.

세상의 모든 일에서 자신을 위한 절대적인 의무를 지니지 않는다. 자신이 선택하고 어떻게 받아들이며 변화시키느냐에 따라 다르게 보이고 달라질 수 있다는 것이다. 기회와 변화는 오는 게 아니라 적절한 시기에 자신이 목표를 설정하고 좌표를 찍어 불모지를 경작하는 일이다. 누가 기회를 만들어 주는 것이 아니다. 생각하고 판단하는 것만으로 변화의 기회가 제공되지 않는다는 것이다. 현재 주어진 여건, 어려움을 극복하지 않고는 높은 현실의 장벽을 넘을 수 없다는 것이다. 극복해야 할 대상은 과거에도 있었고 오늘도 있으며 미래에도 항시 존재할 것이며 내 앞에 놓은 갖가지 문제일 수밖에 없다. 이를 해결할 수 없다면 늘 반복되는 권태로운 평범한 일상을 벗어날 수 없으며 그럭저럭 안주해 세월을 보내는 수밖에 없을 것이다.

2008년 7월 5일

오해

살아가는 동안 많은 오해와 진실 때문에 심리적인 고통을 느낄 때가 있다. 언어의 표출 방식에 문제가 있을 수도 있으며 나와 다름을 인정하지 않으려는 지극히 개인적인 사고와 독선적인 무지에서 기분 내키는 데로 말을 할 때 상대방의 오해를 불러오게 된다. 별 뜻 없이 상황에 따라 습관적으로 말을 하더라도 자신의 의도와는 정반대의 뜻이 전달되고 험악한 분위기로 전환되는 경우도 비일비재하다. 덜 성숙한 언어의 소통에 문제가 있는 것이다.

그리고 아무리 좋은 뜻으로 이야기하더라도 상대방이 다르게 인식하고 받아들인다면 오해로 말미암은 논쟁이 불가피할 때가 있다. 그렇다고 해도 자신이 말이 옳다고 강력하게 주장을 하여 상대방을 설득해야 하는 당위성이 있는가는 반문해 볼 필요가 있다.

오해의 소지를 불러일으키는 상황이 자주 발생한다면 화자의 의도에 따라 뜻이 다르더라도 분명히 자신의 화법에 문제가 있다라는 가정하에 돌이켜 보는 사고의 유연성이 필요하다. 이성적으로 원인을 분석하지 않고 감정적으로 판단하고 결론을 내리면 결국 그러한 상황은 대화자가 누가 됐든 끝없이 오해가 발생하고 삶에 있어서 경제적인 이익을 도모하고 목적으로 하는 사업이나 또는 대단히 중대한 한 사안일 경우엔 폐해가 단순한 오해로 끝날 문제가 아니다.

사람이 산다는 것은 절해고도 무인도에서 독야청청하는 게 아니다. 나를 중심으로 가족, 이웃, 친구, 직장 동료, 넓게는 사회적인 사람들과 교류를 하면서 불쾌한 오해 불편한 진실이 끝없이 발생하며 적절히 대응하며 성숙한 파단 능력을 고양시킨다. 뜻하지 않은 오해 때문에 심리적인 갈등에 시달리기도 하고 원인도 파악하지 못한 채 지나쳐 버리게 되는 경우도 흔하다. 어쩌면 나 자신의 대한 삶의 문제가 더 무겁고 힘들게 하는데 사소한 오해에 괴로워할 여력이 없을 수도 있다.

그게 소중하게 생각할 만큼 마음의 여백이 없다는 것이다.
간단하게 무시해 버리면 된다는 생각이 훨씬 나를 편하게 한다. 시시콜콜 작은 대립에 온 신경을 쓰며 자신을 자학할 만큼 인생이 녹록치 않다는 것이다. 나와 다름을 인정하고 때론 마음에 담아 두지 않은 게 대의명분을 위한 소극적인 심리적 갈등을 털어 버리는 좋은 방법일 수도 있다는 것이다.

하지만 무엇이든 습관 되면 고치기 쉽지 않다. 일마다 그런 식으로 판단하고 무시해버리면 중장기적으론 상황에 따라 낭패를 볼 수 있다는 것을 명심해야 한다. 어떠한 상황이 됐든 감정을 잘 다스리는 것만으로도 언어의 소통에 절반은 성공한 셈이다.

냉철한 이성적인 판단으로 사안을 바라보지 못하면 논쟁은 불가피 해진다. 더욱이 공식석상이 아닌 개인 간 불화가 발생하면 전투적인 싸움도 일어날 수 있으며 감정 대립과 씻을 수 없는 과오도 낳을 수 있다. 발단이 되었던 아주 사소한 일과는 전혀 다른 엉뚱한 방향으로 확대되고 민형사상 법적인 책임을 지게 되는 어리석은 결과를 낳을 수 있다는 것이다. 결론은 살아가는데 도움 안 되는 쓸데없는 고집을 앞세워 쉽게 마무리 할 수 있는 문제를 확대시켜 곤경에 빠지는 누를 범하지 말라는 말이다. 실수나 실언은 할 수 있지만 자존심 때문에 자기 합리화하려는 궁색한 변명은 오히려 신뢰를 떨어뜨리는 결과를 초래한다는 것이다. 당당하게 실수를 인정하고 상대방의 양해를 구하는 쪽이 나를 지키고 상황을 매끄럽게 정리하는 방법이 될 것이다. 판단은 신중하되 결론은 빠르게 그리고 스스로의 잘못을 떳떳하게 인정하라는 얘기다.

빠져나갈 궁리는 어차피 궁색한 방편이다. 우회로를 선택하는 방법도 있지만 정면돌파의 강력한 의지가 의외로 사람들에게 확실하게 각인되고 능력을 인정받기도 한다.

적절한 방법을 동원해 일마다 적용하며 실(失)을 최소화하고 득은 극대화하는 현명한 세상살이가 누구에게나 필요한 삶의 방법이 아닐까 가늠해 본다.

2008년 7월 5일

치솟는 물가

경제적인 상황이 불투명하고 어려워지면 심리적으로 위축되고 소비가 줄어든다. 개인적인 삶이 대부분 경제적 어려움에 부닥치면 쓰고 싶어도 쓸 수 없는 상황이 초래되고 이는 소비를 할 수 없게 되어 있다. 사실 소비를 줄이는 절약이라는 의미와 쓰고 싶어도 쓸 수 없는 빈곤한 성격의 의미는, 느끼는 뉘앙스가 전혀 다르다.

소비를 줄임으로써 안전한 가정 경제를 구축하려는 의도와 경제적 곤란으로 수입이 줄어들거나 없게 되어 빈곤층으로 전락하는 불행한 사태완 생활에 미치는 영향이 다르다는 것이다.
사실 나의 경제적 상황은 절약이라는 이유 하나로 해결될 수 있는 일이 아니다. 최소한의 5인 가족 최저 생계비에도 못 미치는 수입에 의존하며 살아왔다고 해도 과언이 아니다.

해마다 오르는 물가 상승 대비 수익 구조가 되지 않은 현실이 한 해 두 해 거듭하면서 그 격차가 너무 벌어졌다. 절약하지 않아서 현재를 벗어날 수 없지 않느냐는 자업자득의 결과라고 자신 있게 말할 수 있는 근거가 없다는 것이다.

변명을 하고자 하는 말이 아니다. 현실을 분석하고 스스로 자문하고 있는 것이다 .자신의 가치를 높이는 데 실패한 것이다. 그것이 능력의 한계일지라도 어쨌든 현재의 사회 경제 구조에 적절히 보폭을 맞추는 데 실패했고 보편적인 삶의 대열에서 낙오자가 된 셈이다. 그리고 중요한 것은 현재 내가 서 있는 지금의 위치를 변화시키지 않으면 오늘보다 내일은 더욱 힘들게
된다는 것을 깨달아야 한다는 것이다. 심각한 기로에 서 있고 딜

레마에 빠져 있다. 한 곳에 집중한 정신적 고통이 오로지 경제적인 문제와 직결되어 있고 단숨에 해결할 수 없는 일이기에 그 갈등은 지속적으로 뇌리를 휘감고 있는 것이다.

국내뿐 아니라 국제 시장 정세가 심상치 않게 돌아가고 있다. 물가 유가 폭등이 우리나라에만 국한된 것이 아니다.
달러 약세에 등을 돌린 투기 자금이 원유에 관련된 사업으로 이동하고 버블현상에 가속도가 붙어 원유가를 부추겨 연일 고공행진 하면서 전세계가 몸살을 앓고 있다. 석유 매장량 정점이라는 이유도 있을 수 있으며 중국의 중경공업 산업이 급성장하면서 유류 소비량이 늘어난 이유도 있을 것이다. 곡물 철강 석유 제품, 모든 분야에 전방위적으로 상승하면서 고물가에 서민경제가 말이 아니다.

이미 오래전에 낮은 취업률과 고임금 저성장에 돌입한 우리나라는 향후 점점 더 채산성이 악화되고 생산성은 더욱 떨어질 것이다. 경제적 혜택이 취약한 소수 인원으로 꾸려가는 중소기업의 근로자는 상대적으로 대기업에 근무하는 근로자보다 수입이 현저하게 차이를 보이며 절대 빈곤으로 전락하고 말 것이다. 귀족노조라고 말하는 대기업 노조에 속한 근로자의 임금이 중소기업 근로자의 임금과는 비교도 할 수 없는 차이를 보인다. 100퍼센트 이상의 격차를 보인지 오래 되었다. 2004년도 조사에 500인 기업체와 이하 중소기업체의 임금이 100퍼센트 넘었다. 대기업 노조 근로자들이 파업을 하고 임금을 올릴 때마다 제품값은 상승할 수밖에 없다.

그 상승분을 결국 소비자(?) 즉 국민이 지불하여 그들의 배를 채워주게 된다. 상대적으로 파업이나 임금 인상을 매년 올릴 수 없는 중소기업 근로자들은 고스란히 피해를 감수하며 가진 자와 못 가진 자로 분류되어 불공평한 세상에서 공존을 해야만 한다.

그러한 상황이 오래전부터 전개되어 오고 지금도 진행형이다. 비약적으로 말한다면 능력이 안되니까 그렇게 살 수 밖에 없지 않느냐 말할 수도 있겠다. 어차피 더불어 산다는 민족주의에 호소해봐야 달라지지도 않으며 달라질 수 없는 현실이다. 자본주의에 있어서 공동체라는 가족애나 민족애는 없다. 자신의 이익을 좇아 끝없이 경쟁하고 살아남기 위한 투쟁만 있을 뿐이다. 누구를 위한 나의 희생은 과거 식민지 시대 설움 받던 구호일 뿐 현재는 쓸모없는 구시대의 유물일 뿐이다. 거창한 구호나 미사여구도 자신의 현실을 바꿀 수 없다면 한낱 부질없는 헛소리에 불과하다. 피켓을 들고 목소리를 높이며 가진 자의 집 앞에서 시위를 하는 자체가 어불성설이다.

스스로 자신의 경제적인 문제나 삶을 해결하지 못하면 굶거나 지난한 생활을 할 수 밖에 없다는 것을 명심할 일이다. 동정을 기대하거나 바라는 인간적인 사고는 가져서도 안 되며 인간으로서 마땅한 권리라고 말할 수 없다는 것이다. 신사회주의적 민주주의를 표방한 급진적 좌향 성향을 가진 사람들이 정치적 사회적 지배력이 강해지면서 마치 가진 자를 매도하고 부를 빼어서 가지지 못한 사람들과 나눠 가져야 한다는 민중의 목소리가 힘이 실리면서 동정이나 배려는 이제 더더욱 허약한 존재가 되었다.

우리나라에서 자본이 대중을 위한 곳으로 애써 투자할 매력이 없어졌다. 오히려 자본가들은 투자를 꺼리며 숨기려 드는 본능적인 회피가 만연하면서 투자와 고용창출이라는 의미가 퇴색하고 있는 형국이 되었다. 이러한 현상은 산업 경제에 있어서 매우 우려가 되는 부분이다. 감성적으로 정치적 방향이 잘못 정해지면 그 피해는 고스란히 국민에게 돌아간다는 것을 상기할 일이다. 국가 경제가 곤란해진다는 것은 곧 국민의 삶의 질과 실질 소득에 문제가 발생하고 나락으로 떨어진다는 뜻이다.

나의 가정 경제는 심각한 위기에 놓여져 있다.
지금 시점에 변화를 가진다는 것도 무리가 따른다. 그렇다고 주저앉아 관망하기에는 시간이 별로 없다. 어차피 언젠가는 치러야 할 홍역이라면 지금이든 앞으로든 그 과정은 필연적이다. 지금 당장에 힘들다하여 포기하고 그럭저럭 또 생명을 연장하듯 안주해 버린다면 후일 치러야할 고통은 오늘보다 더 클 것이다. 그것은 인생의 주기와 연관되어 있기 때문이다.

천만년 살 수 없는 시효의 삶을 마냥 미뤄서 될 일이 절대 아니라는 것이다. 이미 생로병사 과정에 있어서 후반기에 접어든 사실을 부인한다고 해서 달라지는 게 아니다.
현재를 바꿔야 하는 문제는 이제 선택의 여지가 없다.
바꾸지 않으면 미래 나의 삶을 보장받을 수 없다. 자유와 권리를 보장받는 일이란 삶의 과정에 있어서 자신을 책임지는 일이다. 국가 나서서 내 개인의 삶을 책임져 주는 게 절대 아니다. 더욱이 민주주의와 자본주의가 결합된 사회는 개인의 삶은 스스로 해결해야 하는 충분한 이유가 있다.

사회주의와 다른 이유가 여기에 있다. 협동 농장에서 경작을 하여 공동 분배하는 형식의 사회주의는 공동체에 적절히 편승하여 함께 구호를 외치며 동조하면 상황이 어렵든 좋아지든 상대적인 비교 없이 어우러져 살아간다.

그것은 자유를 공권력에 맡기고 예속되어 시키는 일만 하면서 살아가는 형식이다. 그게 바람직한 공동체 인류의 방식이라고 주장한다면 더는 이유를 달 필요성을 못 느낄 것이다. 하지만 신자유주의 자본사회는 그와는 정반대의 길을 의미한다.

그리고 대부분 사람들이 원하는 자본주의 사회 방향은 다소 폐해를 인정하지만 개인이 노력한 만큼 보장받고 물질적으로 이윤을 창출하는 방식에 동조한다.

오늘날 화려한 문명의 꽃을 피우고 민주주의를 발전시킨 동력이 개인의 이윤을 보장하고 독려했기 때문이라는 것은 누구도 부인 못할 것이다.

2008년 6월 26일

인생 선배

세상을 살아가면서 이해관계에 잘 맞아떨어지는 동행자를 만난다. 이성이 아닌 동성의 동행자를 말이다. 직장 생활이든 일반적인 생활이든 그 곳을 중심으로 주변엔 같은 이상 같은 뜻을 가진 동행자가 있다. 사람은 굳이 싫은 사람을 만나 마음에도 없는 말을 지껄이며 오랜 시간 대화를 나눌 이유가 없다. 만나서 소중한 시간을 허비하며 대화를 나눈다는 것은 그만큼 매우 가깝게 느껴지고 일상을 매끄럽게 하는 관심의 대상이기 때문에 가능할 것이다.

뜻이 맞는 이해 자는 함께 생활하던 그곳을 떠나더라도 자주 만날 수 없겠지만 멀리 떨어져 있어도 찾게 되는 명분이 서게 된다. 이것이 진정한 인간적인 관계이기도 할 터이며 긍정적으로 분석하면 매우 조화로운 인맥이라고 필자는 생각한다. 자신을 이해해주고 인정해 주는 사람을 가까이하고 싶은 게 인지상정이다. 때론 그런 끈끈한 인간관계를 이용해 사욕을 채우는 데 이용하는 사람도 없지 않다.

진정한 인간관계는 사적인 이해관계에 끌어들여서는 안 되지만 서로가 잘되고 이익을 나눌 수 있다면 가능할 수도 있을 것이다. 이용 가치를 따져가며 사람을 대하고 관계를 유지하려는 계산적인 인간관계는 오래가지 못한다. 사업상 업무상 관계는 그 상황이 종료되면 이해관계도 함께 끝이 난다. 그건 사람과의 끈끈한 인간관계가 아니라 이익을 목적으로 필요에 의한 대상일 뿐이다.

어젠 옛 인생 선배를 만났다.
내 인생에 있어서 가장 척박한 시기를 함께 생활했던 나보다 일

곱여덟 살이나 많은 전혀 일면식이 없었던 사람이다.
고향도 다르고 출신지도 다르다. 다만 이상적인 사고의 동질성과 공감대를 형성할 수 있는 인생 선배로서 부족함이 없는 사람이다. 시장 생활을 하면서 인간적인 동질성을 공유하며 힘든 그 시절을 보냈던 매우 밝은 혜안을 가진 그를 통해서 많은 것을 알기도 했다. 제 꾀에 넘어가 아직도 내일 모래면 60이 다 되어가는 총각인 그는 이성을 판단하고 생각하는 방향이 시대적으로 좀 떨어진 감이 있다. 다른 부분은 거의 완벽한데 이성에 관한 문제는 생각하는 기준이 나완 다르다.

이성 간 교제에 대한 문제에 발목 잡혀 결국 평범한 생활을 벗어나 늦어진 그의 삶은 불행인지 아닌지는 본인만 알겠지만 타인의 시선엔 그리 정도의 길을 가고 있다고 생각하지 않을 것이다. 경제적으로도 아무런 문제가 없으며 금전적인 문제도 원만하다. 부유한 가정에서 태어나 정상적인 성장을 거쳐 현재도 나보다 월 소득이 비교도 안 될 만큼 높다.

지금은 신천역 먹자골목에서 고깃집을 운영한다. 짐작하건데 월 순이익 1,000만원 육박하는 고소득을 올리는 자영업자다. 자신을 위한 개인적인 시간은 따로 떼어낼 수 없는 현실이지만 그에 따른 보상이 결국 고소득으로 이어진 셈이다. 일 년 내내 고깃집 운영에 매달린다고 한다. 휴일도 없고 오로지 일에만 매달려 산단다. 삶의 가치를 존중받아야 할 당위성은 개개인 생각에 따라 다르게 평가할 수 있는 문제다. 돈을 벌면서 정신적인 이상을 추구하며 값진 보람이라고 생각하는 사람도 있을 테고 돈은 없지만 작은 소득에 만족하진 않지만 자기만의 시간을 충분히 가질 수 있는 직장을 선택해 삶의 보람을 느끼는 사람도 있다. 어떠한 삶이 가장 바람직한 삶이라고 단언하기엔 세상살이가 너무 다양하다. 그리고 어떤 현실을 택하든 주어진 상황이나 일상에 대하여 보람을 느끼며 만족하고 있다면 타인의 시각엔 고행이라고 판단할지라도 당사자는 고생이 아니라 삶의 의지가 될 수도 있다.

평소에 그는 근면한 생활 사고방식을 가지고 있으며 행동하고 실천하는 방향이 뚜렷했다. 자기 생각을 명확하게 논리적으로 표현하고 상대방으로 하여금 신뢰를 갖게 했다. 사람이 완벽할 순 없지만 완벽해지려는 노력이 그의 생활상에서 느낄 수 있었다. 대범하면서도 타인을 배려할 줄 아는 성품을 지녔다. 사람을 대하는 면이 까다로운 나로선 쉽게 사람을 신뢰하지 않는다. 그런 나의 성격이 그와 동화될 수 있었다는 것은 여러 부분 공통점이나 사고방식이 엇비슷하기에 가능했을 것이다.

처음 만났을 때 나이 차이가 있었어도 그는 호의를 가지고 나에게 관심을 보여줬다. 소소한 먹을 것이 있으면 나눠먹고자 했었고 별거 아니지만 다른 사람 몰래 우유 팩을 가져다주며 먹으라고 권했다. 그리고 속내를 드러내 보이며 의논을 하고자 하는 관심이 나의 마음을 움직였을 것이다. 꼭 무엇을 주고받았다는 게 중요한 게 아니라 무엇보다 관심을 가져주고 어려운 심정을 의논하려는 마음의 의도가 친근하게 느껴졌을 것이다. 그를 만나고 돌아오면서 기분이 좋았다. 자영업을 하면서 경제적 부를 착실히 다져가는 그의 면모를 생각하면서 정말 대단한 사람이라고 생각했다. 하고자 하는 의욕적인 삶이 보기 좋았고 저녁 시간 함께 영업시간을 보냈으면 좋겠다는 말은 서로를 신뢰한다는 의미이기도 했으며 또한 누군가에게 인정받는다는 심리적인 충만이 마음을 기쁘게 했다.

말년으로 치닫는 그리 넉넉한 여정이 아니지만 의욕적인 삶을 이뤄가는 그의 생활상을 본받으며 나의 삶을 재조명하는 계기가 되었다. 비교도 안 되는 천문학적인 소득 격차에 대해선 자괴감이 들지만, 그의 인간성에 감동하고 내 생활에 견주어 충격을 받은 셈이다. 자격지심에 빠진다고 해서 달라질 게 없는 나의 삶을 놓고 비관하는 어리석음은 나는 하지 않겠다는 생각이다. 나의 현재의 삶이 누구 때문에 결정지어진 것이 아니며 소극적인 나의 생활에서 빚은 현실이기에 스스로 반성하고 나의 삶에 대한 심도 깊은 성찰이 필요할 뿐이다. 그리고 좀 더 나은 삶을 추구하는 기본적인 욕구를 채찍질하여 미래 생활이 나아지기를 기대하여야 할 것이다. 무엇보다 생각이 옳다고 판단되면 과감한 실천이 현재를 바꾼다는 것을 명심할 일이다.

아이들 아내 그리고 나 향후 5년 10년은 내게 가장 경제적으로 어려운 시기가 될 것이다. 교육비에 생활 물가 인상으로 막대한 지출을 요하는 시기다. 큰애 둘째 대학을 가야한다고 기정사실화 된다면 현재 나의 수입으론 학비를 감당할 수 없다. 계산이 안 나온다. 공부를 잘하지 못하지만 학교를 가고자 하는 아이들의 뜻을 부모로서 저버리기 힘들 것이다.

부모 역할은 자식의 성장 과정을 도와주고 미래 사회에 주역이 되도록 힘이 되어 주어야 하는 시대적 사명이 있다고 봐야 한다. 시대가 요구하는 기본적인 학교 과정을 포기할 만큼 더 이상 공부를 시켜주지 않아도 아이들 미래를 담보할만한 대체 수단이 없기 때문에 어렵지만 시대적 조류에 아무 거부감 없이 편승하게 될지 모른다는 것이다. 마치 저 죽을 줄 알면서도 불구덩이에 들어가는 어리석음을 되풀이하고 말 것이다. 끼니를 굶을 만큼 최악의 빈곤 상황이 온다면 어쩔 수 없이 포기하고 말겠지만 그져 그렇게 현재의 생활이 근근이 이어진다면 마지막 남은 여력을 뚜렷한 보장을 받을 수 없는 교육에 소진하고 말 것이다. 아이들 교육엔 정말 답이 없다. 자식을 위한 무조건 희생이 과연 나의 삶에 있어서 합리적인 견해인지 아직도 그에 대한 해답을 얻지 못하고 있다. 교육 문제와 경제력에 관한 상관관계에 있어서 나는 여러 가지 부족한 점이 많고 이를 해결하는데 거의 대비가 준비되어 있지 않다. 자연히 교육비 지출은 생계와 직결되고 머지않은 날 나는 가장 심각한 경제적 빈곤에 시달리게 될지도 모른다. 교육비에 관한 문제는 나의 인생에 있어서 가장 큰 비중을 차지하고 있는 시기다. 쉽게 풀어낼 수 있는 수학 문제가 아니라 가정 경제적 난제에 봉착하고 심각한 딜레마에 빠질 수 있다.

나의 현재의 삶은 돈에 관한 문제에 있어서 훌훌 털어버릴 손쉬운 간단한 문제가 아니다. 모아놓은 돈은 더더욱 없고 월 소득은 5인 가족 최저 생계비에도 못 미친다. 따로 부수입이 있는 것도 아니다. 직장 월수입에 대한 의존도가 높은 상황에 소득이 작다는 것은 곧 가난이라는 명제가 붙게 된다. 한 달 벌어서 생활비로 대부분 소진한다. 일체의 수입을 관리하는 아내의 의지도 내가 보기엔 지적할만한 문제가 있지만 성격상 가정의 평화를 위해서 침묵하고 있다. 이로 인한 후일 경제적 파탄에 이른다면 책임론에서 자유롭지 못 할 수도 있지만 가급적 충돌을 피하고 싶은 게 현재 나의 심정이다. 한 달 수익이 작든 크든 그 돈을 가지고 미래를 대비하는 저축이 선행되지 않는다면 미래 희망이 없다는 게 나의 지론이다. 하루살이처럼 살아가는 인생은 말년의 비참함을 보게 될 것이다. 이를 깨닫지 못한다는 것은 매우 불행한 일이 될 것이다. 같은 세대이면서 소득 격차는 물론 생각이 다른 세상 구조에서 나의 위치는 정말 밑바닥 운명에 지나지 않는다고 가끔 비관적인 생각이 들 때가 있었다.

사회적 지위와 가치를 높이는 데 실패한 나의 삶은 앞으로 지금보다 더 힘든 과정을 겪어야할 것이다. 신분 상승에서 제외된 삶이 어떠하느냐는 나보다 앞서 살다간 선조이거나 주변 사람들의 삶을 헤아려보면 답이 나온다. 세상을 상대로 충분한 이윤을 획득하지 못하면 말년의 삶은 경제적 곤란으로 심각한 불행의 늪에 빠질 수 있다는 것이다.

나이가 들면 생로병사는 필연적이다. 몸이 망가져 병이 들고 의료혜택을 받지 못하게 되는 불행이 닥칠 수도 있으며 최악의 경우엔 기본적인 의식주도 해결하지 못하는 불행한 상황에 처할 수도 있다는 것이다. 부강한 나라에선 최소한의 생활을 보장해주는 사회적 안전망인 복지정책이 어느 정도 기초생활자의 삶을 보호하지만 후진국의 가난한 삶은 곧 생사를 넘나드는 위협적인 일이 될 수도 있다.

가난은 나라 임금도 구제하지 못하는 참으로 어려운 난제라고 했던 적이 있다. 이는 잘사는 나라에도 거지가 있고 가난에 시달린다는 엄연한 사실을 이야기하고 있는 것이다. 스스로 자신을 구제하지 못하면 누구도 이를 대신하여 책임 질 수 있는 일이 아니라는 것이다.

인생이란? 젊음 또는 평범한 일상이 계속되는 것은 아니다. 직장이든 자영업자든 나이가 들면 떠나거나 접어야 하는 시기가 필연적으로 다가온다는 것을 모를 리 없다. 노후를 대비 해놓지 않은 사람은 지독한 경제적 곤란에 빠질 수 있다. 노년에 이르면 수입이 없는 게 이상한 게 아니라 당연하다. 그렇다면 노년엔 수입은 없고 돈쓸 일만 남는 셈이다. 자연 모아놓은 돈이 없으면 힘든 육체적 노동을 하든 휴지를 줍든 끼니를 해결해야 할 기본적인 근로를 말년에도 할 수 밖에 없다는 결론이 나온다. 돈이 있고 운동 삼아 근로를 하는 낭만적인 여유는 그야말로 소일거리이지만 어쩔 수 없이 하지 않으면 안 되는 노동의 과정은 육체적 정신적 느끼는 감정이 확연히 다르다.

너른 땅이 홍수에 조금씩 조금씩 휩쓸려 떠내려가면서 디딘 발밑까지 쓸어갈 위기에 놓인 심정 같은 여정이 오늘의 나와 흡사하게 느끼는 위기의식은 그만큼 나의 현실이 심각하기 때문이다. 덜렁 집 한 채 부동산 폭등과는 관계없이 내 한 몸 거처하는 공간에 지나지 않는다. 일용할 양식을 대체하는 일상의 수익구조가 아니다. 매일 먹고 쓰고 하는 상시의 비용을 적절히 얻을 수 없다면 가족의 생활이 붕괴 된다. 그러한 가족 영역의 안전망을 구축하지 못하면 삶의 질은 급격히 하락하고 가족 간 신뢰도 파괴되고 비참한 굶주림에 시달리는 결과가 초래될 수 있다는 것이다. 많은 사람들이 의도적으로 그러한 문제를 야기시키는 사람은 아무도 없을 것이다.

세상 변화를 따라잡지 못하고 과거의 정체된 사상과 사유를 답습하며 시대에 뒤떨어진 의식을 고수하며 일상을 이어가다 어느 날 도태되는 운명을 맞이하게 된다. 오늘의 사회는 실용 경제를 외면하면 할수록 성장에서 낙오된다. 내 방식대로 살아간다는 고집스런 정체된 집착은 급변하는 시대적 사고에 적잖은 걸림돌이 될 수밖에 없다. 그리고 뒤처지는 누구를 위하여 빠른 속도에 민감한 그들은 낙오자까지 끌고 가기엔 갈 길이 멀다. 늦은 막차를 타는 인생은 늘 허덕거리며 뒷북치는 결과를 낳게 된다. 늦었다고 생각하는 때가 가장 빠른 시기라는 그럴듯한 철학적인 논리로 애써 포장을 해도 사실은 변하지 않는다. 인생에도 분명 나이에 걸맞게 그에 맞는 상황 설정이 있다는 것을 깨달을 일이다.

그래도 포기할 수 없는 주어진 삶을 어떻게 해야 하는가는 스스로의 판단과 노력에 달려 있다. 늦었어도 포기보단 희망적인 언어가 자신의 인생을 변화시킬 수 있다는 것을 명심할 일이다. 세상은 많은 사람들이 절망보단 희망을 가지고 살아가는 사람들이 많고 건전하고 건설적인 사고를 가진 사람들이 대다수 존재하는 바람직한 사회라는 것을 깨닫고 그 범주에 나의 삶을 결부시키며 좀더 나은 삶을 향하여 부단히 노력하고 정진하여야 한다.

나는 지금 어디에 어떻게 서 있는가를 묻고 반문해야 한다. 그리고 내 자신의 가치를 높이는 일도 소홀히 해서는 안 된다.
노력하고 행동하는 습관을 늘 가져야 하며 무엇보다 변화가 중요한 때다. 꼭 경제와 관련짓지 않아도 내부적 성향도 바꿀수 있다면 과감히 바꾸는 도전에 인색하면 안 될 것이다. 모든 것은 마음에서 온다고 했다. 하고자 하는 의지와 플러스 알파 지적 능력을 부가한다면 그 효과는 파급적이라고 말한다. 인생이란? 나의 인생이란 하나뿐이다. 다시 한 번 살아볼 수 있는 복수의 의미를 전혀 부여받지 못했다. 유일무이한 하나뿐인 삶을 채색하고 가치를 높이는 것은 순전히 자신의 몫이라는 것을 명심할 일이다.

다시 시작한다는 굳은 마음으로 삶을 재조명하는 현명함을 포기해서는 안 될 것이다.
꽁꽁 묶인 매듭을 스스로 풀고 근심과 걱정의 굴레에서 벗어나 남은 여정을 알차게 보내고자 하는 의지를 다시금 각인시키며 발상의 전환을 가질 필요가 있다. 기회는 오는 게 아니라 자신이 만들어야 하는 사실을 잊지 말아야 할 것이다.

2008년 5월 22일

인터넷 문화

알권리를 충실히 집약한 정보의 바다 인터넷.....
인터넷은 내가 태어나 살아온 동안 모르고 지내 왔거나 일상에서 알지 못했던 수많은 정보를 굳이 알고 싶지 않아도 여러 가지 포털 사이트를 통해서 알게 해주는 지대한 역할을 한다. 꼭 필요한 정보가 아니더라도 우연히 클릭을 통해서 알게 되며 불필요해도 머릿속에 저장되고 어쩌면 교통정리가 안 된 혼란하리 만큼 이 곳 저 곳에 쓰레기처럼 저장되고 방치된다. 아무런 제약 없이 수용되는 정보 홍수를 통해서 뇌 기억 장치에 불필요한 쓰레기가 저장되고 있을지 모를 일이다. 그리고 사실 왜곡된 정보도 부지기수며 불명확한 정보가 장마에 수면 위를 떠도는 부유물처럼 정보의 바다에 떠다닌다.

대중 영합주의가 만연하고 올바른 사고조차 의심을 받게 하는 공격적인 언어도 판을 친다. 자신이 스스로 선별적으로 보고 읽고 받아들이는 자세가 선행되지 않는다면 자칫 올곧은 중심을 잃어버릴 수 있다는 것이다. 자의적으로 확대해석하고 판단하고 이를 통해서 수 많은 사람들이 옮기고 전달하면서 기하급수적으로 늘어가는 정보의 오류는 개인 스스로 분석하고 판단하지 못하면 심각한 편견이나 잘못된 식견을 가질 우려가 높다는 것이다.

텍스트의 오류도 경계할만한 대상이다. 검색창에 단어를 치고 검색해보면 맞춤법이 틀린 낱말이 부지기수다. 지식인 창에 타이핑을 해도 마찬가지다. 여기에 정확한 단어를 찾아내기란 쉽지 않다. 그만큼 수많은 잘못된 정보가 함께 저장되어 있으며 이를 네티즌 스스로 분석하고 판단해야 한다. 포털 사이트에 제공하는 사전이 그나마 그래도 올바른 지식 정보에 해당한다.
누구나 접속하고 답변을 제약 없이 올릴 수 있고 의견을 내 놓을 수 있는 자유로운 통로가 불필요한 쓰레기를 양산하고 있는 셈이다.

인터넷 공간의 폐단은 비단 잘못된 정보뿐만 아니다.
타인을 비방하고 비판하는 행위가 무제한 허용되는 보기 꼴사나운 잘못된 방향을 우려하는 사람들이 많다. 통제의 범위를 벗어난 무개념의 비판적이며 인신공격을 일삼는 악플러들이 범람하는 인테넷 공간엔 자성의 목소리가 높다. 인터넷 실명화라는 통제의 수단을 동원해야 한다는 목소리에 힘이 실리고 있다. 반대론자의 논리도 만만찮다. 자유로운 토론 문화를 통제와 억압으로 제어하겠다는 발상이 구시대적인 독재의 방법과 무엇이 다르냐는 것이다.

찬성과 반대가 팽팽하게 대립 되는 양론을 놓고 명쾌하게 답을 내기가 어려운 오늘의 개방적 세태이다. 자연스럽게 올바른 네티즌 문화가 정착되면 더할 나위 없으리라 하지만 스스로 자정능력을 잃은 한계 도달하고 저마다 자신만 옳다고 주장하는 논리만 성행할 뿐 건전한 자리매김은 아직은 요원한 희망 사항이 아닐까 가늠해본다.

기성세대가 보기에도 낯 뜨거운 대안 없는 비판은 실망스럽기까지 하다. 대통령 국회의원 또는 공인을 향한 인신공격은 도를 넘어선지 오래다. 욕을 먹는 대상이 물론 잘못이 없다는 것은 아니지만 비판의 수준이 아사리판 시장의 저속한 언어보다 더 하위개념의 논리라는데 국민 한 사람으로 안타깝게 생각이 들기 때문이다.

이를 보고 느끼며 자라나는 세대에겐 여간 위험한 일이 아닐 수 없다. 자칫 세상 모든 부분을 이러한 판단 기준으로 삼는다면 이는 미래의 사회 환경이 그리 낙관적이지 못하다는 것이다. 스폰지처럼 무조건 흡수하는 지적 습득의 세대에게 올바른 인성 교육은 고사하고 잘못된 인테넷 문화에 익숙해져 사회악을 구분 못하는 인격이 형성될까 우려가 된다는 것이다.

대안 없는 비판은 침묵하는 것만 못하다는 것이다.
물론 불의를 보면서 침묵하는 행위는 비겁이다. 그렇지만 오로지 반대론만 펼치며 비판만 일삼는 부정적인 사람은 사건 해결에 전혀 도움이 안 된다. 사안의 중요성을 깨닫고 잘못된 과정을 따지기보다는 어떻게 새롭게 조명하고 좋은 쪽으로 결론을 내고자 하는 의지가 중요하다는 것이다. 인간이 가지고 있는 성격 구조는 매우 비판적이며 유일한 존재이기를 갈구하는 이기적인 본능이라고 판단된다.

이러한 이기적인 본능을 이성으로 적절히 다스리지 못하면 타인을 향한 비판과 공격적인 성향이 강하게 나타나고 거기에 자기 무덤을 파는 꼴의 오류를 범하고 만다. 그러한 행위가 습관화되면 결국 병적인 사이코가 되고 사회의 이단아로 전락하고 법적인 제재를 받는 탈법자가 되고 범죄자가 될 수 있다는 것이다.

미래 사회는 더욱더 지금보다 복잡하고 보편적인 사회적 기준이 아닌 다양한 질적인 범죄와 지탄받는 일이 발생할 가능성이 높다. 올바른 기준도 정할 수 없는 사태에 안 이른다고 장담할 수 없다는 것이다. 지금도 이미 도를 넘었다. 어중이떠중이 뚫린 입이라고 아무 생각 없이 내뱉고 목소리를 높인다. 전혀 걸러지지 않은 무개념 저질스런 언어에 상처받고 심리적인 고통에 시달리는 비극적인 사람이 늘어나고 있다. 타인의 삶은 안중에도 없고 오로지 험악한 분위기로 몰아가며 타인을 공격하고 멸시하는 태도는 어떤 이유에서든 정당화될 수 없다는 것이다. 자신의 불행한 현재를 세상 탓이거나 남의 탓으로 돌리려는 어리석은 사람의 삐뚤어진 사고에서 기인하는 비방과 중상모략은 자신뿐만 아니라 사회를 병들게 하고 불신 풍조를 조성하는 결과를 낳게 한다.

사회에 끼치는 해악이 도를 넘었다면 적절한 법적 제도적 장치가 필요하다. 민주주의 사회에서 자유로운 개인 의견에 있어서 무슨 법적인 잣대냐며 반론을 제기할 수도 있겠지만 다수의 선량한 사람들이 보호받고 질적인 민주주의를 위한 길이라면 당연히 선행되어야 한다는 게 필자의 개인적인 생각이다. 자유는 누릴 수 있는 자에게 주어지는 선물이지 방종과 타락한 생각 없는 자에게 주어지는 무제한 무료 공급 자선이 아니라는 것이다. 골방에 틀어박혀 키보드를 두드리며 비겁을 저지르는 암적인 존재에게 베푼 배려가 아님을 상기할 일이다. 자유와 방종을 혼동하는 무리에게 일침을 가하는 제도적 장치가 필요한 때라는 것을 이구동성 힘이 실리고 있다.

민주주의 꽃인 성스러운 자유를 훼손하는 잘못된 의식구조와 행위는 비록 익명성 보장되는 인테넷 공간이지만 네티즌 스스로 자성이 필요한 때이다. 타인을 비방하고 비판하는 행위는 아주 조심스러워야 하고 쓰디쓴 충고일 때만 사용해야 하는 최소한의 방법이 되어야 할 것이다. 익명성이 보장되는 자유로운 인터넷 환경 때문에 발생하는 심각한 폐해를 줄이기 위해 앞으로 법안은 필연적일 수밖에 없을 것이다. 굳이 이러한 법률까지 제정하고 제약을 둬야 할 만큼 혼탁해진 무분별한 정보의 바다, 오염되면 당연히 그 원인을 찾아 제거해야 하며 건전한 사회 조직을 건설하고 보호하기 위하여 마땅하다.

2008년 5월 18일

미국의 속셈

미국은 이미 밝혀진 30개월 이상 된 광우병 발병 가능성이 있는 소를 굳이 우리나라에 팔고자 하는 속셈이 따로 있단다. 미국은 축산업계의 수익 효율성을 높이기 위해 강력하게 밀어 붙여 한국과 쇠고기 수입에 관한 협상을 유리한 쪽으로 타결을 보았다. 미국 입장에서 보면 참으로 성공적이며 이윤을 극대화하는 계기를 마련했다고 판단된다. 이번 쇠고기 협상 타결을 보면서 축산업에 종사하는 어느 번식업자의 말을 귀 기울일 필요가 있다. 미국의 속셈을 잘 읽을 수 있는 그의 축산업 경험에서 보는 시각이며 맞는 말이기에 옮겨 보고자 한다.

일본은 11개월 미만의 소만 수입한다고 하는데
미국은 우리나라엔 굳이 30개월을 넘는 소를 팔려고 하는가?
이유는 두세 번 새끼를 낳은 연령이 많은 늙은 암소 때문이라고 한다. 물론 앞으로 우리나라와 유리한 협상조약을 계기로 국제적 기준으로 명문화하기 위한 미국의 장기 포석일 가능성도 높다. 미국에서 쇠고기를 수출하는 나라들에게 앞으로 연령이 많은 소를 팔기 위한 장기 포석을 우리나라와 교역 협상을 통해서 첫 단추를 꼈다고 판단한다. 이로서 그동안 연령이 많은 골치 아픈 소를 처분할 데가 마땅치 않았던 미국은 판로가 생겼고 여러 나라에 팔 수 있는 근거를 마련한 셈이다. 미국의 속셈은 여기에 있었던 것이다.

소는 기본적으로 12개월이 지나야 암소가 임신을 할 수 있다고 합니다. 임신 기간은 280일 그리고 송아지가 태어나 젖먹이 기간이 4개월 정도 된다고 합니다. 그러면 암소 기준으로 새끼를 한번 낳고 젖을 먹이고 떼는데 23개월이 훌쩍 지난다고 합니다.

그런데 소를 키우는 입장에선 한 번 새끼를 낳고 육고기 처분을 하면 경제적으로 손해가 나기 때문에 두 번 세 번 정도 새끼를 낳는 게 효율적이며 이익에 가장 충실한 방법이라고 합니다. 그렇다면 두 번 새끼를 낳게 되면 23개월에 또 13개월을 더한다면 36개월이 넘어 가겠죠, 이렇게 해서 30여 개월이 넘으면 살을 빨리 찌워 도축을 하게 된다고 하네요,

일본을 비롯 미국과 교역하는 여타 나라들은 30개월을 넘은 쇠고기는 수입을 하지 않습니다. 자연히 30여 개월은 넘은 소들은 미국 내 육가공 업체에 팔거나 소비를 해야만 하지요, 가공 업체에서 소비하는 물량이 한계가 있고 남아도는 늙은 쇠고기를 처분해야 하는데 마침 우리나라와 교역 협상에 얼씨구 좋다 하고 끈질기게 요구하여 타결하여 수출할 수 있는 길이 열리고 그들 축산업계는 돈도 벌고 쇠고기 처분도 할 수 있고 일석이조의 효과를 거둔 셈이죠, 싼 값으로도 국내 자국민들이 사먹지 않는 늙은 소고기를 우리나라에 팔고자 했던 집착이 여기에서 기인한다고 봅니다. 결국 그들의 속셈에 말려들어 결과는 우리에겐 미국에선 가공용으로 도축되는 소를 식육용으로 그것도 광우병 위험군에 속하는 쇠고기를 들여오게 된 것이지요,

우리 쪽에서 보면 미국은 참으로 교활하기 짝이 없는 양심 불량이지만 그들 입장에서 보면 얼마나 교역 협상을 잘 하였는지를 잘 알 수가 있습니다. 그들이 유리한 쪽으로 협상이 끝난 후 미국 축산업관계(우리나라 축협 정도 되겠죠) 만찬자리에서 축배를 들며 환호성을 질렀다고 하네요, 돈도 벌고 골치 아픈 잉여 쇠고기 처분도 하고 그야말로 꿩 먹고 알 먹고 그들은 제대로 협상을 끝낸 것이지요, 그뿐이겠습니까? 앞으로 미국과 쇠고기 교역 대상국은 한국도 수입하는데 왜 당신의 나라는 안 되냐며 따지

며 협상을 유리한 쪽으로 몰고 가며 성과를 거둘 것입니다. 우리나라에서 늙은 소를 팔 수 있는 교두보를 확보했으니 차츰차츰 교역국을 넓혀 나가고 미국은 더더욱 수출 성과를 올리는 계기가 되겠죠. 그래서 이번 협상에 강력하게 밀어붙이며 물밑 작업으로 새로 등장한 대통령을 불러들여 환대하고 어깨를 나란히 하면서 사진을 찍고 온갖 감언이설을 늘어놓은 미국의 속셈이었던 게 드러난 셈입니다.

다소 과장된 부분도 있을 수 있지만 미루어 짐작하면 대단히 설득력이 있는 번식업자의 변론입니다. 애초부터 국민 건강이나 광우병에 관한 위험성을 놓고 협상을 한 게 아니라 남아도는 쇠고기를 처분해야 하는 미국 입장만을 고수하며 약소국에 팔아먹기 위한 수단으로 협상에 나섰던 것입니다. 그들 나름대론 광우병 물질이 존재하는 부위를 철저히 제거하고 안전한 살코기만을 수출한다고 장담하고 있지만 한두 마리도 아니고 어떻게 검사를 철저하게 할 수 있을지 의문이며 무엇보다 광우병에 대한 위험성이 국민에게 노출될 수도 있다는데 수입을 하고 싶지 않은 것은 당연한 것이며 정부 관계자의 협상단의 난처한 입장을 고려해도 이건 아니다 싶은 게 국민의 정서이기 때문에 성토를 하고 거센 논란이 증폭되고 있는 것이다.

광우병에 대한 공포가 확산 되면서 마치 인류의 무서운 병으로 등장한 것처럼 침소봉대하는 면도 없지 않지만 사실 따지고 보면 앞으로 광우병이 어떤 경노로 그리고 어떤 이유로 우리의 삶에 깊숙이 침투할지 모르지만 교통사고나 여타 안전사고 또는 질병 그것도 암으로 사망하는 숫자에 비해 아주 소수에 지나지 않을 것이다. 지금도 분 단위 초 단위로 사람이 사망하고 탄생한다. 물론 어떤 이유에서든 사람이 불행하게 죽는다는 것은 매우 서글픈 일이다. 다만 죽는다는 것은 현재 밝혀진 확률로 따진다면 교통사고로 죽을 확률이 매우 높다. 교통사고로 죽는 사람이 많다고 해서 차를 만들지 말아야 한다거나 생산하지 말아야 한다는 논리는 없다.

수입은 안하고 수출만 할 수 없다. 수입은 수출과 함께 교역국과 협정에 따른다. 우리나라는 수출해서 벌어들이는 돈이 수입에 드는 비용보다 많다. 수입도 안 하고 수출도 안 하며 자급자족만 한다면 우리나라가 제조 생산하는 제품은 남아돌고 경제 발전은 남의 일이 될 것이다. 세상일이란 필요악이라는 게 있다. 대승적으로 본다면 수입은 협상자가 누가 됐든 필연적이다. 다만 국제교역에 위반되지 않은 범위 내에서 최소한의 수입을 하는 정부 관료의 판단이 국민의 바람일 것이다.

광우병이 발병하는 쇠고기가 들어오게 된다면 수입을 하지 않겠다며 대통령이 장담하는 담화를 발표했다. 당연한 말이겠지만 국민이 바라는 것은 아예 광우병 위험군에 속하는 소를 들여오지 말라는 강력한 요구다. 광우병에 걸려 시험 대상이 된 후에 뒷북치는 중단이 아니라 원천 봉쇄를 바라는 간절한 소망이다. 끔찍한 생체실험 마루타가 될 수 없다는 강한 국민의 소리를 귀 기울여 달라는 민중의 항변이다.

2008년 5월 7일

광우병 파문

온통 나라 안이 시끄럽다.
광우병 쇠고기 수입 반대를 외치는 성난 민중의 목소리가 하늘을 찌른다. 속 시원히 명확하게 증명을 해낼 수 없는 광우병에 대한 진실 공방이 국민을 불안하게 한다. 그저 위험하다는 심증만으로 막연히 불신풍조 소문만 확산되는 현실이 안타까울 뿐이다. 아무리 정부가 무능하고 이기적인 대통령이라 해도 국민을 담보로 위험한 게임을 벌이고 있다고 생각하지 않는다.

하지만 만일에 하나 정말 수입 쇠고기를 먹고 광우병에 걸린다면 단순 실수로 보기엔 너무도 큰 대가를 치러야 한다. 돌이킬 수 없는 지경에 이르고 혼란에 빠뜨리는 결과를 초래한다면 때늦은 후회는 아무 소용이 없다. 소 잃고 외양간 고치는 격이 아니라 소도 잃고 외양간 고칠 여력도 없어지는 치명적인 문제가 아닐 수 없다.

네티즌이 밝혀낸 프리온 단백질에 관한 기사를 보면 끔찍하다. 개인적으로 판단하기엔 다소 과장된 부분도 없지 않지만 프리온 물질이 인체에 끼치는 유해성은 사실로 밝혀졌다. 스폰지처럼 뇌에 구멍이 뚫리고 신경계를 손상시켜 미쳐 버리게 되며 100퍼센트 사망에 이른다는 사실은 이미 증명되었다. 바이러스나 세균이 아닌 600도 끓는 물에서도 없어지지 않는 변형 단백질로 어디에서나 존재하고 상존할 수 있는 물질이라고 한다. 에이즈보다 더 강력한 전파력을 가진 먹이사슬에 의해 전해질 수 있으며 병에 걸리면 치료 약도 없고 1퍼센트의 생존율도 보장되지 않은 죽음에 이르는 병이라고 전한다. 정말 네티즌들이 말하고 전하는 대로라면 사실 단순 쇠고기 수입만 막는다고 해서 프리온 물질이 차단된다고 생각하는 것은 조금 무리가 있다. 미국에서 수입하는 제조 식품엔 쇠고기 원료가 직간접적으로 많이 들어 있다. 여기에 광우병에 걸린 소이거나 유전인자를 가진 소를 도축해 가공식품에 넣어 제조하고 그 제품이 수입된다면 감염이 되는 것은 시간문제다. 지구촌 어디에도 안전할 수 없을 것이다.

이렇게 확대해석하고 전방위 가능성을 강조한다면 정말 지구상 인류는 머지않아 멸망하게 되지 않을까 하는 개인적인 생각을 해본다. 인류의 멸망이 곧 광우병 때문이라는 설이 나올 법도 하다. 물론 다소 과장되고 확대해석했다고 해도 위험군에 속하는 쇠고기를 수입해야 하는 우리 국민은 흔쾌히 받아들일 이유도 없으며 만일 하나의 가능성마저 불안한 마음을 가지며 떠안아야 할 이유가 더더욱 없다.

인체에 영향을 주는 유해한 고기를 수입하면서 정치적인 논리의 잣대로 들이대려는 정치집단의 해명이나 반론이 국민의 반감을 더욱 고조시켰다. 생명과 직결된 먹는 것을 놓고 설득이나 안전성만을 강조한다고 해서 되는 일이 아니다. 위험하다는 것을 누구나 알게 된 수입 쇠고기를 놓고 변명하기에 급급하고 불순한 의도를 가진 사람들의 선동에 의한 소문이라고 하기엔 성난 민심을 설득하기엔 이미 늦은 감이 없지 않다.

대통령을 탄핵해야 한다고 학생 시민들이 인터넷 서명을 하는 사태까지 벌어졌다. 협상이야 농산부에서 했지만 대통령 미국 방문과 연관성이 있고 통치자의 책임이 전혀 없다고 할 수 없다. 경제 발전이라는 현 정부의 대통령의 강력한 의지가 무색할 정도로 민심은 극에 달했다. 자칫 경제 살리기 소신은 고사하고 대통령 자리도 내 놓아야 할 사태가 벌어지지 않는다고 장담할 수 없는 지경에 이르렀다. 이미 대통령 당선에서부터 많은 논란에 휩싸였던 부도덕한 정치인으로 국민들의 인식에 각인된 현 정부는 앞날이 그리 순탄치 않을 거라는 조심스런 전망을 하게 한다.

정치인이 부자이고 돈이 많다고 해서 부도덕한 것은 절대 아니다. 누구나 능력 있고 자본으로 수익을 올리고 재산을 늘릴 수 있다. 이게 잘못된 것은 아니다. 다만 합법적이 아닌 불법으로 재산을 증식하고 사회에 해악을 끼쳤다면 마땅히 지탄받아야 한다. 더욱이 정치인은 그 부분에 있어서 깨끗해야 한다는 국민 정서가 바탕에 깔려 있다. 17대 정부가 들어서면서 대통령을 비롯 부자 내각이라는 꼬리표가 붙어 버렸다. 자산 가치가 높아진 현실을 반영한다고 해도 지나치게 가진 재산이 많다는 것이다. 대부분 부동산 투기와 무관하지 않다는데 도덕성이 강조되고 있다. 지난 정부도 총리 인준에서 낙마한 이유가 편법 불법적인 재산 증식에 기인했다. 정치인에 대한 불신은 어제 오늘의 일이 아니다. 정치인의 말을 믿을 수 없다고 국민들은 성토한다.

정치적인 입장에선 대승적 차원으로 받아들여야 하고 개인감정에 충실하여 대의를 그르칠 수 없다. 쇠고기 수입 인준에 관한 사안은 협상을 하는 입장을 고려한다면 간단한 문제는 아니다. 하지 않으면 안 되는 교역의 당위성을 무시할 수 없다. 그렇다고 해서 안전성이 확보되지 않은 교역 상품을 받아들이는 것은 국민들의 마음을 움직일 수 없으며 신뢰를 얻어낼 수 없다. 10년 후 또는 20년 후 어떤 결과가 나타날지 모르는 상품을 놓고 국민들에게 설득을 한다는 것은 논의 자체에 의미가 없다.

막연한 정치인에 대한 불신과 비난만 일삼으며 대안 없는 비판은 현실을 바꾸는데 사실 아무런 힘이 안 된다. 정치인도 사람이고 아무리 학식이 높고 많은 것을 안다고 해서 국민들의 생각을 다 헤아릴 수 없으며 명쾌한 답을 내놓을 수 없다.

세상 구조가 그렇게 단순하고 한 곳으로 집중할 수 있는 외길이 아니다. 다문화에 다양한 사고를 가진 사람들이 존재하고 그들의 주장은 사회적인 공감대를 형성하는 논리일 수도 있지만 개인적인 사욕에 근거한 주장도 헤아릴 수 없을 정도로 많다. 집단자다 이기주의가 만연한 오늘의 사회는 따지고 보면 모두 가해자이자 곧 피해. 사리사욕에 근거를 두고 사회를 향하여 집단이기를 강조하고 배려가 없는 주장만을 일삼는다면 그 사회는 미래 희망이 없다. 정치인 기득권층 보잘것없는 소외계층도 모두 국민이다.

편 가르기에 편승하여 자신의 사고와 맞지 않으면 적이라는 편견은 사회 조직을 파탄으로 몰고 가는 악습에 지나지 않는다.
좀 더 성숙한 국민 의식이 요구되는 우리의 현실을 조성해야 할 것이다. 모 아니면 도라는 이분법적인 막힌 사고도 사회 발전에 도움이 안 된다. 색안경을 쓰고 정부를 바라보는 부정적인 시각도 버려야 한다. 정치인이 하늘에 떨어진 특권 계급이 아니다. 국민들이 뽑아주고 천거해준 나라의 일꾼이다.

믿고 밀어줬으면 실천 의지를 펼치기도 전에 끌어내리려는 성급한 태도는 삼가하고 지켜보는 기다림도 때론 필요하다. 적어도 사공이 많아 배가 산으로 가는 형국이 되선 안 된다는 것이다. 다소 사공이 배를 모는데 서툴더라도 독려하고 잘하게끔 밀어주는 국민의 성숙한 자세도 요구되는 시점이기도 하다.
오늘의 성난 민심이 대통령 정치인이 미워서 일어난 단순한 반감이 아니다. 안전하지 않은 먹거리를 수입하지 않을 수 있으면 더할 나위 없겠지만 교역을 하지 않으면 안 되는 우리나라 여건을 감안한다면 오늘의 난제를 속 시원히 풀 수 있는 답이 없다는데 안타까울 뿐이다. 국민들의 목숨을 담보로 게임을 벌여야 하는 정부도 입장은 죽을 맛이며 이러지도 저러지도 못하는 약소국의 한이 아닐 수 없다.

쇠고기 수입을 할 수밖에 없다면 최대한 안전성을 확보하는 최선의 방법을 동원하여 교역에 위반되지 않은 범위 내에서 최소의 수입을 하였으면 하는 바람이다. 이미 강을 건넌 불가피한 상황을 돌이킬 수 없고 달리 방법이 없다면 최소화에 집중하고 국민들도 여기에 주목하고 바람직한 인식의 변화가 필요한 때이다.

2008년 5월 4일

가치

세계 시장이 급변하면서 덩달아 우리나라 시장 경제도 확 바뀌었다. 문제는 개혁적인 생활 물가 시장 변화가 모든 국민에게 골고루 삶이 질이 높아지고 소득이 높아졌다면 오히려 권장하고 독려할 일이다.

하지만 급변한 시장 분위기의 속내를 들여다보면 낙관할 일이 절대 아니다. 고물가에 생산성은 떨어진 대신에 가지고 있는 자산 가치만 높아진 것이다. 이는 서민의 삶이 어려워졌다는 반증이기도 하다. 자산 가치는 열배 백배 올랐다. 가진자들에겐 부자에서 더욱 부자가 되었다. 가난한 서민은 자산 가치에 따라 오른 물가에 더욱 허덕이는 힘든 상황에 처해졌다. 부의 양극화는 더욱 벌어졌으며 합법적인 방법으로 가난한 사람이 부자가 되는 길이 요원해졌다.

가난하다는 것은 불법적인 방법을 동원할 능력도 안 되고 경제 분야에 취약한 계층일 수밖에 없다. 돈이 없어 배우지 못하고 어렵게 사는 소외받는 계층이 대부분 가난한 사람들이다. 그렇지 않은 소수의 사람도 있지만 가난은 학력, 또는 지적 능력에 상관관계가 있다. 가난하기 때문에 제대로 교육을 받지 못해 사회로부터 인정받지 못하고 하급 생활을 하여야 하고 그 후손들이 또 가난을 대물림 받아 낮은 교육에 생활 또한 어렵게 이어진다. 가난한 사람은 대부분 그 분류에 속한 사람과 결혼을 하고 같은 유전자를 가진 2세가 태어나고 또 다시 그들만의 세계를 구축하고 빈한한 환경을 벗어나지 못하고 그렇게 살아가는 밀접한 연관성이 있다.

부를 가진 사람들은 그에 걸맞게 똑똑하다. 그들의 똑똑함은 배우자도 그에 맞는 상류층 지식인들과 인간관계를 형성하고 종족번식 또한 그들만의 세계에서 고르고 선택한다. 자연 우수한 2세가 태어나고 그들은 미래의 사회에 주역으로 등장하고 서민 위에 군림하며 지배층이 된다. 자본주의는 능력 위주의 사회다. 능력이 탁월하고 우수한 사람이 그에 따른 부가가치를 누리고 삶의 질을 높일 수 있다. 이게 잘못되었다고 판단하는 사람은 아무도 없을 것이다.

물론 능력이 있는 사람이나 다소 능력이 떨어지는 사람들 모두 잘 살면 좋겠지만 두 마리의 토끼를 잡을 수 없는 엄연한 현실을 불평으로 해소되는 일은 절대 아니다. 다만 이러한 갈수록 벌어지는 사회적 괴리 현상을 최소한으로 줄이는 사회 중심에 있는 사람들의 역할이 매우 중요하다. 무엇보다 가지지 못한 소외계층을 잘 헤아리고 삶의 질을 높이는 배려의 의식이 중요하다는 것이다. 능력 위주의 사회로 치달아 간다면 그것은 단편적으로 경제 성장엔 도움이 될지는 몰라도 인류에겐 바람직한 방법은 아니다.

그렇게 경쟁만이 부추기며 달려간 후 발생될 수 있는 부작용을 누구도 감당해낼 수 없다는 것이다. 폭동이 일어날 수도 있으며 공권력으로도 막을 수 없는 중대한 사태가 발생하지 않는다고 장담할 수 없다는 것이다. 극단적인 일이 발생한다는 것은 희박하지만 불씨가 떨어지고 발화가 된다면 걷잡을 수 없는 불길로 번지는 산불이나 화재 현장을 보면서 깨달을 일이다.
이러한 난맥성을 지닌 국가에서 대통령의 통치는 매우 어렵고 힘들 것이다. 경제 발전을 위해선 어떤 것도 해야 하지만 걸림돌이 만만찮고 국민들의 소리를 귀 기울여 실천을 하려면 귀가 열개 백 개라도 모자란다. 국민은 개개인 모두 이익집단이다. 공공성을 띤 주장도 있겠지만 사욕에 뿌리를 두고 판단하고 주장한다. 이러한 갖가지 논리를 잘 조절하지 못하면 실패한 대통령이 된다. 대통령이 신이 아닌 이상 잘못된 판단을 내릴 수도 있다. 하지만 지도자의 잘못된 판단으로 국민들이 곤경에 처한다면 누구도 지도자를 신뢰할 수 없으며 용서하지 못한다. 잘한 것은 당연한 것이고 못한 것은 잘못된 것이다.

옛말에 백 번 잘해도 한 번 잘못하면 물거품이 된다는 속담이 있다. 작은 일은 시행착오를 겪으면서 성장하지만 한 나라의 운명을 시행착오를 겪으며 시험 대상이 될 수 없다는 것이다. 자본의 위력은 오늘날 현실을 사는 우리에게 끼치는 영향이 매우 크다. 뛰어난 아이디어가 있어도 자본이 없으면 생산성으로 이어지기 쉽지 않다. 생각만으로 그치거나 시도하다 도중에 포기하게 되는 예가 빈번하다. 특히 소자본으로 기업을 하는 사람은 그 그릇에 맞는 제품을 생산하고 판매를 하여 소득을 올리는 역할에 지나지 않는다. 변명할 여지는 있다. 소자본으로 시작해 대기업으로 성장한 기업도 없지 않다. 시대의 흐름을 잘 읽고 생산 소득을 가지고 적절히 투자를 하여 큰 기업으로 성장한 회사도 많다는 것이다. 다만 내가 말하고자 하는 것은 오늘의 산업화는 다년간 기술과 자본이 축적된 대기업을 위주로 산업의 중심이 되어버렸다는 것이다. 거대한 공룡 기업이 손을 대고 투자를 하면 주변 중소기업은 문을 닫고 두 손을 들어야 한다는 것이다. 무한경쟁 시대에 무슨 뒤떨어진 사고냐고 질책을 할 수도 있을 것이다. 사회든 기업이든 독점이란 단어는 그리 좋은 현상은 아니다. 이유야 어떻든 독점으로 인하여 한 나라의 산업 기틀이 되는 중소기업의 많은 인재들이 기회를 잃거나 박탈된다면 그 사회는 건강한 사회라고 볼 수 없다는 것이다. 사회란 경쟁은 당연하지만 사회적 배려가 없는 경쟁만이 치달아 간다면 특정한 계급이 형성되고 거대한 힘의 논리에 전횡이 빈번해질 수밖에 없다. 인권을 중시하는 민주주의 사회에서 약자와 강자의 대결 구도로 변질되고 상대적 빈곤은 정서적으로 배타적인 사고를 유발시키며 부자는 무조건 부패하고 사회악이라는 등식이 만연하여 이유 없이 사람이 미워지고 묻지마식 살인과 같은 극악한 범죄가 늘어나는 패악이 성행한다.

오늘날 균형적이지 않은 발전을 거듭하면서 드러난 흉악해진
범죄의 유형을 보면 조금 이해가 갈 것이다. 날로 지능적이며 극단적인 범죄가 늘어나는 것은 사회적으로 약자를 배려하지 않는 정서에서 빚어지는 불많이 많은 사람들의 최악의 불만이 표출된 반감의 영향이 작용했다고 필자는 판단한다.

공동 사회란 어느 특권 계층을 위한 정책이나 경제 발전을 강조해선 국민의 마음을 움직일 수 없다. 그렇다고 서민을 위한 정책이란 말도 좋은 취지는 아니다. 부자 서민 모두 공동체 의식을 가지며 한 나라의 번영을 위한 모두가 참여하고 공감하는 더불어 사는 사회를 만들어가는 게 통치자의 역할이며 의무다. 오늘날 기형적인 사회 변화는 경제 발전이라는 기치 아래 숨고르기 하지 않고 앞만 보고 달리며 채찍질을 하며 강요한 성장 위주의 결과라고 말한다. 성숙하지 않은 국민 의식에 자본과 자산 가치만 불어난 상황에 이기심이 만연한 내 것 부풀리기에 혈안이 되어 산업 경제는 바닥을 기는데 집값 부동산값만 올린 국민의 자기 배만 불린 작태에 세상이 흉흉해지고 있는 것이다. 대통령 정치인...누구의 탓이 아니라 우리 모두 죄인이며 내 탓이라는 것을 명심할 일이다.

2008년 7월 1일

오월

오월이 왔다.
초여름 더위가 기승을 부리는 오월이다.
오월은 가정의 달이라고 한다. 어린이날 어버이날...가정을 위한 기념일 행사가 많기에 그렇게 부르고 있을 것이다. 바쁜 일상에 사로잡혀 평소엔 찾아뵙지 못한 부모님을 어버이날을 구실로 찾기도 한다. 좋은 일이다. 늘 그 자리에 계실 거라는 착각을 하며 잊고 지내다 기념일엔 문득 찾아뵈어야 한다는 의무감과 효심이 발동한다는 데 의미가 있다.

오월은 푸르다.
산도 들도 푸르다. 논두렁 밭두렁 들녘에 나물 캐는 아낙네의 종종걸음도 오월의 풍경이다. 오월은 산나물도 지천이다.
초근목피로 연명하던 옛날 죽이라도 끓여 먹고자 풀을 뜯어다 함께 쑤어서 먹곤 하던 절박한 대체 식량의 일환이었다. 지금은 별미로 그리고 웰빙 식용으로 각광 받게 되었다. 자연에서 얻은 천연자원이자 사람에게 가장 순수한 먹거리로 등장했다. 산업화에서 비롯된 각종 먹거리의 부작용을 겪으면서 새삼 "옛것이 좋은 것이어." 라는 말이 사실로 드러났다.

이젠 가공식품의 폐해를 유치원생들도 다 알고 있는 사실이다. 인류가 편리한 방법 위주로 생활을 하고 받아들이면서 건강에 위협을 받는 위기에 놓여져 있다.

산업화는 건강 보다는 보다 나은 편리성과 성과와 효율성을 강조하면서 끝없이 그 길을 향해 달려왔다. 그로 인하여 발생한 산업 폐기물은 인간의 생존을 위협하고 있다. 건강을 해치는 공해 물질이 저변 곳곳에 쌓이고 지하에 스며들고 토지를 오염시키고 그 위에 지난한 인류의 생존이 위태롭게 외줄타기를 하고 있다. 인류가 낳은 발전만을 고집하는 한쪽만을 바라보는 편협된 시선이 이 같은 오류를 낳은 것이다. 자업자득이라고 한다. 환경만이 최고일 수도 없지만 최소한의 자연은 지켜져야만 한다는데 비록 환경론자의 주장만은 아닐 터이다. 모두가 공감하고 이 시대의 변화를 겪으면서 많은 사람들이 자각하고 실천에 옮기고 있다.

2008년 5월 1일

웹 세대

나와 컴퓨터는 업무와도 관련이 있지만 알고자 하는 열망, 즉 지식 습득에 절대적인 역할을 한다. 컴퓨터는 나의 생활에 깊숙이 연관되어 있다. 하루 일과를 마치고 개인적인 시간을 거의 점거하며 의사소통의 수단이 되고 있다.

나쁘게 받아들이면 중독이라고 할 수도 있겠다. 좋게 말하면 방대한 양의 지식이 저장된 공간에서 알고자 하는 지적 궁금증을 해소해 주는 창고 역할을 한다. 전자와 후자의 논리에 어떤 부분이 더 명확한 판단을 내리기보다는 중독이라고 해서 다 나쁜 것은 아니다.

개인적이든 사회적이든 끼치는 영향이 부정적인 의미를 지니고 있다면 문제가 될 수 있지만 긍정적인 방향이라면 그다지 문제될 게 없다는 것이다. 물론 건강을 해치거나 그로 인한 생활이나 일상적인 삶의 과정에 문제가 생긴다면 그것은 지적인 재산 형성이라고 해도 당위성을 잃는다. 현실을 무시하면서 골방에 틀어박혀 지식 사냥만 일삼는다면 그건 옳은 행위라고 할 수 없다.

나의 현재 삶에 있어서 가장 기본적인 일과는 직장에 나가 일정한 시간을 통해서 수익을 올리고 때에 따라서는 근로를 해야한다. 사실 생활의 기본이 되는 금전적인 소득을 책임져 주는 부분은 환경에 따라 단순 업무일 수도 있으며 늘 반복적인 과정이다. 자연히 고급 정보를 다루고 지식을 필요로 하는 일이 아니기에 이미 기억된 사고만으로도 충분히 해결하고 일상의 과정에 문제가 없다.

웹 1.0 세대부터 꾸준히 컴퓨터와 직간접적인 영향을 받으며 웹 2.0 을 거쳐 웹 3.0 시대에 살고 있다. 인터넷 보급으로 급속도로 성장한 웹 환경을 적극적으로 받아들이며 살고 있는 나에겐 이젠 컴퓨터와 웹 환경은 생활 속에서도 그렇고 정신적 공간에 절대적인 역할을 한다.

문화 콘텐츠를 적은 비용을 지불하고 마음껏 취하며 사용자가 되고 있다. 오프라인 세상보다 더 편하고 내 뜻에 따라 선택하고 공유하며 교류를 한다. 타인과 타협을 할 필요도 없으며 이해를 구할 필요도 없다. 내가 선택하고 마음에 들지 않으면 눈치 볼 필요도 없이 외면하면 그만이다.

다양한 선택의 여지가 존재하는 거대한 공간에 가장 개인적인 성향을 나타내고 표현할 수 있으며 기성세대의 영역에서 인정받아야만 공인으로 채택되던 불합리한 시대에서 이젠 개인의 표현 방법에 따라 다수의 사람들이 인정하고 인정받을 수 있는 선택 영역이 넓어진 공간이 웹 환경이다. 기성세대의 독선에 맞붙을 필요도 없으며 그저 내가 좋아하고 하고 싶은 문학적인 사고와 예술적인 감각을 나의 뜻에 따라 누구에게 간섭받지 않으며 실천을 할 수 있다.

이게 오늘날 시대가 요구하는 패러다임이며 그 속에서 자신의 정체성을 곧게 세우며 당당한 존재로 인정받을 수 있는 여건이 되었다. 그런 면에서 매우 긍정적이며 소수 사람들의 개인적인 취향을 펼칠 수 있는 계기가 마련되었다고 판단한다.

2008년 3월 23일

교육

교육이란 무엇인가?
가르치고 육성한다는 한자어다. 아이들을 위한 나의 교육 철학은 정녕 있는가 묻고 싶다. 아이들은 본능적으로 공부를 싫어한다. 그것은 재미가 없다는 것이다. 감정을 자극하는 이야기도 아니며 당장에 무엇을 배우고 익힌다고 해서 생활이 달라지거나 실질적인 소득을 올리는 일이 아니다. 미래를 위해서 끝없이 배움만 있을 뿐이다.

대부분 흥미를 잃어 공부에 열의가 떨어진다. 내가 유년 시절을 그렇게 보냈고 지금에 와 공부를 열심히 하지 않았던 지난날이 후회도 되지만 결국 그 시절을 보내고 나이가 들어서야 깨닫는 때 늦은 회한이다. 지금 아이들도 결국 내 나이가 되어서야 깨닫게 될 것이다. 그러하기 때문에 늘 공부해라 공부해라 그 말을 입에 달고 늘 강조하지만 하고자 하는 아이들의 의지가 없으면 허사다.

공부를 하게끔 환경도 중요하고 무엇보다 공부하는 일상의 습관을 들여야 하는데 실상을 그렇지 못하다. 컴퓨터를 하다가 지루하면 텔레비전을 본다. 저녁 방송을 아내와 나와 아이들 함께 보며 늦은 시간까지 정신을 놓고 본다. 공부하는 습관과는 거리가 멀다.

그렇다고 머리가 좋아 학교 공부를 잘하는 것 또한 아니다. 공부를 잘해야 잘 살거나 돈을 많이 번다고 생각하지는 않는다. 다만 아이들이 지금 해야 할 의무는 공부며 삶의 기틀을 마련하기 위한 필요한 지식이며 학식이다. 이러한 의무를 저버리면 후일 덜 성숙된 성인이 되어 세상을 보는 안목이 낮고 판단력이 부족해 타인에게 지배를 받거나 예속되어 현대판 노예가 되어 하급 생활을 벗어나지 못하게 된다. 그래서 우리는 늘 공부 공부 말하면서 아이들을 채근한다.

아내 역시 살아온 과정을 가늠해 보면 교육에 대한 철학이 부족했다고 판단한다. 돈을 들여 학원을 보내는 것으로 아이들 교육이 잘되고 그렇게 해야 된다고 생각하는지 모를 일이다. 영어 공부방을 보내던 성익이를 이번 달부터는 끊어버렸다. 막내 녀석이 하기 싫고 다니기 싫다고 하기에 그러라고 했다. 공부를 하기 싫은 아이에게 코를 꿰어 끌고 다닌들 그게 공부가 될 리 만무하다. 소나 말을 물가에 끌고 갈 수는 있어도 물을 먹는 것은 소와 말의 뜻이기에 먹기를 거부하면 물을 먹일 수 없다는 것이다.

소나 말이 물을 먹게끔, 아이들이 공부할 수 있게 무엇보다 집안 환경을 공부하는 분위기로 바꿔야 한다. 그게 선행되지 않은 상태에서 밖으로부터 공부에 대한 당위성을 찾겠다는 발상은 순서가 바뀌었고 자칫 돈만 낭비하고 실효를 못 거둘 수도 있다.

사실 공부만 잘해서도 안 된다. 인성 교육이 더 절실하다고 생각한다. 오늘보다 내일은 더 복잡다난한 사회가 될 것이다. 인성 교육이 선행되지 않으면 자칫 지식만 있고 정신은 황폐한 인조인간처럼 수단과 방법을 가리지 않는 목적만 가진 사회의 이단자가 될 가능성이 크다. 그것은 곧 죄책감 없이 범죄를 저지르며 법과 질서를 위반하고 삶의 치명적인 오류를 남기는 범죄자가 될 수 있다는 것이다. 아이들의 교육은 참으로 어렵고 간단한 문제가 아니다. 부모의 행실도 모범을 보여야 하는 것은 두말할 필요가 없다. 건전하지 않은 행위를 일삼으며 아이들이 잘 되기를 바라는 것은 어불성설이다. 아이들에게 모범을 보이며 자연스럽게 인성교육이 되도록 부모의 역할이 매우 중요하다. 술을 마시고 담배를 피우며 가정을 도탄에 빠뜨리거나 못된 행위를 일삼는 작태는 교육적인 측면에선 최악의 상황이 될 것이다. 일상에서도 조심스런 언행이나 습관을 아이들에게 본보기가 되어야 하며 부모로서 위엄 갖춰야 하는 것은 가장의 교육적인 기본 정신이라고 하겠다.

아이들은 아직 미완성된 초벌구이 그릇이다. 완전한 그릇이 되도록 도와주고 가르쳐 주는 게 부모와 학교 교육의 목표다. 나는 아이들의 부모 역할을 완벽하게 해내고 있지 못하다. 고쳐야할 점도 있고 아이들의 교육적인 부모의 역할에 있어서 여러 가지 부족한 점이 많이 있다. 개선해야 할 점은 개선을 해야 하고 부족한 것은 채워야 하는 게 나와 아내의 의무일 것이다.

무엇보다 학생의 본분인 공부를 열심히 하고자 하는 의욕적인 아이들의 모습을 볼 수 있었으면 하는 나의 바람이다. 아이들은 나름대로 공부를 하고 있다고 생각할 것이다. 하지만 공부는 쓰고 남는 시간에 공부하는 것이 아니다. 컴퓨터 그리고 텔레비전에 매달려 시간을 낭비하면 할수록 성적은 떨어지고 지식은 더 이상 쌓이지 않는다는 것을 상기해 주었으면 하는 바람이다.

현재 공부하기 싫다고 해서 하지 않으면 늦는다는 것이다. 지금도 이 글을 쓰면서 텔레비전에 빠진 둘째 아이를 보고 있다. 아이들은 스스로 공부를 하는데 한계가 있다. 옆에서 독려하고 끊임없이 지도 감독을 해야 한다. 제멋대로 자유롭게 놓아두는 것은 방임이나 방치지 아이들의 창의력을 돕는 것은 아니다.

공부가 인생의 전부는 아니지만 삶에 있어서 매우 중요하고 필요하다. 그리고 공부는 학교 공부만 강조하는 것은 아니다. 다양한 지식을 쌓고 겸양의 덕을 쌓는 데에도 공부가 필요하고 공부를 하면서 깊은 깨달음을 얻고 세상을 좀 더 넓게 보는 혜안을 가지는 것이다. 돈을 버는데도 수리 능력이 좌우되고 사회적 인지도에 절대적 영향을 미치는 게 학식이며 지식이 재산이다. 부자가 되거나 그 어떤 지위가 공부를 잘해야 얻을 수 있는 결과물은 절대적이진 않지만 지대한 영향을 끼친다.

그리고 사회적 절대 역할을 바라며 공부를 하라는 얘기는 아니다. 세상을 살아가는 데 있어서 지혜와 현명한 사고를 가지며 올바르게 성장하고 이 사회에 필요한 사람으로 존재의 가치를 유지하기 위한 훈련이기 때문이다.

2008년 3월 12일

고물가(高物價)

신년 들어 곡물 가격이 급등하고 있다.
우리나라는 곡물 수입 의존도가 높다. 특히 밀가루의 원료가 되는 밀 수입 가격이 급등하면서 면 종류 제품 가격이 대부분 올랐다. 생필품 가격 상승은 서민 경제에 미치는 영향이 매우 크다. 특히 서민이 즐겨 먹는 라면이나 면 종류의 상승은 곧바로 서민들의 생활에 직접적인 영향이 끼친다.

수입 곡물 인상 요인은 국제 시세에 의한 물가 상승도 원인이 되겠지만 무엇보다 주 원인은 곡물로 대체 연료를 만들고 있기 때문이란다. 옥수수 곡물류는 대부분 드넓은 땅을 소유한 나라에서 경작하여 수출한다. 천연연료라고 하는 바이오 에너지인 에탄올을 곡물에서 정제하여 축출해낸다. 대체 에너지로 이미 선진국에선 실제 생산하고 사용하고 있다. 석유의 고갈은 이미 예고되어 있고 2005년 정점으로 점점 더 채굴량이 줄어들고 있으며 배럴당 국제 가격도 상승하고 있다. 이는 앞으로 광물 에너지인 석유는 점차 매장량 고갈과 함께 200년 가까이 인류 발전의 충실한 힘이 되어 주었던 역할이 끝났다고 보는 시각이 옳을 것이다.

천연 에너지와 병행하여 사용되다가 점차 지구상에서 사라질 것이다. 향후 몇 년이란 명확한 시기를 내릴 수 없지만 지구의 수명처럼 그보다 더 빨리 석유 고갈의 시효는 가까이에 있다는 것은 모두가 다 알고 있는 사실이다. 식량으로만 사용하던 곡물이 에너지 원료로 둔갑하면서 인간에게 가장 필요한 식량 수급에 문제가 발생한 것이다. 땅 넓고 자원 많은 나라는 덜 심각하겠지만 곡물을 수입에 의존하는 나라들은 기름값은 그야말로 새발에 피처럼 조족지혈에 불과할지도 모른다. 어쩌면 지금 고유가에 불만은 풍요했던 시절의 아프다고 소리 지를 만큼 여유 있는 과거가 될지도 모를 일이다.

먹고 사는 문제가 심각해지면 전쟁이 일어난다. 힘 있는 나라가 약소국을 침략할 수도 있다. 근대에 일어난 이라크 침공이 911 테러는 명분에 불과하다고 일제히 해외 언론이 성토했었다. 근본적인 원인은 초강대국 미국의 원유 확보를 위한 전쟁이었다고 말한다.

중동의 맹주라고 불렸던 이라크 후세인 대통령을 제거해야만 중동의 패권을 좌지우지 할 수 있다는 계산에서 나온 부시 행정부의 전략적 침공이었다고 주장한다. 테러와 생물학무기는 침략을 위한 옵션에 불과했다고 비판했다. 어쨌든 과거와 다른 양상이지만 강대국의 논리에 의한 침략이 아니라고 단언해도 공감대를 얻을 만큼 설득력이 부족하다는 것이다. 지금도 전쟁은 계속되고 있다.

이라크 같은 극단적인 무력 전쟁이 일어날 수도 있지만 내밀한 고급 정보를 다루는 스파이들이 난무하는 국가 간 기업 간 산업 전쟁이 끊임없이 일어나고 패자와 승자의 희비가 엇갈리는 일들이 비일비재하다.

인류의 전쟁은 태초부터 자연 발생적으로 탄생되었다. 전쟁, 부락을 습격하고 약탈하고 살육을 하며 강한 자는 약한 자를 도륙내고 그게 당연한 힘의 논리였으며 윤리적인 죄의식이 없었다. 그리고 거대한 국가간 영토 침략 전쟁으로 무력에 의한 합병이 되고 조공을 바치는 속국이 되어 지난한 세월 굴욕적인 식민지배를 받기도 했다. 멀리 다른 나라를 예를 들 필요 없이 우리나라는 36년간 일제의 지배를 받는 수난을 겪기도 했다. 개인적인 삶도 똑똑하지 못하면 타인의 지배를 받는다. 나라도 국력이 약하고 국민 의식이 낮으면 강한 나라에게 주권을 빼앗기고 자유를 유린당한다. 우린 자주국방이란 말을 자주했다. 지나간 역사에 보았듯이 스스로 나라를 지키지 못하면 자유와 인권이 파괴되고 언어도 말살되는 뼈아픈 시련을 경험했다. 일제 치하에서 해방되고 정치적 이념 갈등으로 작은 나라마저 둘로 갈라지게 한 비극적인 시대적 상황을 만든 선조는 역사 앞에 죄인이다.

우리나라를 둘러싼 주변 열강들이 한반도를 놓고 누가 먼저 선점하느냐 하는 이해관계에서 결국 뎅겅 둘로 절단 나버렸다. 미국이 주축이 된 연합군과 공산주의 소련이 자기들 멋대로 38선을 긋고 휴전을 했다. 종료가 아니라 지금도 진행 중인 전쟁 상태에서 잠시 쉬는 중이라는 이상한 논리가 적용된 서글픈 역사를 잉태한 분단된 조국에서 살고 있다.

국제적으로 그 때엔 우리나라 지식인들이나 정치인들은 몰라도 너무 몰랐다. 들쥐처럼 국민성도 떨어지고 국제적으로 낙후된 아시아의 조그만 나라의 인권이나 정치적 역량은 사실 강대국 시각엔 보잘 것 없는 변방의 약소국으로 보였을 것이다.

그들 논리와 편리한 판단에 따라 정하면 그만이었을 것이다. 반역자를 단죄하는 친일 청산도 못했고 그들은 분단된 조국에서 오히려 주요직을 차지하고 득세를 하였다. 역사를 바로 세우려던 자들이 쫓기는 신세가 될 정도로 이상한 정치집단이 독버섯처럼 조직에서 뿌리내리고 결국 오늘날까지 역사 바로 세우기는 요원하기만 하다. 그뿐인가 친일 후손은 선조들이 일본 정부에 협조한 대가로 받은 토지 반환 소송을 내는 웃지 못할 일도 있었다.

불행한 시대적 상황이 기회주의자가 될 수밖에 없었다는 그들의 항변이 이해는 가지만 친일 사실이 정당화 될 수 없으며 바뀌는 것은 아니다. 좋은 세상 만났으니 땅 주인 행세 하겠다는 후손들의 이기적인 발상이 바람직한 생각은 아니다. 결국 국회 의결을 거쳐 친일 대가로 받은 토지는 국가에 환수한다는 법안이 마련되고 더는 친일 후손들의 토지 반환 소송은 불가능하게 되었다.

전쟁이 일어나면 극단적이든 정치적이든 또는 기업 스파이전이든 좋을 게 없다. 인간의 가장 기본적인 먹거리 즉 식량 수급에 문제가 생긴다면 심각해진다. 사흘을 굶으면 남의 집 담을 넘는다는 말처럼 인간이 가지고 있는 본능을 억제하고 통제하는 기능이 파괴되고 그야말로 살기 위해선 수단과 방법을 가리지 않는 오로지 한 곳을 향한 본능만이 폭발하고 분출한다. 생명에 위협을 받는 극단적인 상황에 돌입하면 이성을 상실하고 미쳐버리고 만다는 것이다.

가진 자와 못 가진 자의 괴리와 불평등이 생명의 위협을 받는다면 가진 자나 못 가진 자나 결코 안전하지 못하다는 것이다.
지금의 대북 핵 문제를 놓고 골치를 썩는 미국의 정치적 입장이 그러하다. 기아에 허덕이고 빈사 상태에 이르면 국제적으로 고립된 가난한 북한의 정치집단이 무슨 짓을 할지 모르기 때문에 살살 달래며 때론 으름장을 놓으며 밀고 당기기를 하고 있는 것이다. 우리나라도 북한과의 관계 개선에 노력을 기울이며 금강산 관광 또는 개성공단 기업 설립이 이런 취지에서 적극적 유화 정책을 펼치고 있다. 퍼주기만 한다는 대북 송금 문제가 정치적 이슈가 되고 양론이 팽팽하게 대립되기도 했다. 향후 통일 대비를 위한 현재 교육적 가치의 수업료라고 논리를 펼치는 사람도 있는 반면 우리도 살기 힘든데 남 돌볼 여유가 어딨냐는 사람도 있으며 이러한 이해관계는 정치를 하는 사람들과 생활고에 시달리는 소시민들의 생각과는 다를 수밖에 없다. 나라의 살림을 맡고 있는 정부의 돈은 모두 국민의 돈이다. 국민들이 일을 하고 세금을 내어 조성된 혈세라는 것이다. 국민은 세금에 유용이나 유출에 관하여 할 말이 많다. 함부로 쓰기를 원하는 사람은 한 사람도 없을 것이다. 정말 필요한 곳에 투명하게 쓰여지고 올바르게 지출되기를 원하는 것이다.

정치적인 이해 논리에 금쪽같은 혈세를 낭비하는 것이 싫은 것이다. 적어도 쓰여진 돈이 국민의 지지를 받으며 공감대를 형성하지 못하면 실패한 정부가 되고 국민의 언성을 피할 수 없는 것이다. 정치인 개인의 치적이나 명예를 위하여 나라의 돈을 쓴다면 국민을 속이고 역사를 속이는 결과가 될 것이다. 국민이 주인인 나라에서 대통령 또는 고위직에 종사하는 정치인이 자신을 위한 영달이나 공적에 혈세를 투입하고 낭비했다면 범죄자가 되는 것이다. 거짓은 언젠가는 탄로나고 역사의 단죄를 받는다.

인류에게 가장 필요한 것은 식량이다.
생명 연장의 수단이 되는 식량은 삶에 있어서 균형이 잡히지 않으면 소요와 분란이 일어나고 극단적인 약탈이 자행될 수도 있다. 이러한 상황이 오면 통제가 불가능해질 수도 있다. 식량은 인류의 절대적 필수로 그 어떤 문명보다 앞선다. 이를 해결하지 못하는 나라는 자연 도태되고 지구상에서 사라질 수도 있을 것이다. 많은 에너지를 소비하는 현대 사회는 대체 연료를 만들지 않으면 안 된다. 다만 무엇이 인류에게 먼저 해결해야 되는지 혹 역사를 거꾸로 돌리는 누를 범하고 있지나 않은지
선과 후를 잘 헤아려 알차고 복된 나라에서 풍요와 건강한 여생을 보내는 그런 행복한 삶이면 족하겠습니다.

2008년 2월 29일

잠실역에 가다

잠실역 하면 강 건너 롯데 월드 건물이 위용을 자랑하던 80년대를 떠올리게 한다. 그리고 작은 평수에 저층 아파트가 즐비하던 20여 년 전을 기억케 한다. 어제 잠실역 교통회관엘 갔었다. 차를 이용해 잠실역 사거리를 지나치긴 했어도 전철을 타고 잠실역 부근을 걸어보기는 몇 년 만인지 기억이 나질 않는다. 20여 년이 훌쩍 지난 듯싶다. 10년이면 강산도 변한다고 했으니 잠실벌은 그야말로 상전벽해처럼 달라도 너무 달라졌다. 20여 년 전엔 잠실역 부근에 있었던 교통회관이 벌판에 우뚝 솟아 있었고 누구든지 지하 잠실역에 내려서 밖으로 나오면 손쉽게 찾을 수 있고 눈에 확 띄었었다.

그런데 어제 해질 무렵 찾은 교통회관은 거대한 빌딩 숲에 가려져 전혀 찾을 수 없었다. 생활권이 아닌 잠실역은 내가 일상적으로 다니던 곳이 아니기에 그새 엄청난 변화를 거쳐 도로가 바뀌고 건물이 들어서 분간을 할 수 없었던 것이다. 결국 빌딩을 지키는 어느 경비원 아저씨에게 물어 빌딩 숲에 숨어버린 교통회관을 찾을 수 있었다.

역세권은 언제나 땅값 상승 부가가치가 높다. 잠실역 지하도에도 상가가 많지 않았었는데 상점이 빼곡히 들어차 있고 유동 인구도 많아 과거의 모습이 아니었다.

도심의 환경은 하루가 다르게 변모한다. 자본은 돈 되는 곳으로 쉴 새 없이 흘러들고 번화한 상권으로 탈바꿈한다. 건물이 들어서고 상점이 들어서 거대한 상권이 형성된다. 자본을 가진 사람이 다수의 사람들을 끌어들여 상권을 형성하고 이윤을 창출하고 극대화하여 자본주의의 원리를 철저히 구사한다.
그들의 생활비와 이윤을 건물에 세 들어 사는 상인들이 국민을 상대로 매출을 올려 상납하는 자본의 구조는 금전적인 계급과 권력이 자연스럽게 존재하고 받아들이며 그게 자본주의 조직 사회로 오늘날 성장하고 거듭되어 왔다.

나는 아직 자영업이나 사업을 하지 않고 있다. 어쩌면 말하기에 따라 못했다고도 할 수 있다. 능력이든 자본이 없든 어떤 이유에서든 아직 개인적으로 이윤을 창출하는 사업을 못하고 있다. 때론 나이에 걸맞은 생활이 아니라는 자괴감이 들기도 하지만 때론 세를 얻어서 가게를 하거나 사업을 한다는 게 개인적으로 싫다라고 생각한 적이 있었다.

내가 힘들게 벌어서 건물주 생활비와 건물에 대한 은행 이자를 대신 내주어야 한다는 사실이 억울하고 마음도 내키지 않았다. 그렇다고 건물을 지을 만큼 돈도 없으면서 그런 생각을 한다는 게 우스운 일이기도 하겠지만 적어도 내가 땀 흘려 벌어서 다른 사람의 이윤까지 챙겨줘야 하는 현실이 싫었을 것이다. 농사를 짓거나 근로를 하면 적어도 빼앗긴다는 느낌을 덜 든다는 것이다.

자본주의 사회에서 돈이 없다는 것은 매우 불행한 일이다. 돈 많은 사람들을 위하여 노동을 해야 하고 하수인 노릇을 한다는 사실이 정말 사람으로 태어나 불합리한 현실이라고 생각했다. 건물을 가지고 있어 폭리를 취하고 마음껏 집주인의 권력을 가진 그러한 현실이 정말 싫었다는 것이다. 결국 나는 사업이나 장사를 할 수 없는 태성적인 불만의 구조가 뿌리 깊게 박혀 있을지 모를 일이다.

건물을 가지고 있다고 해도 누군가 세를 들지 않으면 그들도 나와 똑같은 스스로 근로를 해서 먹고 살아야 할 것이다. 건물을 가지고 있다는 사실 하나만으로 놀면서 돈을 벌고 수익을 올리는 불합리한 자본의 구조에서 나는 정말 억울하고 싫었다.
억울하면 돈을 벌라고 충고한다. 자나 깨나 돈을 벌어야 한다는 생각은 늘 뇌리에서 떠나지 않지만 그게 쉬운 일은 아니다.

이젠 직장 생활을 해서 한푼 두푼 돈을 모아 벌수 없게끔 사회가 급성장하고 주택 토지 값이 오르고 급변했다. 가진 자는 더욱 가진 자의 위치에서 공고히 세상을 휘어잡고 가지지 못한 자들을 상대로 마음껏 이윤을 창출하고 또 그 이윤을 가지고 재투자를 해서 부의 축적을 할 수 있는 세상이 되었다. 돈이 없는 사람은 가난을 벗어나기 힘들어졌다. 돈을 벌 수 있는 틈새도 있고 돈을 버는 사람도 전혀 없는 것은 아니지만 수익을 창출하고 적절한 이윤을 보장받는 골고루 잘 사는 사람이 많지 않다는 것이다.

잠실벌에 거대한 빌딩숲을 보면서 자본의 힘이 얼마나 위력이 있는지를 여실히 보여주는 결과이기도 했다. 불이 꺼지지 않는 높은 빌딩 도시의 밤하늘을 밝히는 저 위용이 오늘날 새롭게 등장한 도시의 랜드마크가 되었다. 교통회관..과거엔 우뚝 솟은 모습이 이젠 빌딩 숲에 가려 초라하게 보이지만 그곳 12층 뷔페에서 지인 모친의 칠순잔치가 있어 찾아갔었다. 뷔페는 먹을 것이 지천이다. 음식 가지 수가 황제의 수라상 부럽지 않다. 먹기 싫어 못 먹을 정도로 맛있는 음식이 널렸다.

뷔페에서 식사를 하고 다음 날 배고플 때 푸짐했던 뷔페 음식을 떠올리면 아쉬운 생각이 든다. 남아돈 음식을 놔두고 어떤 날은 배고픔에 주린 배를 움켜줘야 하는 사람의 간사한 마음이 애잔해진다. 그리고 그 옛날 먹을 것이 부족했던 시절 어머니 아버지 세대의 먹는 것도 아껴서 먹고 굶주림에 떨어야 했던 지난날들이 숙연한 마음을 갖게 한다.

잔칫날은 배고픔을 해갈하고 포만에 젖게 한다. 과거에도 음식의 종류나 맛에 있어서 지금의 음식에 비교가 되지 않았지만 잔칫날은 즐겁게 음식을 나누어 먹고 마시고 축배를 나누는 기쁜 날이었다. 잔칫날은 흥겨웁고 축제의 분위기가 사람을 즐겁게 한다. 정신을 맑게 하고 사람 사는 맛을 느끼게 한다.

더욱이 잔칫날은 대부분 좋은 일이다. 환갑잔치 결혼잔치 칠순잔치 등등 좋은 일을 벌일 때 잔치라고 명명한다. 거기에 푸짐한 음식까지 마냥 즐겁게 하는 게 잔칫날이다. 빌어먹는 거렁뱅이도 잔칫날은 후한 대접을 받는다.
좋은 일이니 누구나 찾아와도 손님이 된다.

2008년 2월 17일

글쓰기

글쓰기 또는 언어의 전달 등등 말을 만들고 쓰고 기록하고 하는 행위를 게을리하지 않은 사람들이 많다. 과거 제한된 영역에서 환경이 요구하는 실용적인 글을 쓰는 사람이 대부분이었지만 지금은 글을 쓰고 전달해야 할 대상이 많아졌고 실제 글을 쓰는 사람이 많아졌다. 심지어 전문적으로 글을 쓰는 사람이 아니더라도 뜻을 전달하고 소통하는데 있어서 텍스트 조합은 이제 무관심하기에는 생활에 밀접한 관계가 있으며 충분한 의사 전달에 있어서 언어로 교감을 나누기엔 부족하고 불확실하다. 예전에도 소중하고 명확한 증명을 요구하는 일은 문서로 남기고 언어로 인한 이해 부족을 메워줬다. 문서는 상황에 대하여 후일 그 어떤 변명이나 발뺌을 해도 대단한 증거가 되고 실제 법정에서 판결에 중요한 단서가 된다. 우리는 살아가면서 각종 서식에 대하여 도장 또는 서명을 하여 종종 곤란을 겪는 일이 발생한다. 계약서 차용증 각서 채무보증...다양한 생활 서식에 책임을 진다는 날인을 한다.

집을 소유하거나 토지를 매입하는데 서명을 하는 것은 매우 바람직한 삶의 기쁨을 주지만 보증 채무변제 따위의 불편한 심기를 건드리는 인증은 가급적 하지 않는 게 좋지만 부득이 그런 일에 연루되거나 해야 한다면 조목조목 따져보고 독소 조항이 있는지 신중하게 살펴보고 서명을 해야 후일 큰 불행을 막을 수 있다. 우리는 바쁘다는 핑계로 또는 잘 알고 있다고 하는 인간관계 때문에 후일 낭패를 보는 경우를 종종 경험하게 된다. 특히 돈과 관계된 문서는 나중에 개인적으로 피해를 보게 될 가능성이 매우 크다. 순수한 글쓰기를 논하면서 논점이 생활양식 서명에 관한 이야기로 주객이 전도됐다.

글쓰기는 내가 좋아하는 방법 중에 하나이기도 하고 혼자만의 생각을 머리에 담아 두고만 있는 게 아니라 살아가면서 그때가 아니면 느낄 수 없는 일들을 글로 표현하고 남기는 작업이기도 하다. 글은 한 사람의 생각을 문서로 남기는 작업이기도 하지만 그 시대의 생활상이나 미쳐 자신이 보고 느끼지 못한 일들을 다른 사람을 통해서 충분히 시대적 상황을 가늠할 수 있는 훌륭한 지침서가 된다. 언어란 전체적인 맥락에서 국어이지만 세대별로 어휘 구사나 단어의 변형, 즉 속어 은어 따위가 존재한다.

지금은 인터넷이 보급되고 사용도가 급격히 팽창하면서 인터넷 용어가 새롭게 등장했다. 과거에 흔히 쓰는 말로 통용되다가 사라지던 때완 그 강도가 다르다. 같은 세대가 써놓은 글을 보면 쉽게 공감대를 형성하지만 아무리 글을 잘 써도 세대가 다르면 왠지 어색하고 느낌 전달이 쉽지 않다. 시대적인 정서가 따로 존재하고 언어 전달에 있어서 그 시대가 요구하는 인지의 방법이나 방향이 있었다는 것이다.

특히 옛사람들의 수필을 보면서 이해하기 힘든 단어나 어휘를 종종 직면한다. 고향에선 한 번도 들은 적이 없는 방언이 필자의 뜻에 따라 쓰여지고 독자에게 전달된다. 생각하기에 따라 다양한 사투리와 언어를 알게 하는 긍정적인 면도 부인할 수 없지만 필자의 간단한 표현에 독자들은 독해에 전전긍긍해야 한다. 따로 부연 설명을 하면 좋겠지만 아마도 그 시대엔 그렇게 말하고 쓰고 했었기에 아무런 문제가 없었을 것이다. 내가 지금 글을 쓰면서 내가 흔히 사용하고 하던 습관적인 언어의 조합처럼 말이다.

2008년 2월 6일

인간관계 2

스트레스를 가장 많이 받는 대상이 무얼까?
나는 단연 사람 때문이라고 단언한다. 생활환경 또는 가지지 못한 것에 대한 스트레스는 스트레스가 아니다.
단지 불편하거나 불만일 것이다. 하지만 인간관계에서 일어나는 트러블 시기심 왕따 같은 모욕적인 일들이 가장 심한 스트레스를 일으킨다. 미워하는 마음 시기하는 마음 모욕적인 언어에 죽이고 싶도록 배타적인 감정이 솟고 관계가 사라지지 않는한 어느 한순간 소멸되지 않으며 끝없이 지속된다는 것이다. 이는 정말 절망적이며 심신 여타 분야에 지치게 하고 병들게 하는 것이다.

인간관계에서 발생하는 감정의 대립 의견 충돌 신뢰를 잃은 관계는 시간이 지난다고 해서 절대 좋아지지 않는다는 것이다.
이미 도저히 좁힐 수 없는 철저한 상황만 지속되며 사사건건 미움과 반목 갈등이 고조된다는 것이다. 답도 없고 개선의 여지도 불가능하다. 노력은 가상하지만 헛수고다. 이미 그런 상황이 주어졌다면 과감히 자리를 박차고 떠나야 한다. 그래야만 더는 마음도 안 다치고 마음의 상처도 치유되고 상대적인 대립도 종료되는 것이다.

사람은 한 번 정형화된 선입관 내지는 고정적 패턴이 주어지면 뇌에 회로화(回路化)되어 그 어떤 것 가능성도 배제되는 속성을 가지고 있다. 다양성의 결여 사회적 판단 기준 결핍 그런 이유든 사람의 생각은 이미 믿고 싶은 것에 대한 믿음을 좀처럼 수정하지 않는다는 것이다. 그리고 짧은 순간 인간에 대한 평가 평점이 후일 전반을 지배하고 그런 이유에 상당한 맞춤화 되어 있고 정교하게 토착된다는 것이다.
이런 과정을 통해서 멸시하고 왕따가 일어나고 투명인간처럼 대하는 치욕적인 상황이 나를 비롯 누군가에게 엄청난 스트레스로 작용하고 심신을 힘들 게 하는 것이다.

서열화(序列化되)고 의식화된 사람에 대한 평가가 머릿속에 속성화(俗性化) 되고 각인되면 대단한 변수가 작용하지 않는 한 거의 변하지 않는다. 이를테면 형 과 아우의 고정된 서열은 세상이 변한다고 해서 변하지 않듯이 인간관계에도 일정한 패턴의 서열은 한 인간의 대인 관계에 지대한 영향을 미치며 대화 행동 행위에 대응적 역할의 기준이 된다는 것이다.

2012년 7월 5일

오월 2

푸르름이 짙어가는 오월입니다.
"오월은 푸르구나 우리들은 자란다" 라는 어린이날 기념하는 노래가 생각나는군요.

산에도 들에도 온통 녹색으로 물들었습니다. 베란다 창밖에 보이는 수락산이 하루가 다르게 옷을 갈아입고 있네요.
주말엔 등산객 상춘객이 줄지어 산으로 올라갑니다. 계곡엔 벌써 텐트를 치고 아이들 손잡고 물놀이에 정신을 팔고 있네요.
주말엔 습관처럼 산을 오르는 게 일상이 되었습니다. 산에 다녀오지 않으면 마치 할 일을 하지 않은 것처럼 마음 한켠 거북스럽습니다. 습관이 무서운 것이지요. 꼭 건강을 위하여 산을 찾는 것은 아닐 겁니다. 반복되는 지루한 일상을 탈출할 수 있는 구실이자 스트레스를 풀어줄 방편이기도 합니다.

나무 그늘에 앉아 있으니 온갖 시름이 사그러듭니다.
잠시나마 잊는 것이지요. 그리고 평온해집니다. 근심 걱정
불안 뭐 그런 번민의 것들이 저만치 물러나 있게 됩니다.
주말이 끝나고 주중 생활이 시작되면 다시금 정신과 몸을 고달프게 하지만 쉬어가는 주말이 있어 한결 숨쉬기가 편하다는 말입니다. 이틀이나 하루 주말을 쉬게 한 것은 참으로 지혜로운 생각입니다. 사람이 어찌 일만 하고 삽니까? 만날 노는 사람은 모르지만 주 5일이든 6일이든 일하고 꿀맛 같은 주말을 맞이하는 기분은 샐러리맨이 느낄 수 있는 최고의 기쁨입니다. 금요일만 되면 내일은 무얼 하며 놀까 기대가 되고 마음이 너그러워집니다. 잠을 자든 또 다른 노동을 하든 자기만의 시간을 가진다는 자유가 사람을 기분 좋게 합니다.

사실 주말은 오히려 몸이 고달픕니다.
그런데 왜 기분이 좋은 걸까요? 바로 자기 마음가는대로 자유롭게 떠날 수 있고 무언가 자신의 의도에 따라 하루나 이틀 보낼 수 있다는 자유가 보장되기 때문입니다. 여행을 떠나면 새로운 환경에 적응하느라 뜻하지 않은 과중한 에너지를 소비하게 됩니다. 체력이 바닥이 나고 잠자리도 불편해 잠을 설치기도 합니다. 여행을 가지 않더라도 주중에 할 수 없는 일들이 전개됩니다. 스포츠를 좋아하면 축구를 한다 공놀이를 한다 격한 운동으로 곱절 노동 에너지를 쏟게 됩니다. 나이에 걸맞게 놀이를 선택합니다. 당구를 친다. 스크린 골프를 친다.

물론 지출을 하고 대가를 지불해야만 가능한 운동입니다.
술도 마십니다. 몸이 쾌적한 날은 정말 주중 나날입니다. 주말은 몸은 고달프고 정신은 하늘을 날아갑니다. 상반된 일이 전개됩니다. 행위의 옳고 그름은 본인 의도에 따라 평가됩니다. 해서는 안 될 일 해도 되는 일 그런 판단은 본인의 몫이며 선택의 여지에 따라 다르게 가치가 형성됩니다.

한 가지에 빠지는 것은 좋은 방법이 아닌 듯합니다.
일이든 놀이든 말이죠, 다양하게 삶을 조절해가는 지혜가 필요하겠습니다. 적당히 적절히 대내외적으로 관계를 유지하며 삶을 매끄럽게 유지해가는 현명함이 요구됩니다. 소원해져서도 안 되며 집착을 가져서도 안 되는 일입니다. 삼수갑산 가듯 끝장을 보는 터프한 행위는 사실 너도 망치고 나도 망치는 일입니다. 과유불급이라 했듯이 적당한 것이 최적의 방법이자 실천입니다. 세상은 기분 내키는 대로 살 수는 없습니다. 때론 절제도 해야 하고 정도를 넘지 않는 갖춤도 필요하고 자신의 엄격함도 요구됩니다. 자유와 방종은 다른 것이지요, 자유를 얻으려면 책임이 분명 따릅니다. 규율과 규칙을 지켜야 하고 기존 질서를 훼손하지 않는 정신이 요구됩니다. 이를 무시하고 제멋대로 행동한다면 자유가 아니라 규칙을 깬 방종입니다.

2012년 5월 7일

신묘년 새해

신묘년(辛卯年) 새해가 밝았습니다.
고층 아파트에서 수락산 위로 떠오르는 새해 일출을 보고 있습니다. 거창한 의식이 아닌 나만의 소박한 방법의 시간을 통해 가장 효율적인 신년 해맞이를 하고 있습니다. 떡국도 끓여 먹을 예정입니다. 어제 아내가 마트에서 사온 썰은 떡과 만두를 이용하여 손쉽게 간단명료한 신년 의식을 치를 예정입니다.

하나에서 열까지 손수 준비하고 만들고 하던 예전 설맞이와는 사뭇 다른 편리하고 손쉬운 일입니다. 번거로운 일들을 누군가 대신 해주고 돈만 지불하면 되는 오늘의 유통 시스템에서 편리한 의식을 갖게 되었습니다. 세분화되고 전문화된 현대의 일상의 시스템이 선택의 여지에 따라 얼마든지 짧은 시간 내에 다양함을 추구할 수 있는 편리한 시대에 살고 있다고 생각합니다.

슬로푸드를 실천하고 강조하는 사람들도 있지만 에너지를 가장 효과적인 일에 투자하고 획득을 극대화하기 위한 현대의 삶의 전략적인 방향이라고 생각하면 긍정적인 일입니다. 주어진 시간은 어떻게 배분하고 적절한 쓰임새에 투자하느냐에 따라 극적인 효과를 거둘 수 있다는 의미입니다.

밀레니엄 도래 후 벌써 만10 년이 지났습니다.
인생을 십년 주기로 계산하는 사람이라면 새로운 10년 계획을 세우는 첫해가 되겠습니다. 밀레니엄 십 년 동안 어떻게 살아왔고 어떻게 변했는지 스스로 자문하고 답안지를 작성해보는 시간이기도 합니다. 아직도 우물 안을 떠돌며 한 치도 벗어나지 못한 자신을 발견하고 착잡한 심정으로 새날을 맞이하게 됩니다.

앞으로 어떠한 방향이나 전망 구체적인 계획이 없지만 뭔가 해야 한다는 막연한 심정으로 신년을 점치게 됩니다. 어떤 일이든 단번에 결과물이 주어지는 것은 없으며 오랫동안 반복과 숙달을 통해 전문성이 확보되고 입신에 이른다는 깨달음이 첫 번째 마음 자세이지 않나 싶습니다. 몸에 배인 습관이란 말을 자주 합니다.

익숙한 습관은 그 대상이 무엇이 되었든 자신을 전문가 반열에 올려놓는 가장 강력한 수단입니다. 10년 목표를 정하고 매진한다면 대부분 경지에 도달할 수 있다고 정의합니다. 10년이면 강산도 변한다고 했으니 인생 또한 어떻게 변할지 아무도 장담 못 합니다. 대단한 성공을 거둘 수도 있으며 불행한 사태에 직면할 수도 있습니다.

결코 짧지 않은 시간이지요, 10 년.....누군가에겐 운명의 끝자락인 삶의 시효가 될 수도 있겠고 누군가에겐 자신을 성공 반열에 올려놓을 수 있는 대단한 기회의 시간이기도 합니다.
각자의 터닝 포인트가 되기에 충분한 십년 주기를 계획하고 실천한다면 이미 반은 성공입니다.

되돌아보면 자신 앞에 주어진 삶은 누구에게나 아주 쾌적하고 문제없이 평화로웠던 적이 있을까? 생각해 보게 됩니다. 늘 불만이 있었고 문제가 생기고 해결하느라 전전긍긍 하고 전력투구하다보면 좀처럼 해결 기미가 보이지 않던 암울한 사건도 언제 그랬냐는 듯이 물 흐르듯 곁을 스쳐가던 것이 삶의 일상이었습니다. 그래서 시간이 약이라고 했고 시간이 흐르면 어떤 이유에서든 결말이 나고 또 다른 문제에 봉착하고 죽는 날까지 딛고 넘어가고 하는 일상의 과정입니다. 2011년 1월 1일

흐르는 시간

나이를 먹는다는 것은 두려운 일이다.
어느 날 갑자기 세상을 등지는 시간이 가까워지고 있다는 증거이기도 하며 신체적으로 지난 일상보다 더 힘들고 어려움에 처할 가능성이 높다는 것이다. 이러한 과정이 어느 특정한 사람에게 다가오는 불행이 아니라 생명을 가진 모든 동물에게 적용되는 필연적인 대사과정이다. 그래서 담담하게 받아들이는 사람도 있겠지만 애써 외면하며 늙고 병들지 않으려고 필사적인 노력을 기울이는 사람도 있게 마련이다.

좋지 않은 일은 피해가고 싶고 좋은 일만 받아들이고 싶은 게 인지상정이다. 굳이 해도 되지 않은 굳은 일을 몸소 실천할 필요는 없을 것이다. 이를 두고 질타를 하거나 손가락질할 이유도 더더욱 없을 것이다. 삶이란? 그런 것이다. 적절한 대처와 올바른 처신이 필요하다. 한쪽으로 치우치지 않으며 중용의 덕을 살려 눈 밖에 또는 눈 안에 너무 가깝게 서 있지 않으며 데이거나 깊은 상처를 입지 않는 지혜로운 삶이어야 한다는 의미일 것이다.

나이와 필연적으로 다가오는 인생 말년, 생로병사에 준비되지 않은 삶은 비참한 노후를 맞이할 수 있음을 상기해야 한다.
젊어서 하고 싶은 것에 몽땅 정신과 물질을 낭비하면 남는 것이 없다는 것이다. 그 대가는 반드시 노후에 필연적으로 몸소 치러야할 누구도 대신할 수 없는 자신의 몫이라는 것은 두말할 나위가 없다. 사실 삶이란? 준비된 마감이란 없다. 단지 미래에 다가올 최악의 상황을 최소화 하는 대처 방법이 있을 뿐이다. 그리고 남은 삶의 과정이 어떤 변화를 겪게 될지 아무도 예측하지 못한다. 하루아침에 뜻하지 않은 변고가 생길 수 있으며 또는 원치 않은 변화에 당혹스러움은 물론 더는 한 발자국도 나아갈 수 없는 고립무원이 되지 않는다고 장담할 수 없다는 것이다. 불미스런 일이란 자신이 될 수도 있고 가까운 피붙이이거나 가족 중에 일어날 수 있으며 자신이 원치 않아도 책임과 부담을 지어야 하는 경우도 발생할 수 있다.

인생이란 그런 것이다. 계획대로 흘러갈 수도 있고 전혀 다른 방향으로 진행될 수도 있다. 의지에 따라 의도하는 대로 대부분 진행되겠지만 그만큼 변화무쌍한 게 인생이다. 명확한 것도 없고 안 되는 일도 있고 되는 일도 있고 절망도 하고 희열도 느끼고 오늘 같은 상황이 만날 이어지는 것은 아니라는 것이다. 좋은 의미의 변화는 매우 바람직한 일이며 긍정적이다.
그러나 분명한 것은 변화는 외부로부터 다가오기도 하지만 스스로 변화를 가져야 하고 의도적으로 실천을 해야 가능하다는 것을 명심할 일이다. 긍정의 변화는 스스로 실천에 옮길 때 주어지는 대부분에 해당하는 일이 아닐까 싶다. 삶이 영원하지 않기 때문에 부단히 노력하고 살아있는 동안 열심히 움직이고 최고의 가치를 올리는 데 주력해야 한다는 것이다.

어떠한 삶의 환경이 주어지든 자신 앞에 놓인 문제는 늘 발생하고 넉넉함이란 없다. 그저 일생동안 치열한 생에 대한 과정이 있을 뿐이다. 그러므로 만족이란 단어는 존재하지 않는다.
아니 존재할 수가 없다. 그러한 불만족의 태동이 개인과 사회 경제 발전을 가져왔다는 논리가 설득력 있게 들리는 이유다.
사업가는 물론 개인도 늘 배고프다는 것이다. 채워도 채워도 채울 수 없는 인간의 심연이자 마음 그릇이다.

2010년 8월 26일

복지 사회를 향한 바램

인생은 중장기적인 흐름과 역점을 두고
계획하고 실천해야 하는 지난한 과정이다.

단기적인 과정에 그치는 것이 아니라 아마도 지금 세대는 평균 수명이 더 늘어나고 100세까지 사는 사람이 그저 평범한 삶의 기준이 될지도 모른다는 것이다. 문제는 긴 수명이 행복한 삶이 될 수도 있겠지만 그에 따른 경제적 비용이 만만찮고 복지에 광범위하게 소요되는 재정 부담이 늘어나는 것은 불을 보듯 뻔한 사실이다.

이를 어떻게 충당하고 슬기롭게 대처해 나가야 할지는 미래 세대가 적잖은 부담으로 작용하고 어쩌면 자신의 입지조차 해결하지 못하고 공공복지에 들어가는 직간접세에 허덕거리며 억울한 심정을 갖게 될지도 모른다는 것이다. 늘어만 가는 사회적 비용에 바닥난 국민연금을 메꿔 주며 상당한 의료비용을 지불하며 수입대비 공공 지출이 갈등을 조장하게 될지도 모른다는 것이다.

수명이 늘어난 만큼 지금 세대의 사회적 역할도 매우 중요할 것이다. 단순 나이가 들었다고 해서 경제 활동을 접거나 포기하는 것은 국가적으로도 낭비며 경험 많고 아직은 쓸만한 도구를 녹슬게 방치하는 것과 같은 이치다. 그래서 연령에 관계없이 나이에 걸맞은 일을 찾아 오랫동안 쌓아온 기능과 기술을 사회에 공헌하는 마음 자세가 꼭 필요하다는 것이다. 이제는 나이가 들었다는 게 자랑이 아니다. 활동할 수만 있다면 언제든지 건강한 육체를 사회를 위해서 쓰는 곧은 마음가짐이 필요하다는 것이다.

개인은 물론 가족 또는 이웃들에게 경제적 활동을 꾸준히 함으로써 건전한 인간관계가 형성되고 건강한 사회가 된다는 것이다. 문제는 이러한 세대별 인력을 어떻게 적절히 배분하고 수용하고 일자리가 골고루 있느냐가 관건이다. 그저 생계를 이어주기 위한 소모적인 공공근로는 바람직한 방법은 아닐 것이다.

정말 꼭 필요한 곳에서 적성에 맞는 일을 하면서 최대 능률을 올리며 부가가치를 높일 수 있는 효과적인 인력 배분이 곧 국가 경쟁력이자 개인의 경쟁력이 될 것이다.

2010년 6월 29일

인식의 전환

어쩌다 누구나 꼭 필요한 것을 잃을 수 있다.
돈이 됐든 또 다른 무엇이든……
돈을 잃어버렸다는 상실감보단 누군가에게 배려하였다는 인식의 전환이 훨씬 긍정의 효과라는 것이다. 엎어진 김에 쉬어가고 떡 본김에 제사 지내고 물에 빠진 김에 목욕한다고 언제나 긍정적인 사고 의식이 자신을 병들게 하지 않는 좋은 방법이라는 것이다.

물론 긍정의 효과를 범용하여 개선의 여지까지 포기하라는 뜻은 아니다. 이를테면 이미 일어난 결과에 연연하며 더는 결과 이전으로 돌아갈 수 없거나 진행이 불가능한 일에 매달려 고민하고 고통스러워하는 부질없는 생각을 버리라는 것이다.

살아가면서 많은 시험에 들게 하고 당혹감을 감출 수 없는 일에 전전긍긍하게 된다. 뜻하지 않은 일이 발생하고 치욕, 비참함, 비굴함, 때론 죄를 뒤집어쓰는 최악의 억울한 경우도 발생할 수 있다.

하필 내가 지나갈 때 다리가 무너진다거나 건물이 붕괴되고 도시의 간판이 떨어지고 파놓은 웅덩이에 빠지고....우연한 사고가 당사자의 사건이 될 수 있다. 참으로 운명적인 불행이며 원치 않은 불편한 만남이다. 결국 이 모든 사건은 내가 될 수 있고 누군가가 될 수 있다.

아주 좋은 일을 두고 필연적이라고 애써 표현하기도 한다. 과연 운명일까? 아니면 병가지상사처럼 일어나는 그럴 수 있는 사건 중에 사건일까? 나는 운명을 점치지 않는다.
다만 일어날 가능성에 대한 확률을 계산한다.
아마도 눈에 보이는 것만 익숙하게 받아들이고 사실적인 것에 너무 연연한 탓인지도 모르겠다. 내게 일어난 사건에 대하여 운명이라고 곧잘 말을 하지만 실은 허탈한 심정을 반어법으로 표현하는 방법에 지나지 않을 것이다.

사건이 일어날 일들은 일어날 것이고 그게 어떤 운명적인 만남이 아니라 다만 사고가 일어날 개연성 내지는 확률에 의한 일어날 수밖에 없는 과정이라는 데 동의한다. 충분하진 않지만 적어도 미연에 방지할 수도 있으며 위험을 감지할 수도 있다는 것이다.

그렇기 때문에 사고가 일어나고 사건이 전개 되었을 때 책임을 묻고 시시비비를 가리는 단초를 발견할 수 있을 것이다. 체념, 포기, 그런 비굴한 뉘앙스의 언어를 떠올리기보단 소중했지만 나의 곁을 떠난 것은 이제 내 것 아닌 누군가 소중하게 쓰일 또 다른 소중함으로 전환되고 따스한 사회적 배려가 되기를 소망한다면 훨씬 마음 편안하고 정신 건강에 도움이 되지 않을까 싶다.
쉽지 않지만 그렇게 인식의 전환 내지는 발상의 전환이 개인의 삶에도 매우 좋은 결과를 가져오지 않을까 생각한다.

세상사 모든 일은 생각하기 나름이라고 하지 않던가?
생각을 바꾸면 세상이 달라진다고 하지 않던가 말이다.

2010년 4월 18일

사람으로 태어나

무식하면 용감하다는 오랜 속설이 있다.
용감하다는 것은 긍정의 효과도 있지만 천방지축 앞뒤 생각없이 불나방처럼 뛰어들어 일을 그르치는 경우도 있다. 코뿔소처럼 앞만 보고 질주하는 무식한 용감이 꼭 좋은 것만은 아니라는 것이다. 사람은 동물이지만 분명 단순 동물과 비교되는 유전자 구조를 가지고 있다는 것이다. 인성, 품성, 도리를 아는 지혜가 있으며 자존심 부끄럼 사물에 대한 이해를 하는 생각하는 고등동물이다.

악행을 일삼거나 포악한 행동을 하는 사람을 악인이라고 말한다. 연쇄 살인을 저지르는 극악무도한 사람을 살인마라고 부른다 사람으로 보지 않는다는 것이다. 윤리를 파괴하며 패륜을 일삼는 온갖 악행을 저지르는 자를 금수만도 못하다고 지칭한다. 그래서 사람은 사람다워야 사람으로 비로소 인정받는다. 생물학적인 구분만으로 사람으로 보지 않는다는 것이다.

부끄럼을 모르며 제멋대로 행동하고 타인에게 피해를 주는 사악한 사람은 나쁜 사람이다. 부끄럼을 알고 행동을 조심하며 당당함보다는 이해력이 많은 사람이 좋은 사람이다. 적어도 부끄럼을 알고 있는 사람은 자신의 어떤 행위에 대하여 잘잘못을 알고 있다. 자신의 행동에 대한 옳고 그른 판단을 할 수 있기 때문에 스스로 창피함과 부끄럼이 얼굴에 나타는 것이다. 부끄럼을 모르는 사람은 자신의 행동이 사회나 주변 사람들에게 어떤 영향을 끼치는지 깨닫지 못하기 때문에 아무 생각 없이 말이나 행동을 함부로 하고 다른 사람에게 상처를 준다는 것이다. 착한 사람은 부끄럼을 알기 때문에 함부로 말을 하거나 행동하지 않는다. 항상 깊이 생각하고 자신이 내뱉은 말 때문에 타인이 상처를 받지 않을까 노심초사 조심스럽게 말을 하고 매우 명료하게 대화를 주고받는다.

오늘의 사회는 과거의 어둔 역사의 상징적인 강한 이미지의 맹수와 같은 전투적인 삶이 아니다. 가부장제도와 남성 위주의 수렵 문화의 어둔 과거를 지나 이제는 온화하면서 인간적인 삶을 모토로 삼는 시대에 살고 있다. 강력한 체력의 힘이 아니라 부드러운 말과 소프트한 이해심이 많은 지적인 사람의 삶이 사람다운 삶으로 평가되고 있다.

착하고 선한 사람이 대우받을 만한 인간적인 사람이다. 국가 사회 조직의 부패가 깊어도 5퍼센트의 선한 사람이 살고 있다면 사회 조직은 유지될 수 있다고 한다. 배우자를 선택할 때도 신원이 확실한 사람을 고르는 이유가 여기에 있다. 범죄를 저지르고 교도소를 갔다 온 사람은 대단한 결격 사유가 된다. 가난은 불편한 문제이지 잘못은 아니다. 하지만 범죄는 어떤 이유에서든 자신의 의도에 따라 저지른 과오다. 그래서 가장 나쁜 사람의 행위로 간주되고 지탄을 받게 되는 것이다.

부끄럼을 모르는 당당함은 거만이며 오만한 독선이다.
뻔뻔함이 익숙해지면 온갖 그릇된 사고로 귀결되고 추잡한 타협에 길들어지게 된다. 익숙한 것으로부터 벗어나기 힘든 게 사람 삶이다. 여러 번 행위가 반복되면 옳든 그르든 행위 자체에 대한 깊이를 잃고 죄책감이 사라지 게 되고 부패의 늪에 빠져버리고 만다. 적절한 타협이 불가피한 사회 조직은 끊임없이 밀고 당기는 거래가 횡행하고 늘 감시의 대상에서 그물을 빠져나가는 요행의 물고기와 그물망에 걸려드는 비참한 고기처럼 세상을 산다는 것은 순탄한 길만 있지 않다. 온갖 유혹으로부터 자유로울 수 있는 정신 자세가 체질화 되어 있지 않으면 언제든지 쉽게 무너지고 휘둘리게 된다. 옳지 않은 유혹의 정체는 참으로 달콤하고 고소하고 즉흥적이다. 달콤함 뒤에 숨긴 가시는 한 방에 쓰러뜨리는 강력한 스텔스 무기다. 삶은 판단력이 흐려져 까딱 잘못 발을 들여놓으면 처음엔 장난처럼 시작되지만 종내엔 엄청난 고초를 겪게 된다는 것이다. 스스로 주변 유혹으로부터 자신을 지키지 못하면 너덜너덜한 누더기 삶이 되기 십상이다. 언제나 좋은 일에 좋은 생각 좋은 방향으로 일처리 하는 체질적 습관화가 자신을 변화 시키고 올바른 삶으로 유도한다는 것이다.

중용의 덕을 내 안에서 잘 다스리고 조심스런 행동과 때와 장소에 따라 격에 맞는 적절한 절제된 언어를 구사하는 지혜가 필요하다. 외부로부터 나의 존재를 찾는 광대놀음은 익숙해져선 올바른 삶에 그다지 도움이 안 된다. 자신의 삶의 주인이 되는 것은 당연한 논리이며 가장 소중한 삶의 의식이다. 내면을 항상 꽉 채우고 단단한 무장을 하면 외풍에 절대 흔들리지 않으며 어느 곳 어느 상황이 됐든 두려울 게 없으며 외롭지 않다. 보이지 않는 강력한 힘은 내면에서 나온다는 것은 살면서 깨닫게 된다. 알아주기를 고집할 필요도 없으며 내보이며 자랑한 필요도 더더욱 없다. 자신의 존재를 밖으로부터 찾고 인정받으려고 하면 할 수록 비참한 몰골의 골이 깊어진다는 것이다. 누구도 책임을 질 수 없는 개인의 삶, 누가 살아줄 수도 더더욱 없는 고립된 존재에 대하여 오직 자신만이 컨트롤하고 운명을 책임질 수 있다는 엄연한 사실을 깨닫고 냉수 먹고 속차리기를 포기하지 말 일이다.

경쟁과 성장

치열한 경쟁이 없는 기업은 절대 일류 기업이 될 수 없다.
경쟁이 없는 사회나 조직 또는 기업이 성장할 수 없다는 것은 아마도 진리에 가깝다. 더욱이 요즘 우리나라 경제 상황을 돌이켜 볼 때 경쟁은 절대적 조건으로 등장했다.

단적인 예로 고독한 질주는 속도 조절에 둔감할 수밖에 없다. 반드시 런닝메이트가 있어야 앞으로 가고 또는 뒤로 가고 잘 뛰어야 한다는 계산을 할 수 있는 능력이 생긴다는 것이다.
오늘의 조직 사회가 생존경쟁이란 언어에 잘 압축되어 있다.
개인 간 경쟁, 기업 간 경쟁, 국가 간 경쟁, 세계와의 경쟁....발전과 성장은 경쟁 없이는 불가능하다는 것은 우리는 근대 산업사회에 들어서면서 뼈저리게 경험했고 지금도 그 논리는 변함이 없다. 아무리 잘사는 나라도 또는 못사는 나라도 경쟁 없이는 성장도 발전도 없다는 것을 보통 사람도 다 아는 사실이다.

그래도 자본주의 사회는 경쟁 논리가 어느 정도 부합되고 정착되어 내가 원하든 원하지 않든 대단한 힘의 논리로 작용하고 있다. 그렇지만 사회주의 보라, 그들이 성장하지 못했던 부분이 바로 경쟁이 도입되지 않은 모두가 함께라는 구호에 발맞춰 일렬종대와 횡대에 서서 앞사람 따라가며 주어진 일(그것도 강제적이거나 피동적인 입장의 컨베어 노동에 지나지 않는 시스템 구조였다)을 하면 그만이었다. 경쟁이 없는 시스템은 뒤처지거나 성장이 매우 느리게 진보한다.

그러한 공동체 생활을 주장하며 따랐던 획일적인 분배 위주로 정책을 펼쳤던 나라는 몰락의 길을 가거나 후진국으로 전락했다.

오늘날 사회주의 몰락을 보면 쉽게 이해될 것이다. 특히 동족이면서 같은 유전자를 가진 북한의 실상을 가늠해 보면 우울하다. 우리는 한때 모두가 함께라는 구호를 외치며 잘살아보자며 독려하고 조금 부족해도 끌어주고 밀어주고 동료애를 발휘하며 우리가 남이 아니라 가족처럼 오순도순 일하는 조직이 최고라고 애써 합리화시키며 맡은바 일에 열중했다. 나 하나쯤 조금 소홀히 해도 조직을 운영하는데 큰 지장이 없어 그런 좋은 게 좋은 식의 서로 얼굴 붉히지 않으며 문제를 삼지 않는 게 미덕이었다.

사람 사는 정이라고 동조하는 분위기를 가급적 깨뜨리지 않으려고 기업을 운영하는 경영주도 양보의 미덕을 보였다. 마음씨 좋은 이웃 아저씨처럼 기업의 수장이 직원이 함께 조찬을 하고 반주도 곁들이며 어깨를 나란히 하며 함께 가자며 감동의 말들 쏟아내곤 했다.

까짓거 사람 하나 일을 덜 한다고 해서 당장에 기업이 망하는 것도 아니고 하루아침에 거덜나는 게 아니니 적선한 셈치고 능력이 부족해도 어차피 동승했으니 함께 가는 게 당연시하며 이상할 게 없었다. 그런데 그런 후한 인심은 기업이 잘 돌아갈 때 이야기다.

경기가 불안하고 소득이 줄고 지출은 늘어만 가는 기업의 실정을 잘 아는 오너는 이쯤 되면 생각이 달라질 수밖에 없다. 자산은 늘지 않고 줄어만 가는데 두 손 놓고 뒷짐지며 잘 되겠지 관망만하고 있다면 그 기업의 생명은 그리 오래가지 못한다. 종내에는 미래 비전이 없다는 판단이 내려지고 성실했던 직원들마저 위기의식을 느끼며 하나 둘 기업을 떠나게 된다는 것이다. 기업의 생명은 적절한 긴장과 완급 조절을 해가며 팽팽한 시위 줄이 늘어지지 않도록 경영주가 각별히 다뤄야 한다. 책임 의식이 부족할 수밖에 없는 직원(설사 자신의 가족이라고 해도....)에게 맡겨서는 안 된다는 것이다.

우리는 농경사회에서 급선회한 산업화와 더불어 급성장을 했지만 수많은 기업이 명멸하는 상황을 목도했다. 그렇지만 일백 년 가까이 건실하게 이끌어온 대기업 내지는 중소기업의 면면을 유심히 관찰할 필요가 있다.

그들이 수많은 난관을 극복하고 살아남기까지 그야말로 운이 따랐기 때문이라고 말할 수 없을 것이다. 기업이 오랫동안 건재할 수 있는 비결은 오너의 철두철미한 경영 마인드와 남들 따라하기가 아니라 항상 변혁을 꾀하고 시도하며 순리와 원칙을 지켜왔기 때문이다. 자기 자본이 현저하게 부족한데 무리하게 돈을 끌어다 기업을 확장하고 인원을 늘리고 대책 없이 손 큰 행위를 일삼았던 기업은 오래가지 못한다. 악순환의 고리를 끊지 못한 기업이 채무에 시달리고 부도 위기에 몰려 결국 파산에 이른 여러 기업을 보았다. IMF 구제 금융이 초래하였을 때도 탄탄한 자기 자본을 가지고 기업을 하던 기업은 오히려 흑자를 냈다.

기업을 하려면 내부의 적도 주의 깊게 살펴야 한다.
내부의 적은 아주 치명적인 문제의 주된 원인이다. 가령 사업장 내에 물건을 함부로 다룬다거나 계획되지 않은 지출을 일삼는다거나 조직의 체계적인 방법을 따르지 않으며 명확한 입고와 출고를 하지 않으면 야금야금 손실이 커지면서 기업은 서서히 병들어 간다.
실질적인 수입의 주요 원인이 되는 물품을 허투루 다뤄 손해를 끼치면 반드시 배상을 책임지는 엄격한 책임 관리가 꼭 필요하다. 냉혹하고 인정머리 없는 것 같지만 처음엔 익숙하지 않고 다소 감정이 상하긴 하겠지만 결국 이러한 철저한 관리는 기업은 물론 조직에 몸 담고 있는 직원들의 미래에도 올바른 원칙을 중시하고 경제 활동에 좋은 습관을 가지는 경험이자 자산이 될 것이다.

조직 내에 부정적인 사람이 늘 불평만 늘어놓으며 할 일을 제대로 하지 않고 조직 성장에 보탬이 되지 않는 한낮 가십거리나 신변잡기의 말만 늘어놓는 사람이 있다면 하루빨리 제거하거나 그것이 여의치 않다면 중요하지 않은 부서로 발령을 내거나 가능한 핵심 부서에서 분리해야 한다. 조직은 작은 부분부터 서서히 썩어가며 종내엔 한순간에 와르르 와해 되는 대들보를 받치고 있는 기둥과 같은 존재다.

썩은 부분을 과감히 도려내지 않으면 조직이 망하는 것은 시간문제다. 부정적인 사람이 조직 내에서 늘 불평을 늘어놓으면 바이러스처럼 감염되고 전염된다. 작은 일조차 처리하지 못하면서 무슨 일이든 부정적인 논리만 들이대며 발전과 성장을 방해하는 요인이 되는 직원은 반드시 조직을 떠나게 해야 한다. 인재 등용도 좋지만 무엇보다 다수 잘 하려는 사람의 의지를 꺾는 온통 물을 혼탁하게 휘저어 놓는 미꾸라지를 제거해야 한다는 것이다.

한쪽 면만 바라보는 해바라기도 좋은 현상은 아니지만 그래도 부정적인 이유를 들이대는 사람보다는 낫다. 반드시 하면 된다는 긍정적인 마인드를 가진 직원이 필요하다는 것이다. 설사 구상한 계획이 실패를 하더라도 하고자 하는 의지와 실천해 보고 실패의 원인을 찾는 방법이 성장에 보탬이 된다. 아무리 좋은 계획이 있어도 실행하지 않으면 아무것도 없는 거나 마찬가지다. 조직의 성장은 무얼 하든 해보고 잘잘못을 가리고 다시금 재도전하는 정신이 꼭 필요한 조건이다. 성과급 제도 또한 꼭 필요하다.

의욕적인 힘의 원천이 되는 대가를 지불하는 인센티브제 도입이 꼭 필요하다는 것이다. 그리고 규칙을 준수하며 신상필벌이 엄격해야 하고 반드시 책임을 지는 원칙이 있어야 한다. 기업은 그냥 그야말로 모여서 놀이를 하는 장소가 아니다. 기업의 승패와 미래에 살아남느냐 죽느냐 하는 절박감이 체질화 되어 있지 않으면 언제든지 외풍에 쓰러지거나 자멸할 수 있다는 것을 명심할 일이다. 내외부 치열한 경쟁을 통해서 거듭나고 성장한다는 것은 이미 검증된 바이며 이를 도입하고 적극 실천하는 기업은 힘든 경제 여건에서도 꾸준히 발전하고 성장해왔다는 것을 알 수 있다.

최고 일류 기업이 운 좋게 거저 주어진 것은 없다. 남다른 노력과 꾸준한 계획적인 실천과 강력한 추진력의 드라이브를 내실화한 기업이 오늘의 최고의 강자로 만들었다는 것은 두말할 나위가 없다. 기업이든 개인이든 늘 깨어 있어야 한다. 그리고 준비되어 있어야 한다. 기회가 오면 언제든지 자신의 입지를 반석위에 올려놓을 수 있는 준비를 항상 뇌리에 회로화하여야 한다는 것이다.

자본주의 개발에 따른 충돌

선진국도 다소의 차이는 있지만 개인 이기와 공권력의 충돌이 발생하고 언론에 오르내리기도 한다. 제도적으로 문서화 되어 있는 사유 재산이 부의 가치와 필연적으로 연관된 자본주의 사회에선 국가적 차원의 수용 내지는 개발에 앞서 늘 충돌이 일어나고 분쟁이 불가피하다. 국가가 나서서 개인을 책임져 주지 않는 자본주의 사회에서 토지나 건물 따위의 부동산은 자신을 지켜줄 삶의 보루이자 불안정한 미래 노후의 안전장치나 다름없기 때문이다. 그래서 아무리 국가의 필요한 기반 시설을 건설한다는 거창한 명분이 있어도 사유 재산을 내놓으라고 하면 선뜻 내놓는 사람이 과연 몇이나 될까? 그 것은 내 자신을 보호하고 미래 삶을 대신해줄 안전장치의 자산에 대한 빼앗김이자 잃어버린다는 극단적인 감정이 앞서기 때문이다.

자본주의 사회에서 부의 척도가 되는 가진 것에 대한 침해나 소멸에 대하여 저항하지 않을 사람이 없다는 것이다. 그렇지만 우리는 조직 사회의 원리와 대의명분의 개발 의지를 생각할 때 비록 내 자산을 잃더라도 어느 정도 사회를 위해 감수해야 공동체가 발전하고 복지와 국가 성장을 바랄 수 있는 것이다. 명쾌한 논리가 부재할 수밖에 없는 공과 사의 분쟁은 아마도 인류가 존재하는 한 소멸될 수 없는 지난한 문제가 되는 부분이다. 그리고 자본주의 물질적 가치가 실질적 자산이 되는 토지나 건물이 사라지는 것에 대하여 적절한 보상이 주어지지 않는다면 죽음도 불사하는 일이 발생할 소지가 다분하다.

결국 이러한 분쟁은 폭력이 수반되고 극단적인 방법이 동원되기도 하며 급기야 치명적인 상황이 발생하기도 한다. 용산 사태와 같은 사고로 아까운 목숨을 잃는 일이 발생하기도 한다는 것이다. 일선에서 맞닥뜨린 공권력 대리인이자 화살받이 역할에 동원된 전경이 그랬고 직접적인 철거민 관련 사람들이 목숨을 잃은 사고가 이를 잘 반영해주는 근거가 아닐 수 없다.

비단 용산 사태뿐만 아니라 앞으로 이런 유사한 분쟁이 개발 목적이 대두된 곳이라면 언제든지 일어나고 반복될 가능성이 높다. 아무리 보상 문제에 심혈을 기울여 협상을 해도 그렇게 매끄럽게 매듭지어질 가능성이 거의 없다는 게 나의 판단이다.

우리는 미래 성장을 필두로 여러 가지 걸림돌을 어떻게 효과적으로 풀고 넘어가야 할지 아무도 모른다. 희생을 치르더라도 강력하게 밀어붙이든 아니면 최대한 약자의 입장에서 보상을 두둑히 챙겨두던지 어떠한 반대급부를 제공한다고 해도 여전히 갈등을 말끔하게 해소할 수 없는 충분한 이유가 존재하고 있다는 것이다.

한 사람이라도 억울한 사람이 생기지 않는 명쾌한 답이 있으면 좋겠지만 그건 거의 불가능하다. 결국 대의명분의 논리는 대를 위한 소를 희생하는 방법밖에 달리 선택의 여지가 없다는 것이다. 할 말하고 자기주장이 뚜렷한 사람은 온갖 갖가지 말을 만들어내지만 실은 아무리 현명한 사람의 어떠한 언어도 문제를 명쾌하게 풀어낼 수 없는 답이 없는 수학 문제와 같다는 것이다.

2010년 2월 23일

공권력과 개인 이기의 충돌

작게는 가정 그리고 조직 사회의 구성 요건이란 분명 모든 사람이 사회적 의무를 지닐 때 한 나라의 번영을 가져오는 요건이다. 내가 해야 할 일을 포기하고 외면하고 남이 해주기를 바라는 안일한 생각은 결국 성장은 멈추고 국가 조직의 와해를 목격해야 한다. 공동체 운명이란 각자의 책임을 포기하지 않으며 성실히 이행하고 실천하면서 얻어지는 무너지지 않는 공든탑의 원리와 같다. 내 잇속만 챙기면 된다는 안일한 이기주의 발상의 권리만 찾고 거기서부터 발생하는 인격적인 박탈을 두고 불만을 제기하고 인권이란 잣대를 들이대며 불합리하다고 주장한다면 공동체 운명을 점치기엔 매우 곤란하다는 게 우리의 판단이어야 한다는 것이다.

개인 이기의 목적 달성을 위해 공권력에 대항하고 무산시키는 행위는 결코 바람직한 행동은 아니다. 법과 제도란 설사 악법이라 해도 공존의 규칙이며 지켜야 할 덕목이다. 저마다 목소리를 높이며 강력하게 반목을 조성하는 집단적인 대립이 빈번하게 발생하는 이전투구의 현장을 보면서 이젠 공적이든 사적이든 좀처럼 좋은 의미로 일을 추진해도 걸림돌이 너무 많아 아예 시행조차 버거운 현실이이다. 미래를 향한 성장 목표 달성에 적잖은 장애물로 등장해 제자리 걸음을 하는 형국이 다반사가 되었다. 개발이 능사는 아니지만 인류가 존재하는 한 앞으로 나아가야 하는 국토 개발의 대동맥 역할을 하는 도로 시설에도 반대에 부딪쳐 막대한 고비용을 낳고 있으며 그로 인한 혈세가 낭비되고 누구도 책임지지 않는 사회적 책임으로 유야무야 흐지부지 되고 만다.

2010년 2월 21일

평등주의

우리 나라처럼 평등주의 의식이 강한 나라도 없을 것이다.
인간은 평등해야 한다는 우리의 지나친 자의식과 오만한 특권 의식은 좀처럼 기업이든 조직이든 인센티브제 도입이 쉽지 않다.
조금 부족해도 함께 공동체 운명을 짊어지고 골고루 똑같이 나눠야 한다는 사고방식이 내면 깊숙이 바탕에 짙게 깔려 있다.

조선 시대에서 겪은 치욕적인 양반과 천민을 구분하는 신분 계급 제도가 급격히 무너지면서 다시는 그런 비인격적인 신분 제도에 따라 삶이 결정되는 불합리한 사회적 문화에 대한 반감이 뿌리 깊게 우리 의식을 지배하고 있기 때문인지도 모르겠다.
능력이 있어도 출신 성분 때문에 출세를 할 수 없었던 부당한 사회 제도가 낳은 피해의식에서 비롯된 뿌리 깊은 우리 국민의 민감한 반응인지도 모른다는 것이다.

그리고 수천 년 공동체 부족 사회에서 길들어진 뿌리 깊은 유전인자의 영향도 한몫했을 것이다. 여하튼 이젠 누구나 인간이란 특수 신분 또는 인권을 침해받는 일에 대하여 강하게 거부할 수 있으며 법으로도 보호받는 시대에 살고 있다. 인류의 가치를 존중하고 민주사회로 가는 올바른 성장이라고 생각하면 매우 긍정적인 일이기도 하다.

그렇지만 무슨 일이든 그 사안이 좋은 일이라고 해도 부작용이 따르고 이를 악용하는 무리들이 항상 존재하고 문제를 야기한다.
인권이 확대되고 재생산의 의미는 밝은 이면에 어두운 면이 늘 문제를 일으킨다. 의무는 없고 권리만 찾는 얄팍한 인간의 비도덕적인 행위가 난무하고 이를 해결하고 치유하는데 사회적 비용이 발생하며 이를 결국 다수 영역에 속한 사람들이 지불하는 결과를 낳는다.

언제나 소수는 존재한다. 비용을 지불하더라도 대의명분은 소수의 주장에 귀 기울일 여력이 없다. 성장의 발목을 잡는 소수의 걸림돌은 제거될 수밖에 없는 것이다. 늘 일어나고 발생하는 분쟁은 불가피하다. 명쾌한 논리가 부재할 수밖에 없으며 논쟁의 끝이란 없다. 다만 타협이나 합의를 할 수 있는 여지가 존재할 뿐 명답이란 없음을 우리는 매번 느끼며 인식하면서도 분쟁의 불씨를 끌어안고 소모전을 치르는 어리석은 결과를 낳는다는 것이다.

민주사회의 인권이란 명분으로 질서를 파괴하는 소수의 불합리한 범법 행위를 묵과하고 그대로 방치할 수는 없다. 설득과 계도를 하면서 최악을 경우는 손발을 묶는 영어의 구속도 병행해야 하는 당위성을 포기할 수는 없다는 것이다.

성장을 모토로 삼는 조직 사회의 목적은 비생산적이며 비효율적인 상황을 야기하고 물고 늘어지는 집단 행위 또는 성장에 보탬이 안 되는 부분은 가능한 제거하면서 발전을 계속하는 방향으로 모색을 해야 한다는 것이다. 인류의 찬란한 문화와 경제 성장이 하루아침에 거저 이뤄지는 간단한 과정이 아니며 지난한 인고의 역사와 뼈아픈 체험과 경험을 통해서 빛을 발하는 고통의 산물이라는 것을 깨달아야 한다는 것이다. 인간이란 특권 의식이 개인 이익에 충실하고 사고의 유연성을 포기한 독선적인 주장만 내세운다면 곤란하다는 것이다. 인권이 보호받을 권리라면 사회적 의무와 책임을 다하고 인류 공동체에 기여한다는 뜻의 선행조건이 필요하다는 것이다.

아무리 좋은 제도를 만들어도 이를 악용하고 비합리적인 수단으로 사용한다면 당위성을 잃어버린다. 이를테면 부엌의 칼은 요리를 하는 데 아주 유용한 도구이지만 흉악한 범죄자에겐 사람을 상하게 하는 흉기가 될 수 있다는 것이다.

무엇이든 쓰임새에 따라 다르게 평가되고 가치가 다르게 드러나는 간단한 예가 아닐까 생각한다. 우리가 주장하는 인권이라는 언어도 자격이 있는 사람에게 한정되어 보호받아야 할 존엄성의 가치 인식이 필요하다고 생각한다. 다소 억울한 사람이 발생할 수도 있다. 그렇다고 해도 인권이란 가치를 떨어뜨리는 무제한 허용되는 특권 의식의 발로는 우리가 다시 한 번 생각해 볼 필요가 있다.

자신의 이익에 충실한 개개인의 사욕에 근거한 인권을 확대해석하고 사람은 누구나 어떠한 권리를 주장해도 절대적 상위 조건이라고 생각한다면 곤란하다는 것이다. 분명 공동체의 사회적 의무를 지니고 실천하며 기여하는 의미에서 인권이 보장되는 바람직한 국민 의식이 필요하다는 것이다.

2010년 2월 13일

지진

컴퓨터와 마주 앉아 인터넷을 하고 있던 중 모니터가 흔들리고 마치 공중에 붕 뜬 느낌처럼 약한 진동이 느껴졌다. 순간 '지진이다' 하는 직감이 맞아떨어졌다. 서울에 살면서 예전에도 몇 번 경험한 적이 있었다. 짧은 순간 지진이라고 판단을 내릴 정도로 익숙해졌다. 그만큼 비록 진도가 약했지만 빈번했다는 증거이기도 하다. 순간이지만 생각하기에 따라 기분 좋은 짜릿한 느낌이었다

마치 자동차를 타고 급경사 내리막길에 들어서는 순간 속도에 의해 공중에 붕 뜬 느낌처럼 오싹했다는 것이다. 사실 지진은 순간 짜릿함의 논리보단 지진 후 엄청난 파괴력과 미처 대처할 수 없는 끔찍한 상황 예측이 무섭고 치명적이다. 아차 하는 순간 건물이 무너져 내리고 그 속에 갇혀 사고를 당하는 예측이나 생각만으로도 소름끼치는 일이라는 것이다.

텔레비전을 통해서 세계에서 일어난 지진 피해를 눈으로 보면서 그 폐해가 생각만으론 부족하다는 생각을 늘 했었다. 아이티의 대규모 지진 피해로 수백 명이 건물 잔해에 깔려 사망한 아비규환 현장을 생생한 화면으로 접하면서 지진의 엄청난 파괴력을 짐작하고도 남았었다. 우리나라 서울에서 진도 7.0 의 강력한 지진이 발생하면 시민 5만여 명이 사망에 이를 수 있다는 통계가 나왔다. 전문가의 지나친 오판이건 아니건 그게 문제가 아니라 그만큼 인적 물적 막대한 피해가 발생한다는 것은 불가피하다는 것이다. 아무리 지진 재난 대비를 철저히 한다고 해도 사실 수많은 인명피해와 건물 파괴를 막을 수 없다는 것이다.
오늘(9일) 오후 6시8분경 경기도 시흥시 북쪽 8㎞ 지점에서 진

도 규모 3.0 지진이 발생했다. 우리나라도 지진으로부터 안전지대라고 하지 않는 이유가 비록 약한 진도이지만 오늘 같은 지진이 빈번하게 발생하는데 주목해야 한다. 언젠가는 우리가 알 수 없는 대규모 강력한 지진이 발생하지 않는다고 장담할 수 없다는 것이다. 그리고 정말 영화처럼 실제 발생한다면 상대적으로 지진 대비에 취약한 우리나라 현실을 감안할 때 규모조차 예측하지 못하는 건물 파괴와 인명 피해는 상상을 초월할 것이다.

정신적 공황과 패닉 상태에 빠져 국가적 위기에 봉착하고 이를 극복하고 재건하는데 막대한 재정 손실과 지난한 시간이 필요로 하며 삶의 터전을 잃은 사람들이 좀비처럼 절망에 나락에서 좀처럼 헤어나기 힘들 것이라는 예측이 어렵지 않을 것이다.
국가적 치안이 불안해지고 무정부 상태나 다름없는 도덕적 의식이 파괴된 번득이는 살기 가득한 강한 본능만이 뇌리를 지배하고 약탈과 방화 심지어는 사람을 죽이기까지 하는 사태가 발생할 수 있다는 것이다. 실제 아이티의 지진 발생 후 일어난 일련의 과정을 가늠해 보면 쉽게 이해될 것이다. 물론 경제와 사회가 발달하고 성장한 나라의 국민 의식이 갖춤에 따라 다소 차이는 보일 것이다.

자주 지진이 발생하는 가깝지만 먼 나라처럼 느껴지는 일본의 지진 재난 후의 수습이나 혼란의 실상을 보면 아이티와는 너무 다르다. 하지만 거슬러 일제의 역사를 돌이켜 보면 경제 발전 이전의 그들의 과거 만행도 만만찮다. 관동대지진 사건을 잠시 피력하면 살인 방화라는 언어를 쉽게 접할 수 있다. 자국민의 소요를 잠재우기 위해 조선인이 우물에 약을 풀고 일본을 말살하려는 음모를 꾸민다는 유언비어를 조장하고 선동해 공황 상태에 빠진 일본인으로 하여금 죽창으로 조선인을 죽이는 끔찍한 일을 벌이는 현장에서 일본 경찰이 팔짱을 끼고 모른 체 방조하고 동조했다는 것이다. 일제시대에 억울하게 끌려간 조선인들을 희생양으로 삼아 학살을 주도한 간교하고 천인공노할 짓을 서슴지 않은 일본의 어둔 과거를 역사를 통해서 알 수 있을 것이다.

국력이 허약하고 경제적으로 취약하다는 의미는 비록 간단하게 나라가 못사는 단편적인 판단만이 아니라 국민 혼란을 일으키는 대규모 천재지변이나 재난이 발생했을 때 낮은 국민 의식 수준은 죄의식 없이 절도와 약탈 폭동에 쉽게 가담하게 된다는 것이다.

그로 인한 사회적 공동체 규칙은 힘없이 무너지고 상황 인식이 떨어지는 인격 미달은 결국 자신 외엔 아무런 존재가치를 느낄 수 없으며 스스로 동물적 본능을 통제할 수 없게 된다. 정체성 혼란과 야수의 본능이 지배하는 동물과 다름없는 행동에 아무런 죄의식 없이 가담하고 사람을 죽이고 빼앗고 강탈을 서슴지 않게 된다는 것이다.

교육이 필요한 이유가 여기에 있다.
교육은 세상을 보는 안목을 넓혀주고 다양한 사고와 사물을 판단하는 능력을 갖게 하며 인성 발달에 지대한 역할을 하는 깨달음이기 때문이다. 시야에 보이는 것만으로 혹은 자신이 보고 느끼는 것만으로 전부라고 생각하는 좁은 문을 열어주는 역할이 무한한 교육이다. 일찍이 교육에 전력을 다하고 신념을 버리지 않았던 유대인의 삶을 관찰해 보면 그들의 뛰어난 능력이 교육을 통해서 깨달음을 얻었다는 것을 이해할 수가 있다.
구약 성서 고대부터 그들은 늘 강한 세력으로부터 빼앗기고 등 떠밀리고 쫓기는 힘없는 존재였다. 희대의 싸이코 히틀러의 정치적 명령에 의해 유대인 청소의 전형이었던 아우슈비츠 수용소에 갇혀 나치의 잔인한 학살의 희생자이기도 했었지만 그들은 절망의 그늘에서도 구세주가 올 것이라는 신념을 버리지 않았다. 죽음의 그림자가 엄습해 와도 담담하게 소중한 삶의 신념을 버리지 않을 수 있었던 위대한 사상이 곧 책을 가까이하는 전통적 교육을 통해서 깨달음을 얻었기 때문에 가능하였다고 한다.

전 유럽에 흩어져 유목민처럼 변변한 나라 없이 떠돌며 수천 년 박해를 견뎌오면서 신념을 버리지 않았던 것은 그들이 책을 소중히 하고 교육의 가치를 늘 존중하고 실천해 왔기 때문에 오늘날 세계 곳곳에 포진한 성공한 리더가 많다는 것은 의심할 여지가 없다는 것이다. 나라가 없어도 교육을 통해 신념을 버리지 않으며 수천 년 역사를 가진 그들의 삶을 눈여겨볼 여지가 충분하다는 것이다.

어떠한 방법으로든 지진이 났다면 재건은 가능하게 될 것이다.
국제적 도움을 받든 아니면 자국의 힘으로 일어서든 해결은 날 것이다. 재난은 어쩔 수 없겠지만 치욕적인 낮은 국민 의식과 지탄을 받을 행위를 할 수밖에 없는 자질에 대한 국가 신뢰도는 떨어질 수밖에 없을 것이다. 적어도 평상시엔 알 수 없었던 국민성 내지는 그들의 위기에 봉착하여 대처 능력을 보면서 그 나라의 국민성 내지는 국가적 수준을 가늠하게 되는 결과를 국제 사회에 드러나게 된다는 것이다.

2010년 2월 9일

돈에 관하여...

보통 삶의 궁극적인 목표는 무엇일까?
아마도 대부분 돈을 벌고자 하는 의식이 전반적인 사고의 유형일 것이다. 돈은 어떻게 벌어야 하고 어떻게 모아야 하는지 명확히 아는 사람이 얼마나 될까? 사실 돈을 벌려면 기본적으로 돈이 되는 일을 해야 하고 돈이 돌아다니는 곳에 존재해야 한다. 우리들이 가장 가까이 볼 수 있는 일반적인 돈을 버는 사람들의 생활을 눈여겨 볼만하다. 기업을 운영하는 사람은 아이템 브랜드 갖가지 인적 물적 자원이 형성되어 부가가치를 올려 돈을 번다. 복잡하고 일반적인 사람들이 생각하는 간단한 수익구조가 아니기에 나 역시 논리적 표현이 부족해 할 말은 없다. 흔히 볼 수 있는 장사하는 사람들의 실상을 가늠해 본다면 돈을 버는 이유가 상당하다. 물론 장사를 한다고 해서 다 돈을 버는 것은 아니다. 돈을 벌 수 있는 환경적인 요인을 말하고 싶은 거다.

가령 장사 즉 음식점 또는 물건을 파는 행위는 사실 직장을 다니는 사람과 생활환경이 매우 다르다. 일반적으로 직장이란 주말 또는 국경일 임시휴일엔 대부분 근무를 하지 않는다. 직장 생활을 하는 근로자의 휴일이란 보통 일을 하는 대신 여행을 간다거나 또는 외출을 하거나 거의 소비 행위를 하게 된다는 것이다. 물론 소비하지 않고 집에서 쉬는 사람도 있고 주중에 할 수 없었던 일을 하는 사람도 있을 것이다. 아르바이트를 하는 직장인도 있을 수 있다. 명확히 구분 지을 수는 없지만 다수가 돈을 쓰는 소비 행위에 동참한다는 사실이다. 장사를 하는 사람은 특별히 정한 날짜에 쉬거나 아예 휴일이 없는 사람도 있다.
작은 돈이든 큰 돈이든 소비 행위를 하는 사람하고 소득을 올리는 사람과 행위 자체에서부터 돈의 흐름이 명확하게 다르다.

누구는 소비하는 돈을 누구는 소득이 되어 쌓이게 되는 역구조의 수익으로 전환된다는 것이다. 여기서부터 돈을 버는 구조가 다르게 형성되어 있다는 것이다.

물론 장사를 하는 사람이 오로지 자영업에만 열중하지 않을 것이다. 때론 놀 때도 있고 가족 애경사에 참석도 해야 한다. 다만 확률적으로 장사를 하는 사람들이 직장 근로자보다는 소득 활동을 주로 하고 있기 때문에 그렇지 않은 사람들보다는 중장기적으로 돈을 모을 가능성이 높다는 것이다. 그리고 대부분 장사를 하는 사람들은 높은 소득을 올리며 중산층에 해당하는 삶을 유지하는 사람들이 많다. 자영업자의 포화상태와 공급 과잉으로 문을 닫는 업자도 많지만, 이는 비단 자영업자뿐만 아니라 기업도 도산 파산하는 곳이 많다. 그만큼 경제 상황이 매우 안 좋다는 것이다. 소득과 소비 행위 자체가 다른 돈 버는 방식을 말하는 것이지 도산 파산 문제는 다르게 접근해야 하는 이유에 해당하는 부분이다.

간단한 것 같지만 나의 오늘 퇴근 후 과정을 보면 쉽게 이해되는 부분이다. 초등교 친구로부터 전화가 왔다. 월요일이지만 잠깐 시간을 내어 얼굴 한 번 보잔다. 집 가까운 곳 횟집에서 소주 한 병 마셔도 내일 무리가 가지 않겠냐는 의도의 전화의 부름이었다. 기꺼이 승낙을 하고 장소를 정한 횟집에서 만났다. 횟집에는 월요일이라는 주중 가장 힘든 술자리임에도 불구하고 좌석이 빈자리가 없을 정도로 술자리를 장악한 손님들이 많았다. 횟집 주인 종업원의 움직임이 바쁠 정도였다. 우리는 소비 행위에 동참을 하고 그들은 소득을 올리는 위치에 놓여져 있다. 당연히 버는 사람과 소비하는 사람이 확연히 구분되는 상황이 전개되고 있는 것이다. 좋은 예는 아닐지라도 누구나 알 수 있는 소비와 소득이 명확히 구분되고 누가 실질적인 소득자와 소비자가 되는 현장에 내 자신이 소비자의 역할에 충실하고 있었다는 것이다. 아마도 횟집 주인 친구들은 시간이 남아돌아도 장사를 하는 그를 향해 러브콜 할 이유가 없을 것이다. 어차피 참석할 수 없는 상황을 뻔히 알기에 소비 행위에 동석을 권하는 일은 없을 것이다. 자연히 횟집 주인은 돈을 써야 할 시간에 돈을 벌고 있는 것이다. 쓰는 입장과 누군가 쓰는 돈을 수중에 쌓이게 하는 사람과의 소득의 격차는 차이를 보일 수밖에 없다는 결론이 나온다. 장사하는 사람은 바쁘다고 한다. 누구 만날 겨를이 없으며 손이 네 개라도 모자란다고 즐거운 비명을 지른다. 영업장 안에서 대부분 시간을 보내게 되니 특별히 외출에 대한 신경을 쓸 필요도 없으며 의상 구입비용도 상대적으로 지출이 덜하다. 남 돈쓸 시간에 열심히 돈을 버는 행위만 일삼는 장사하는 사람이 돈이 모이는 것은 시간문제다. 우리가 흔히 하는 말로 돈은 쓰지 않아야 모인다고 다 알고 있으며 기본 상식일 것이다. 천 원을 버는 사람이 천원을 써 버리면 아무것도 남는 게 없다. 천원을 버는 사람보다 백 원 버는 사람이 수입이 적다는 것은 누구나 아는 사실이다. 백 원 버는 사람이 십 원만 쓰고 나머지 구십 원을 모으면 천원 벌어 써버린 사람보다 돈이 남아 있다는 간단한 계산이 나온다. 작은 돈이지만 모으면 쌓인다. 큰돈이 되기까지 오랜 시간이 걸릴지라도 아무리 많이 벌어도 다 써버린 사람은 아무것도 남지 않지만 보잘 것 없지만 작은 돈을 모은 사람은 후일 투자의 자원이 되고 더 큰 부가가치를 누릴 수 있는 기회가 주어진다는 것이다.

부자가 될 수 없는 사람이 그렇게 말한다.
과자 값도 안 되는 돈 모아서 언제 부자가 될 수 있느냐고?....맞는 말이다. 시간이 너무 오래 걸린다. 그렇지만 그 것 마저도 모으지 않으면 미래 가능성은 전혀 아무것도 없다는 것이다. 천리 길도 한 걸음부터이고 수억 수천도 일원에서 시작된다는 사실을 잊어서는 안 된다는 것이다. 작은 돈을 헛되이 생각하는 사람은 절대 부자가 될 수 없는... 없다는 사실을 깨달을 일이다. 인생은 영원하진 않지만 자신이 생각하는 것보다 훨씬 길 수도 있으며 짧을 수도 있다. 10년 20년 결코 짧은 세월이 아니다. 인생 7~80십은 얼마나 긴 시간인가 말이다. 하루를 유흥 쾌락적 유혹에서 벗어나지 못하고 무절제한 소비와 지출을 일삼는다면 자신의 삶의 끝자락엔 비참해질 수 있음을 상기해야 한다. 쓰고 나머지란 없다. 목표를 설정하고 무슨 일이 있어도 미래 자산을 떼어 놓고 남는 것을 가지고 오늘 하루를 도모하지 않으면 미래 자신의 삶을 보장할 수 없다는 것을 깊이 깨달아야 한다는 것이다.

그리고 돈이 돈을 번다고 위에 열거한 돈 버는 방식이란 평범한 사람들의 방법일 뿐 사실 많은 돈을 가진 사람은 가만히 앉아 있어도 돈이 굴러들어온다. 복리 이자 권리 수익은 상상을 초월한다. 그들이 최고의 부자이자 세상을 상대로 거액의 이윤을 남기는 사람들이다. 이들의 구조적인 금융 고리는 일반적인 사람들이 죽을 때까지 또는 대를 이어 연구 노력해도 따라잡을 수 없는 부가가치의 자산 구조다.

2009년 11월 16일

삶에 대하여...

세상을 살아간다는 것은 일에도 순서가 있듯이 삶에도 계획하고 실행하는데 순서가 있다. 본능적으로 대처해야 할 일이 있고 깊이 생각하고 결정해야 하는 일이 있다. 예상치 않은 일이 발생하면 허둥대기 십상이다. 시시각각 다가오는 변칙적인 사안에 적절히 대처하지 못하면 똑똑한 인간이 제 꾀에 넘어가는 누를 범할 수 있다는 의미일 것이다.

사소한 문제를 깊이 생각하면 온통 어려운 문제만 부각되고 조금도 진전할 수 없으며 심도 있게 결정해야 할 문제를 놓고 간단하게 행동에 옮기면 낭패를 보기 일쑤다. 이렇듯 세상을 살아간다는 것은 선 후 순서를 잘 헤아리고 신중함이 요구되는 사안과 간단한 문제를 가지고 쓸데없는 시간과 에너지를 낭비하지 말라는 충고의 언어일 것이다. 일상에서 벌어지는 일처리를 하는데 있어서 '닭 잡는데 소 잡는 칼을 쓴다거나' 고사<교각살우>의 의미처럼 뿔을 고치려다 소를 잡아 엄청난 손실과 손해를 보는 비효율적인 문제를 최소화하는 게 승패의 관건이 될 수 있다는 뜻이다.

적은 에너지를 소비하고 이윤을 극대화하는 방법이 인적 물적 자원을 최소화하면서 높은 소득을 올리는 결과를 가져온다는 것이다. 우리는 일상생활에서도 선 후 순위를 잘못 설정하여 이른바 적잖은 시간 낭비를 하면서도 소득이 미미하거나 손해를 보게 되는 경우가 발생하게 된다. 때론 시체놀이나 다름없는 소중한 시간을 아무런 의식 없이 흘려버리곤 한다. 나 역시 이러한 생각을 가지면서도 치밀한 계획이나 설계 시간 관리에 실패하고 있음을 인정한다. 적어도 하루 일과를 짜임새 있게 효율적인 시간 관리를 하여 가급적 개인적인 시간을 확보하려고 노력하며 실천을 하고 있지만 그다지 잉여 시간에 관하여 꼭 필요한 일에 쓰여지지 않고 있다는 것이다.

쓰고 나머지.... 잉여 시간을 경제적인 일에 투자되고 활용한다면 좀 더 나은 윤택한 생활을 할 수 있을 것이다. 삶이 꼭 돈이 되는 일만 해야 한다는 법은 없지만 돈을 버는 사람은 분명 돈을 벌 수 있는 환경을 조성하고 실천하고 있다는 것이다.
남은 시간조차 흥미꺼리나 쾌락을 찾는 것이 아니라 돈이 되는 곳을 향하여 초점을 맞추고 전력투구한다는 것이다. 목표를 향하여 정신과 육체적 에너지를 집중하여 놀라운 성과를 거둘 수 있다는 것이다. 힘이 분산되고 산만하면 그 어떤 것도 이뤄내기 힘들다는 것은 다년간 경험을 통해서 알 수 있는 일일 것이다.

2009년 11월 17일

겨울이 성큼

기다렸다는 듯이 갑자기 기온이 뚝 떨어지고 추워졌다.
바람도 불고 홀가분한 옷차림으로 수락산에 올랐다가 얼어 죽을 뻔했다. 준비되지 않은 겨울맞이에 홍역을 치렀다. 초겨울에 얼어 죽는다는 말처럼 몸소 실감했다는 것이다. 엄동설한 한겨울에는 철저한 준비를 하고 밖을 나가거나 산행을 하기에 추위에 적절히 대처할 수 있지만 갑자기 불어 닥치는 초겨울 추위엔 섣부른 예측만으로 가볍게 생각하고 외출했다간 낭패를 보기 십상이다. 무슨 일이든 항상 대비와 준비를 철저히 하지 않으면 외부 영향으로부터 쉽게 유린당할 수 있다는 것을 일깨워주는 체험을 한 셈이다. 사실 지금처럼 갑자기 다가온 추위에 조난을 당하거나 구조를 요청할 수 없는 곳에 고립되어 있다면 생명을 보장받기 어려울 것이다. 더욱이 구조받을 수 없다는 절망감과 극도로 불안한 정신적인 공포와 싸워야 하는 상황이 발생한다면 초겨울 그다지 춥지 않은 기온에서도 저체온으로 사망할 수 있는 치명적인 일이 벌어질 수 있다는 것이다.

실제로 영상 온도의 냉동실에 갇힌 사람이 갇혔다는 공포와 절망감에 사로잡혀 동사할 것이라는 심리적 두려움에 얼어 죽은 실제 사건이 있었다고 한다. 결국 똑똑하다고 생각하는 어리석은 인간의 갖가지 유형의 심리적 예측 판단 때문에 영상의 냉동실 온도에도 죽음에 이를 수 있음을 증명해준 것이다. 생각이 많은 두뇌를 가진 인간이 똑똑한 자신의 지식 때문에 사망에 이른 것이나 다름없다는 것이다.

이러한 유형의 사고는 비단 겨울 추위뿐만 아니라 바다에 빠져 도움을 받을 수 없는 상태에 놓여져도 비슷한 심리상태를 보인다고 한다. 옛말에 호랑이에게 물려가도 정신만 차리면 살아날 수 있다고 했다. 조난 사고를 당했을 때 극도로 불안해지는 것은 당연하다, 그렇지만 절망이나 포기라는 생각을 가지면 한 발자국도 더 나아갈 수 없으며 스스로 자멸의 길을 선택하게 된다는 것이다. 어떠한 상황이 놓여지더라도 희망의 끈을 놓아서는 안 된다는 것이다. 비록 죽음에 이를지언정 생각은 자신이 구조된다는 희망을 가지며 정신을 차리는 의지가 중요하다고 한다. 다급한 상황에서 이러한 논리가 사실 얼마만큼 자신을 변화시킬지 모르겠지만 심리상태에 따라 생사가 왔다갔다할 수 있는 좋은 예가 될 것이다.

결국 때에 따라서는 사전 지식을 동원하는 게 아니라 동물적인 감각 촉수를 통해 상황에 대처하는 단순 순발력에 의존할 필요가 있다는 것이다. 생각이 많으면 우물쭈물 우유부단해지고 상황을 악화시키는 결과를 초래할 수 있다는 것이다. 인간이 가지고 있는 사고의 능력과 많은 지식은 상황을 판단하는 데 매우 중요한 역할을 하지만 그 깊은 사고와 다양한 지적 능력이 자신을 죽음으로 몰아갈 수 있다는 경각심을 갖게 하는 대목이 아닐까 싶다.

2009년 11월 15일

단상 2

몸값 높이기에 실패한 삶의 끝자락은 사실 힘든 여생이 될 수밖에 없다. 많은 사람들이 이런저런 이유와 상황에 따라 그렇게 허송세월을 보내다 결국 노년을 맞이하게 된다. 늙어간다는 것은 단순적으로 머리가 희어지고 주름이 늘어나고 핏기 없는 형상에 그치는 것이 아니라 태생적으로 건강이 좋지 못하거나 병이 들어 어쩌면 젊은 날 돈을 버는 것보다 더 많은 의료비를 지출하는 불행한 일이 닥칠 수도 있다. 돈도 없고 건강도 나쁘고 모든 게 허망해지는 꼴을 당하지 않는다고 장담할 수 없다는 것이다.

이러한 취약한 노년의 삶을 책임져 줄 곳은 거의 없다. 정부에서 도움을 준다고 해도 그것은 작은 도움의 손길에 지나지 않는다. 순전히 자신의 몫이며 스스로 준비하지 않으면 낭패를 볼 가능성이 높다. 더군다나 점점 더 고령화 사회로 치닫는 현실을 감안할 때 미래의 노년층 생계와 건강 의료비용은 더더욱 정부 재정에 전가하는 일이 확산될 전망이다. 이를 국가가 해결하려면 막대한 재정이 마련되어야 하고 이는 세금을 더 거둬들여야 한다. 사회적 비용이 점점 더 늘어가고 생산성은 떨어지는 우리나라 취약한 산업 구조와 나라 경제 구조를 보았을 때 이는 심각한 일이 아닐 수 없다. 앞으로 근로 계층의 삶이 더더욱 고달파지는 상황이 도래할 것이다. 자신은 물론 처자식 먹여 살리기도 힘든 삶인데 막대한 사회적 비용까지 부담하여야 하는 미래의 세대는 적잖은 갈등이 사회적 문제로 대두되고 이슈화 될 것이다.

이미 오늘을 사는 현대인도 예전과는 비교도 안 될 만큼 사회적 비용을 지불하며 살아가고 있다. 각종 공과금 국세 자동차 보험료, 돈을 벌지 않아도 기본적인 사회적 비용이 발생하고 이 규칙을 지키고 따라야만 국민의 한 사람으로 인정받는다. 근로를 하거나 사업을 해서 돈을 버는 사람은 그래도 그나마 나은 편이다. 하지만 소득은 없고 가진 것이 많아 고비용을 지불하며 억울하다고 생각하는 사람도 있다. 그야말로 부동산 많은 부자가 자장면을 먹으며 거지처럼 살고 있다고 생각하는 이유다. 어쩌랴 법이 그러한데 가진 만큼 세금을 내야하고 사회적 부담을 져야 하는 게 우리의 세법이고 우리나라뿐만 아니라 자본주의 국가의 세법 구조가 그렇다. 직장 생활을 하든 사업을 하든 돈을 벌고 그에 맞게 임금 상승 물가 상승 여러 가지 삶의 환경이 나아졌지만 어쨌든 세상을 살아간다는 것은 그에 따른 막대한 비용을 지불하고 혜택을 누리고 있다고 봐야 할 것이다.

그렇다고 해도 남 하고 싶은 것 다하고 쓰고 싶은 것 다 쓰고 말년을 위해 준비하지 않으면 비참한 노년을 몸소 감당해야 하는 일이 발생할 수 있다는 경각심을 잊어서는 안 된다는 것이다. 아무리 사회보장 제도가 활성화하고 성장한다고 해도 그것은 아주 미미하거나 때론 개인적인 자유를 저당 잡히는 형국이 될 것이다. 세상은 공짜가 없다는 진리를 이미 몸소 체험하지 않았는가 말이다. 준비되지 않은 삶은 늘 불안한 여생을 이어갈 수밖에 없다는 것이다. 세상 탓 환경 탓 과거 탓을 해봐야 그것은 자신을 초라하게 하는 변명일 뿐이지 현실은 달라지지 않는다는 것이다.

자신의 삶을 스스로 지키지 아니하고 국가에 기대고 타인을 이용해 살겠다는 요행이나 심보는 사실 국가 경쟁력을 떨어뜨리는 결과를 초래한다. 근로 계층의 벌어들인 돈이 다시금 산업에 재투자 되고 국가 산업 발전에 쓰여져야 나라가 발전하고 융성해지는 것이지 소비 계층에 투입되는 만큼 경쟁력이 뒤떨어지는 것은 자명한 일이다. 한 나라의 발전은 벌어들인 돈이 어떻게 쓰여지고 투자의 순환고리가 어떻게 형성되느냐에 따라 쇠락하느냐 발전하느냐에 승패가 달려있다. 막대한 재정이 소비 계층에 투입되고 복지에 광범위하게 소요된다면 이는 재정이 거덜나는 것은 시간문제다. 가정 경제에서도 그렇다. 단란한 가정에 가장이든 가족 누구든 막대한 비용이 발생하는 중환자가 발생하면 재산을 잃어버리는 것은 시간문제다. 가정이든 국가든 이러한 문제가 발생하면 성장을 기대하기 힘들다는 것이다.

나라가 잘 살고 국가 재정이 튼튼하면 문제가 없을 수 있지만 가난한 나라가 구멍 난 곳에 언제까지 기약도 없는 밑 빠진 독에 물을 부어댄다면 결코 번영은 오지 않는다는 것이다. 막대한 의료비용은 선진국에서도 대단히 골치 아픈 문제로 등장했고 국가에서 이미 손을 떼고 개인 보험 진료로 전환한 미국의 경우 서민은 몸이 아파도 상상을 초월하는 의료비용 때문에 진료와 치료를 포기하고 만단다. 부자 나라에서 돈이 없어 제대로 지료를 받지 못하여 절망하는 아이러니한 상황이 발생하는 현실이 오늘의 미국 의료 체계다. 그들이 왜 이런 방법을 택할 수밖에 없었을까 고민해볼 필요가 있다.

미국은 신경제 자본주의 사회의 표본이다. 치열한 경쟁 사회이자 능력을 가진 사람이 대우받는 성과주의가 잘 발달한 나라다. 의료 정책 부분도 능력이 되는 사람은 고급의 의료 혜택을 받고 이것이 당연하게 생각하는 부분이다. 개인의 자유를 최대한 보장해주는 대신 국가가 개인을 위해서 해줄 의무가 없다는 의미이기도 하다. 그만큼 스스로 자질을 향상하고 경쟁력을 갖추고 선택의 여지를 보장해주고 있기 때문이다. 선진국 발전이 어떻게 이뤄졌는가를 가늠해 보는 계기가 아닐까 싶다. 무조건 온정주의

나 감정에 동조하며 동일한 삶의 이상주의 사고는 자칫 나태와 태만을 가져오고 자기소임을 사회적 책임으로 돌리는 결과를 초래할 수 있다는 경각심을 일깨워주는 좋은 예가 아닐까 생각한다. 그들의 방식이 옳고 그름을 따지자는 게 아니다 그러한 방식이 그들이 선택하고 국가를 이끌어가는 방법 중 가장 바람직하다고 판단했고 그러한 방식을 선택했을 뿐이다.

우리나라는 향후 발전 가능성을 점치기 어려워졌다고 경제 전문가들이 지적한다. 개발도상국의 경제 발전 가속도 끝 지점을 지나 완만한 능선에서 작은 곡선을 그리는 평평한 정점에 도달했다고 한다. 많은 나라들이 겪은 산업 발전의 정점에 우리나라도 머물고 있다고 한다. 이는 경제 지표를 보면 잘 알듯이 일인당 국민소득이 수년째 머물고 있고 어쩌면 더 힘들어졌다는 상대적 박탈감이나 의식이 이를 잘 반영해주고 있다. 세계 경제 침체라는 전반적인 정체 위기의 원인이 있기도 하지만 이미 우리에겐 그다지 발전 가능성의 개척의 땅을 거의 개간을 다 했다는 것이다. 이는 우리나라에만 국한된 것이 아니라 이미 선진국이 오래전에 겪은 산업사회의 근본적인 과정이라는 것이다.

아직도 프리미엄은 있다.
단지 그 고가의 프리미엄이 우리나라 사람 모두 골고루 나눠 가질 수 있는 파이가 아니라는데 문제가 있을 뿐이다. 가령 하이테크 산업을 주력 사업으로 하는 거대한 회사는 기회와 발전 가능성이 상당한 위력을 발휘하며 조직 내 관리자 근로자는 보통 근로자들보다 많은 소득을 올리고 있다. 심지어 공직자들도 이젠 일반 기업 근로자와는 비교도 안 될 만큼 임금 격차를 보이고 있으며 비교적 안정적인 수입과 퇴직 후 적절한 노후 보장이 되는 시점에 도달했다. 그러한 오늘의 현실을 잘 반영하듯 공무원

교사 공기업, 그야말로 공(共)자가 들어가는 기업 관공서 문턱엔 박 터지게 사람이 몰리고 있고 전보다 훨씬 어려운 시험에 도전하고 있다. 이러한 프리미엄의 조건이 존재하는 한 사람이 몰리고 매달리는 형국은 계속될 것이다.

좀 더 나은 삶을 위한 바람은 모든 사람의 기본적인 의식이다. 그리고 누구나 그렇게 살아가고자 노력하고 땀을 흘리며 전력질주한다. 내 자신이 부족하면 내 자식에게 기대를 하며 좀더 잘되라고 다독이며 고액 과외와 막대한 학비를 들여가며 교육의 투자도 아끼지 않는다. 내 자식이 잘되기를 바라는 부모의 마음이 욕심이라 할 수는 없는 것이다. 사교육비에 등이 굽고 허리가 휘어도 부모의 자식 사랑 애정 소망은 절대 벗어던질 수 없는 멍에다. 하지만 소망처럼 또는 소원대로 다 성공하거나 출세할 수 없는 엄연한 현실을 우리는 망각하고 끝없이 달려간다. 세상은 대통령도 있어야 하고 청소부도 있어야 하고 근로자도 있어야 한다. 누군가는 그 역할을 해야 하고 할 수밖에 없는 구조적인 세상의 틀에서 존재한다. 아쉽지만 그 역할이 내가 될지라도 그것은 누군가의 몫이라는 것이다.

2009년 8월 26일

80 대 20 법칙

세상은 자신의 의도나 의지와는 무관하게 사회적 구성 원리의 법칙이 존재한다. 자연발생적이기도 하지만 인위적인 것도 있을 것이다. 법과 제도는 역사의 환경에 맞게 국민이 편리하게 고치고 다시 정하기도 한다.

그런데 사람이 살아가는 세상 구조는 자연발생적으로 80 대 20 이란 법칙이 존재하며 이는 어느 국가에서나 적용되고 존재한다. 자본주의 사회는 물론이고 심지어 사회주의 국가에서도 존재하는 법칙이다. 상위 20퍼센트와 하위 80 퍼센트 피라밋 구조의 사회 형성이 되어 국가가 존재한다는 것이다. 또 산업 사회의 매출 규모에 있어서 전체 매출의 80퍼센트가 20 퍼센트 기업에서 수익을 올리며 백화점 소비 매출도 상위 그룹 20 퍼센트가 80 퍼센트의 매출을 올리며 20 퍼센트 매출은 하위 층 중서민 80 퍼센트가 올린다고 한다.

80대 20 법칙은 이탈리아의 경제학자 빌프레도 파레토(Vilfredo Pareto : 1848~1923)가 처음 주창했다. 19세기 영국의 부와 소득의 원리를 연구하던 파레토는 부의 분배 구조적 불균형을 발견하게 되었다고 한다.

인구의 20 퍼센트가 전체 부의 80%를 차지하고 나머지 20 퍼센트 부를 80 퍼센트의 인구가 가지고 있다는 사실이다. 20 퍼센트가 가지고 있는 경제적 지위와 부는 단순 결과론에만 그치는 게 아니라 시간이 지날수록 부의 가속도는 그렇지 않은 20퍼센트의 경제적 구조와 그 속도의 차이는 엄청나다. 토끼와 거북이의 경주와 같은 속도의 차이가 존재하며 도저히 따라잡을 수 없는 그러한 구조와 형태의 경기에 대한 승패를 점치는 것은 사실 아무 의미가 없다. 인류 사회 구조적 환경과 산업 사회의 구조도 똑같다. 예를 들어 대기업 내부를 들여다봐도 이러한 형태와 과정이 별반 다르지 않다는 것이다.

기업의 회장 사장 이사 임원이 전체 직원의 20 퍼센트에 해당하고 80 퍼센트의 생산직 관리직 근로자로 형성되어 있다. 수익 또한 80 퍼센트가 열심히 근로를 하여 수익을 올려 상위 20 퍼센트가 80 퍼센트 고수익을 거둬가며 하위직 80 퍼센트 근로자들이 20퍼센트를 나눠 가지는 형식이다. 기업의 형태는 안정적인 정상 피라밋 구조이지만 수익의 분배는 역 피라밋 구조다.

80 대 20 법칙에 의한 자신의 삶이 어디에 속하느냐에 따라 삶의 질은 물론이고 생활의 근로 역시 여기에서 엄청난 차이를 보인다. 가령 상위 20 퍼센트 그룹에 속한 삶은 하위 80 퍼센트에 속한 사람보다 훨씬 노동도 덜 하면서 고부가치를 올리며 생활하고 하위 80 퍼센트는 상위 20 퍼센트 보다 일도 많이 하고 고생하면서도 낮은 보수를 받으며 근근이 생활하는 결과를 낳는다. 이를테면 부자는 골프를 치고 해외여행을 다니면서 물 쓰듯 돈을 써도 줄지 않는 일정한 수익의 구조를 소유하고 있지만 가난한 사람은 하루 종일 일을 해도 고수익은 고사하고 하루 벌어서 먹고 살기도 빠듯한 생활이 언제까지 계속될지 모르는 취약한 구조에 놓여져 있다는 것이다. 가만히 있어도 많은 돈이 들어오는 사람과 오늘 일하지 않으면 무일푼이 되는 사람과의 삶은 하늘과 땅 차이라는 것이다.

2009년 7월 12일

푸른 유월

유월엔 산림욕 하기에 적당한 시기가 아닐까 생각한다. 산속에 들어가 쾌적한 공기와 숲에서 뿜어내는 피톤치드의 물질을 들이마시면 면역력도 좋아지고 건강에 도움이 된다고 한다. 실제 암에 걸린 사람이 숲에서 생활을 하면서 상태가 호전되거나 완치를 했다는 사람도 종종 보게 된다. 사람에 따라 다르겠지만 푸른 자연의 숲이 인체에 미치는 영향은 정확한 의학적 수치를 알 수 없으나 느낌이나 기분이 절로 좋아지는 것을 알 수가 있다. 숲은 인간이 살아가기에 매우 적합한 친환경적인 것은 분명하다. 숲에서 산다고 해서 질병이나 암에 걸리지 않는다고 장담할 수는 없다. 다만 숲속에 들어가 상쾌한 공기를 마시면 기분이 절로 좋아지고 머리가 맑아지는 것을 경험을 통해서 익히 알고 있다. 인체의 신진대사에 적잖은 영향을 미친다고 생각하고 의식하는 것만으로도 이미 숲이라는 효용가치가 있다는 의미이기도 하다.

푸른 숲이 주는 내적인 안정감과 친근감 그리고 나무와 잎에서 내 뿜는 물질이 머리를 맑게 해주는 것은 이미 증명되었듯이 하릴없다면 숲에 들어가 시간을 보내는 것도 자신의 건강을 지키며 삶을 지혜롭게 살아가는 방법 중에 하나가 아닐까 생각한다. 시골에서 생활할 때는 그 소중함을 잘 몰랐는데 도시에 정착해 오래 살다보니 숲의 소중함을 새삼 깨닫는 것 같다. 휴일엔 집안 애경사가 없다면 대부분 산에 가곤 한다. 산에 가면 이런저런 이유와 산이라는 이미 좋은 의미로 각인된 의식에서 늘 기분이 좋아지는 것을 느낄 수가 있다. 사실 산에 대한 예찬 숲에 대한 호평은 굳이 강조하지 않아도 보통 사람들의 의식에 보편적으로 각인된 사고다. 산행길에 돗자리를 펴고 누워 몇 분 잠을 청하면 그게 산림욕이자 꿀맛 같은 단꿈을 제공하는 정신적 안식처가 될 것이다. 바쁘게 살아가는 현대인에게 산이나 숲은 정말 삶의 필요한 청량제 구실을 하고 있을 것이다. 신경 전달 매체의 뇌의 식에 자리 잡아 산이나 숲이라는 단어만 들어도 절로 힘이 솟게 하는 좋은 의미의 무의식적 반가움, 그로 인한 저 깊은 곳 또는 먼 가장자리에서 숨죽여 죽은 듯이 잠자던 세포를 깨워 신체의 활력을 찾게 해 준다.

나이가 들어갈수록 산을 찾는 일이 잦아졌다. 하릴없어 소일거리로 찾는다고 생각하지 않는다. 절로 끌리는 산의 대한 매력을 굳이 거부할 이유가 없다. 실은 산에 가는 게 그냥 아무 생각 없이 가는 것은 아니다. 시간을 내야하고 행동으로 옮기는 작업이다. 평소와 다른 등산화 등산복 그리고 배낭을 짊어지고 산행인으로서의 갖춤이 필요하다. 때론 불편함도 감수해야 하고 가파른 산길을 오르는 일은 강도 높은 노동 에너지와 비슷한 소비다. 무엇이든 스스로 감수하고 결행해야만 결과가 주어지는 일상의 과정이나 다름없음이다. 방안에 누워 시체놀이를 하면서 해결되는 것은 아무것도 없다. 건강, 지식, 발전, 모든 게 실천과 행동에서 주어지는 당연한 결과다. 생각은 깊이 있게 그리고 실천과 행동은 재빠르게 그게 삶의 활력을 가져오고 인생을 지혜롭게 사는 방법이 아닐까 생각한다.

유월은 기온 습도도 적당하고 산도 들도 푸르고 산이나 숲을 찾기에 매우 좋다. 매일 매일 오늘이 끝이라는 생각을 가지며 한 번 지나가면 다시 오지 않는 하루하루를 값지게 보내고자 하는 마음의 자세가 필요하겠다. 한 번뿐인 일회성 자신의 인생을 원칙을 따르며 스스로 지켜가며 사회의 일원으로 부족함이 없는 삶이 되어야 할 것이다. 2009년 6월 13일

평생 직업을 접다

일용할 양식을 얻고 가족의 생활고를 해결해주던 직업을 접는다. 이게 말처럼 쉬운 작업은 아닐 터이다. 마치 사형선고를 받은 심정과 같지 않을까 싶다. 때론 고달프고 삶이 싫어질 때도 있었겠지만 직업은 일상의 정서를 유지시켜 주고 자긍심도 갖게 하면서 삶의 보람을 찾을 수 있는 구실이 되기에 충분한 조건이기도 하다. 그런 정신적 현실적 배경을 하루아침에 접어야 하는 심정을 누가 알까?

아마도 정든 고향을 떠나듯 마음 한구석 아려오기도 하고 돌아서면 눈물을 흘릴지도 모를 일이다. 매일 출근해 청소를 하고 겨울엔 난로를 피우고 한가할 때엔 텔레비전을 보고 세상 돌아가는 이야기에 귀 기울이며 아늑한 장소가 되어주었던 손때 묻은 공간이었을 것이다. 자칫 방황 길에 서게 될지 모를 운명의 장난을 피할 수 있는 보호막이 되기도 했을 정든 사업장을 미련 없이 접을 수 있을까? 의문스러울 정도로 아주 쉬운 결단은 아니었을 것이다. 결국 시대가 요구하는 변화에 적절히 대처하지 못했고 평소 변혁의 징조와 시그널을 적극적으로 수용하지 않았기에 어려움에 봉착하고 포기에 이른 것이다. 결국 어떠한 이유에서든 위기의 장벽을 넘지 못하고 생존경쟁에서 등 떠밀려 도태하게 된 것이다.

앞으로 마지막 선택이 될지 모를 직업을 누구는 이미 가능성이 보이지 않아 포기를 하고 접었다는데 고민하지 않을 수 없었다는 것이다. 물론 같은 직종에 직업이라고 해도 개개인 능력과 의지에 따라 성과를 거두거나 경쟁에서 우위를 점거할 수도 있다. 다른 사람이 망했다고 해서 아주 가능성이 전혀 없는 업종이라고 단언할 수 없다. 다만 주변 동종 업계에 종사하는 사람이 하나둘 포기하는 사람이 늘어가고 있다면 접을 수밖에 없는 이미 자연적인 사회적 현상이라고 판단을 내릴 수밖에 없다는 것이다.

지난 10년 20년을 돌이켜 보면 소리 소문 없이 사라진 업종이 많을 것이다. 그리고 새롭게 등장한 업종도 많을 것이다. 시대가 요구하는 트렌드가 있듯이 우리가 먹고 사는 문제를 해결해주는 직업도 공소 시효가 있다는 것이다. 인류가 존재하는 한 절대 망하지 않는다는 보장이 있는 업종이 과연 있을까? 언제든지 사라질 수 있고 또 새로운 업종이 갈무리하는 것은 엄연한 사실이다. 지구상에 영원한 것이 어디 있었던가? 언젠가는 상승 곡선을 그리다가 반드시 추락하는 게 세상 진리다. 추락의 끝은 자연적인 도태의 과정을 밟게 되며 자신의 의지와 노력에도 불구하고 사라지는 운명을 맞이하게 된다는 것이다.

뜻하지 않은 무거운 목소리가 핸드폰을 통해 저편에서 들려오고 평소에 듣던 목소리가 아니었다. 비중 있는 매출처는 아니었지만 나이도 엇비슷하고 세상을 보는 눈과 지식이 있는 거래처 사장의 전화를 받고 착잡한 심정이 들었다는 것이다. 그동안 하던 장사를 그만두고 접는다는 통보였다. 자신의 매출처에서 3천여만 원의 부도를 맞고 더는 희망도 없고 가능성도 없어 아예 장사를 포기하고 정리를 한단다. 내달 초 계약 만료가 되는 건물 임대 계약을 하지 않을 거라며 매장에 팔다 남은 물품을 가져가라는 최후통첩이었다.

근근이 꾸려온 그의 실상을 조금은 안다.
평소 대화도 많이 하는 편이고 작금의 현실에 대하여 비판과 원망의 목소리도 잦았었다. 대화를 할 때마다 언젠가는 접겠다는 생각을 늘 피력했고 입버릇처럼 스스로 부정적인 결론을 내리곤 했었다. 그게 현실로 드러나고 설상가상 거래처 부도와 심리적 충격이 컸을 것으로 사료되며 결정적인 치명타에 저주의 굿판을 엎어버리고 나름대로 현명한 판단을 하고 정리를 하게 되었을 것이다. 어쨌든 돈을 많이 벌어 웃으면서 박수칠 때 떠나는 것이 아니라 경쟁에서 밀리고 도태되는 씁쓸한 현실을 맞이하는 심정이 시원섭섭함으로 마음을 대신할 수는 없을 것이다. 공교롭게도 잔인한 4월이라는 내달 정리를 하고 훌쩍 멀리 10여일 여행이나 다녀오겠다는 마지막 선언이 배부른 소리 같지 않은 자조 섞인 어조로 들려왔다는 것이다.

그렇게 다년간 꾸려오던 직업을 접는 사람의 심정을 말로 표현으론 부족할 것이다. 누구는 포기하고 접는 일을 희망을 걸어야 하는 입장에 놓여져 있고 아주 희박한 불가능에 너무 주눅 들어 하고 있을지 모를 일이다. 분명 거래처에 가면 불평불만과 현실에 대한 부정적인 면을 강조하지만 대부분 유지하는데 그다지 절망적이지 않다. 포기할 만큼 치명적인 단점이 보이지 않는다. 물론 거래처의 내부적인 실상을 모르기 때문에 피상적으로 느끼는 부분이긴 하지만 바쁘게 돌아가는 현장을 종종 목격하기도 하고 그래도 생활수준이 샐러리맨 삶의 환경보다는 훨씬 낫다고 판단하고 있다. 그리고 어느 업종이이든 소수의 파산이 없을 수 없다. 비단 내가 몸담고 있는 업종뿐만 아니라 다른 업종에도 흥망성쇠는 필연적인 사실이라는 것이다.

다양한 정보를 통해 현실을 직시하고 옳은 판단을 내릴 수 있도록 늘 훈련을 쌓고 결정적인 순간의 선택이 잘 되도록 온 정신을 기울여야 할 것이다. 선택의 기로에 놓였을 때 순기능 정보만을 취하고 싶은 게 사람의 심리적인 상태라고 한다. 밝은 면만 보려는 심리가 작용하고 자칫 어두운 면을 감지하지 못하고 덜컥 결정을 내려 곤혹을 치르거나 이러지도 저러지도 못하는 치명적인 결과를 초래하게 된단다.

타인의 충고를 귀담아듣고 진정 나를 위한 정보인가를 스스로 판단을 내려야함은 물론이며 이해관계에 놓인 상대방의 감언이설을 조심해야 한다는 것이다. 좋은 부분만 강조하면 세상에 안 될 것이 없어 보인다. 그렇지만 실상은 그렇지 못한 좋지 못한 부분이 난마처럼 얽혀 있다는 사실을 간과해서는 안 된다는 것이다. 최종적인 결론이 내려지고 선택을 했다면 의심할 필요 없이 앞만 보고 달리는 역동성을 발휘하고 긍정적인 사고와 실천을 가속화하면 목표를 달성하는데 시간을 단축하고 훨씬 잘 될 것이다.

앞으로 여타 직종 불문하고 끝없이 도태되고 등장하고 갈무리할 것이다. 수 년 전 호황을 누리던 업종이 어느 날 소리 없이 사라지고 새로운 직종이 급부상하고 세상을 놀라게 할 것이다. 기회와 가능성은 어떠한 방식으로든 우리 또는 내 앞을 지나갈 것이며 기회를 잡거나 선택하는 것은 순전히 본인의 몫이며 능력이다. 기회의 비용을 지불하지 않고 거저 얻어지는 것은 없다는 것을 명심할 일이다. 그리고 기회가 올 때를 대비해 힘을 축적하고 비용을 준비해둬야 결정적인 순간의 선택에 효과를 누릴 것이다. 기회의 운명 앞에 전전긍긍하는 행태는 절대 전과를 올릴 수 없다는 것을 가슴 깊이 새겨야 할 것이다.

2009년 3월 30일

추억의 음악

추억의 음악은 장르 구분 없이 귀에 익숙하고 저절로 반가운 느낌으로 다가온다. 가요 팝 동요까지 심지어 유년엔 듣기 싫었던 민요까지 과거로 돌아가는 동행자처럼 훌쩍 지나온 옛길을 가르쳐 주는 역할을 하기에 충분하다.

휴일 어둔 밤이 창가에 스며들 때 컴퓨터 아웃 잭에 연결된 앰프를 통해 묵직하게 전해져오는 사운드가 잊힌 옛일을 상기시켜 주었다. 음악은 듣고 또 듣고 해도 싫증이 나지 않는다. 영화는 한 번 보고난 후론 좀처럼 다시 보는 일이 거의 없다. 명작이라고 해도 한 번 본 영화는 스토리를 이미 짐작하고 있기 때문에 다시 보면 처음 본 장면의 감동을 좀처럼 느낄 수가 없다. 그래서 나는 영화는 한 번만 본다. 그러나 음악은 다르다 자꾸만 듣고 또 듣고 해도 질리지 않는다. 물론 모든 사람이 다 그렇지는 않을 것이다. 좋은 영화 한 편을 여러 번 반복해서 보며 볼 때마다 재미를 더한다는 사람도 있다. 개인의 취향에 따라 감성에 따라 다르게 느끼는 부분이 분명 있을 것이다.

나는 음악을 반복적으로 들으며 리듬을 아예 머릿속에 익혀 노래를 부른다. 가장 원시적인 방법으로 지금도 그렇게 익히고 내 것으로 만들었다. 악보를 볼 줄 모른다. 기타를 치곤 했지만 악보를 보면서 노래를 배운 것은 아니다. 사실 악보를 잘 볼 줄 모르기 때문에 내 나름의 방식으로 기타를 치며 노래를 배운 셈이다. 기타를 치는 것도 코드를 잡는 법만 알았지 악보를 보면서 박자 맞추는 방법을 잘 모른다. 그저 반복해서 음악을 듣고 머릿속에 각인시키고 그에 맞게 리듬을 타는 방법을 나름대로 터득한 셈이다. 그러한 잘 짜여지지 않은 감각적인 음악에 대한 익힘이 좋고 나쁘다는 평가를 검증받을 이유도 없으며 그렇게라도 하고 싶은 음악에 대한 동경을 해소했을 뿐이다.

아낙(ANAK)이라는 노래를 부른(?) 우리나라에도 잘 알려졌던 필리핀 국적의 유명한 가수<프레디 아길라 Freddie Aguilar1953~>도 악보를 볼 줄 모르지만 리듬을 익혀서 노래를 불렀다고 한다. 스스로 작곡도 했는데 작곡의 기본이 되는 오선지에 악보를 그리면서 작곡을 하는 게 아니라 자신만의 기호와 부호를 달아 독특한 방법으로 작곡을 했다고 한다. 프레디가 천재적인 가수인지는 알 수 없지만 자신만의 방법으로 어쨌든 작곡을 했고 음악을 했다는 것은 분명하다. 그가 그런 방법으로 고집해야 할 이유가 있었는지는 아무도 모른다. 다만 그가 보여줬듯이 꼭 기본적인 음악의 틀을 따라야만 훌륭한 작곡을 한다는 것은 아니라는 것이다. 원시적이지만 개인만이 가지고 있는 특성을 잘 살려 얼마든지 음악의 진수를 보여줄 수 있다는 단적인 예를 보여준 것이다. 우리는 늘 기존의 방식을 벗어나면 잘못된 길을 가는 이단자로 낙인찍는 고정관념에 사로잡혀 내적인 능력을 과소평가하거나 사회적 등장을 꺼려하고 수면 위에 드러내놓지 못하고 스스로 내면에 묻어버리는 과오를 범한다는 것이다.

세상엔 절대음감을 가진 재능 있는 아마추어 음악가들이 많이 있다. 체계적인 음악 교육을 받지 못했지만 자신만의 방법으로 음악을 익혀 불세출의 가수의 꿈을 이룬 사람들이 있었다. 악보는 볼 줄 모르지만 천부적인 목소리로 노래를 부른 사람이 있었다는 것이다. 절대음감은 노력으로 어느 정도 도달하거나 개선의 여지는 있겠지만 대부분 타고난 감각이라고 말을 한다. 일명 천재라고 한다. 음대를 나오지 않아도 또는 전문적인 음악 교육을 받지 않았으면서도 노래를 잘 부르며 리듬을 잘 타는 사람이 있다. 그들이 대부분 절대음감을 지닌 사람들이다. 노래를 몇 번만 들으면 그대로 복사해내는 뛰어난 청음감을 지닌 사람들이 있다는 것이다.

과거 유년 시절 고향에서도 노래를 잘 부르는 이웃집 여인을 본 적이 있다. 한글조차 잘 모르는 정규 교육을 받지 못한 사람이었지만 노래를 참 잘 불렀다. 가수의 목소리를 가지고 태어난 사람이었다. 추석 명절에 지역에서 노래자랑을 하면 우승을 도맡아 했다. 글도 잘 모르지만 노래가사나 리듬 기성가수의 목소리 흉내를 너무도 잘 내고 따라하는 그를 보곤 깊은 감상에 젖기도 했었다. 지금으로 말하자면 이미테이션(imitation)이라는 모창 가수다. 어쩌면 가수의 목소리를 흉내내었다기 보다 가수의 목소리를 가지고 태어났으며 도시에서 음악가나 작곡가를 만났다면 지금쯤 유명한 기성 가수가 되었을지도 모를 일이다. 방송에서 들을 수 있는 가수로서 말이다.

음악을 좋아한다는 것은 자주 듣기 때문에 자연히 리듬을 탈줄 알고 노래도 곧잘 부를 수 있는 자질을 획득할 수 있다. 적어도 모임 자리에 한 소절 부르며 사람들의 귀를 즐겁게 할 수 있는 능력이 있다는 것이다. 좋아한다는 것은 단순 좋다는 것만으로 그치는 게 아니라 노래도 할 줄 알고 리듬도 탈줄 아는 기본적인 소양이 갖춰져 있다는 것이다. 관심 밖이거나 음악에 대한 느낌이 없다면 사실 음악을 좋아할 리도 없고 노래도 잘 부를 수 없을 것이다. 대부분 음악을 좋아하는 사람은 노래를 잘 부른다. 흥얼거리며 일상의 시간을 보내기도 하고 열정적인 사람은 실제 악기를 다루고 노래에 심취해 젊음을 바치는 사람도 많이 있다. 직업적으로 활용하는 사람도 있고 기성가수 만큼이나 무명가수도 부지기수다. 밤무대를 화려하게 장식하는 그들의 역할도 무시할 수 없을 정도로 엄청 많다는 것이다. 음악을 듣고 작곡도 하고 하는 행위 따위가 꼭 기존의 방식의 틀을 절대 벗어나지 말아야 한다는 법은 없다. 체계적인 교육을 받는 것도 중요하지만 좋아하고 해야겠다는 의지와 늘 기분 좋은 일이라면 얼마든지 자신의 방식으로 이뤄낼 수 있다는 것이다. 비단 음악뿐만 아니라 예술, 문학, 여러 분야에 두각을 나타내는 사람들의 특성을 잘 살펴보면 남다른 의지와 열정이 있었기에 가능했다는 것이다. 이들이 사회 분야에 조직된 예술 문화 분야의 축을 담당하고 발전을 계속해왔다는 것을 굳이 부인할 필요는 없을 것이다. 언더그라운드 밤무대...소리 소문 없이 자신이 좋아하는 일에 매달려 일생을 보람되게 보내는 사람도 많다는 것이다.

인생이란 자신이 하고 싶은 일에 매달려 정신없이 사는 게 가장 보람 있는 삶이라고 한다. 위대한 것은 사회적인 명성이나 신분이 아니라 하고자 하는 일을 본인의 의지대로 할 수 있다는 실행이 자신의 삶에 가장 확실한 목표이자 가치이며 위대한 삶이라는 것이다. 우리는 많은 시간을 사회 조직과 일상을 유지하기 위한 수단으로 소비하며 살아간다. 늘 반복되는 갈등 속에 가정 가족의 생활을 책임지기 위해 많은 부분 자신이 진정 하고 싶은 일을 접거나 멀리하며 책임이란 무거운 짐을 지고 나 자신보다는 영역의 해체를 더 두려워하며 일생을 살다 간다. 잘못된 사고는 아니다 다만 자신이 하고 싶은 일이 아닌 누군가를 책임져야 하는 의무 때문에 소중한 자신의 내면의 능력을 억제하고 포기하거나 발굴해내는 일에 소극적일 수밖에 없다는 것이다. 아무리 자신의 능력이 뛰어나도 오랫동안 갈고 닦지 않으면 값진 보석이 될 수 없다는 것이다. 소중한 보석이 될 수 있는 자질을 진흙 속에 묻어두고 결국 평범하게 살다가는 사람이 많다는 것이다.
2009년 3월 22일

바이러스

'바이러스' 라는 용어는 의학적으로 인체에 해롭고 감염을 일으키는 미생물 병원체를 뜻한다. 감염이 되면 정상적인 활동을 하는데 매우 불편하거나 때론 생명에 위협을 느끼게 하는 존재이기도 하다. 특정 지역을 전방위적으로 초토화하는 전염병의 실체도 바이러스에 의해 감염되어 재확산 되기도 한다. 바이러스는 사실 독자적인 존재가 불가능하다. 숙주가 있어야 생존할 수 있다. 이를테면 세균이나 세포 내에 들어가 증식을 하고 확산되는 육안으로 식별이 불가능한 세균보다 더 작은 분자구조다. 감기 바이러스는 몸살 기침 두통을 수반하고 어느 정도 지나면 자연치유가 가능하지만 20세기 흑사병이라고 불리는 에이즈 바이러스는 면역체를 숙주로 삼고 활동하기 시작되면 면역체인 백혈구를 파괴하여 결국 합병증으로 사망에 이르게 하는 치명적인
바이러스다.

컴퓨터에 나쁜 영향을 주는 장애 프로그램을 바이러스라고 정의하기도 했고 사실 인체에 미치는 바이러스 용어는 의학에 종사하는 하는 사람들이 주로 쓰는 말이었지만 컴퓨터 사용이 증가하고 그에 따른 부작용이 생기면서 바이러스 용어가 친숙하게 사용하게 된 동기가 되었을 것이다. 컴퓨터 바이러스는 치료 가능한 백신이 있지만 인체에 영향을 미치는 바이러스는 아직까지 의학적으로 보고된 치료제가 없다. 세균을 죽이는 페니실린 같은 강력한 항생제는 있지만 바이러스를 치료하는 약은 없다는 것이다. 개발이 안 되는 것인지 개발이 불가능한 것인지 명확히 알 수는 없지만 애석하게도 바이러스에 감염이 되면 인체 스스로 면역력에 의해 자연발생적으로 극복하거나 더는 2차 세균 감염을 막는 약을 투여하는 방법밖에 달리 의료적인 치료가 불가능

하다고 의사는 말한다. 일부 전문의나 병원에선 감기가 들면 항생제를 사용하지 않는다고 한다. 두통이나 몸살을 줄이는 해열제만 처방한다고 한다. 항생제는 바이러스를 죽이는 치료제가 아니기 때문이란다.

그런데 아직도 여러 병원에선 통상적으로 항생제를 투여하고 있다고 한다. 의사의 재량권에 해당하는 진료와 의약 제조의 남용이라고 지적한다. 병원도 이익집단이다. 수익성과 연관이 있다면 그닥 큰 문제가 아니라면 지속적으로 사용할 수밖에 없다는 것이다. 이를 통제하는 명확한 가이드라인이 없는 의료관리공단의 맹점이기도 하다. 사실 감기가 들어 병원에 가면 병자들이 오히려 항생 물질인 주사제를 놓아줄 것을 요구한다. 물론 통증을 줄여주는 주사일수도 있다. 하여튼 바이러스에 감염된 감기는 치료제가 없다는 것을 명심할 일이다.

삶의 환경을 혼탁하게 하는 적절한 비유가 없을까 하다 책에서 본 기억도 있고 해서 의학적인 용어를 적용해 보고자 한다.
전염을 일으키는 바이러스에 대한 뉘앙스는 대부분 매우 부정적인 의미를 내포하고 있다. 삶의 환경은 상황에 따라 분위기를 조성하는 매개체가 존재하고 급성 전염병이 있듯 소문처럼 급속도로 번지는 악성 유언비어가 있다. 바로 부정적인 의미의 전염성을 내포한 이구동성 심리를 자극하고 상황을 악화시키는 언어가 있다는 것이다.

아침에 직장에 출근을 하여 커피 한잔을 마시며 동료와 지난밤 무슨 일이 있었는지에 관한 부정적인 이야기 나눔이 악성 바이러스처럼 번지며 분위기를 조성한다는 것이다. 가령 전날 밤 일어났던 안 좋은 사건에 대한 뉴스나 자극적인 가십거리를 난도

질 하며 일상의 아침 시간을 스스럼없이 할애한다는 것이다. 사실 개인적인 일상생활에 중요하지도 않고 긍정의 효과도 없는 비판 일색인 시사성이 강한 프로그램을 보고 아무 거리낌 없이 이야기를 나누게 되는 습관에 익숙해져 있다는 것이다.

이를테면 추적60분, 그것이 알고 싶다. 피디수첩 등등 많은 사람들이 살아가는 데 그다지 꼭 필요한 정보도 아닌 온갖 심리를 자극하고 부정적인 이미지를 전달하는 방송 매체를 보면서 자신도 모르게 세상을 보는 부정적인 시각에 길들어지게 하는 요인이라는 것이다. 살인이 일어나고 연쇄 살인범이 잡혀 현장 검증을 하는 화면이 뉴스를 장식하고 신문 지면에 대서특필 되고 온통 살인자만 사는 것 같은 분위기로 몰아가며 마치 이 나라가 곧 망할 것 같은 언어로 도배하는 사건에 대한 뉴스가 알게 모르게 우리의 생각을 비판적이고 부정적인 사람으로 길들어지게 한다는 것이다. 이 말에 동감하는 부분이 많다고 필자는 생각한다. 흉흉한 시대적 상황이나 위험성을 알리고 경각심을 갖게 하는 긍정적인 면도 있겠지만 그보단 보통 사람들의 삶에 부정적인 의식을 갖게 하는 역효과가 더 크다는 것이다.

특히 자라나는 세대 즉 성장의 길목에 서 있는 청소년들에겐 자칫 세상에 대한 편견이나 판단의식이 잘못 자리 잡을 수 있다고 생각한다. 특종을 향한 언론 종사자의 철저한 의무는 가상하지만 특종을 향한 집요한 기자의 공로는 그들만의 영역으로 볼 필요가 있다고 하겠다. 평범한 생활에선 일어날 수 없는 일들이 일어나고 그걸 포착해 잡아내는 기자의 기발하고 도발적인 행위의 기상천외한 선점이 특종이다. 뉴스를 통해 세상에 알려지고 범죄자의 포악한 일면을 적나라하게 보여줌으로써 방송의 역할은 의무를 다하였을 테지만 그걸 보고 느끼는 시청자는 보는 사람에 따라 정신 건강에 좋지 않은 결과를 초래할 수 있다는 경각심 또한 흘려버릴 수 없다는 것이다. 부정적인 사람이 되려면 고발성 시사 프로그램을 적극적으로 보고 수용하는 태도를 가지면 조만간 비판적인 사고를 가지게 된단다.

이는 바로 세상을 보는 냉철한 시각이라고 주장할 수도 있지만 어찌 보면 매사 비판을 일삼는 부정적인 사람으로 변할 가능성이 높다는 것이다. 성장하는 세대는 그래서 환경이 중요하다고 말을 하며 이미 성장한 기성세대도 신문이나 방송을 통해서 보는 시사 프로그램을 즐겨보고 그렇게 생각하고 판단하고 설전을 즐겨하다 보면 자신도 모르게 냉소적이며 비판적인 사람으로 변한다는 것이다.

지적인 이미지와 샤프하고 똑똑하게 보일지는 모르지만 **현실을 살아가는 많은 사람들의 삶을 변화시키는 중요한 지식이 아니라는 것이다.** 방송이나 언론에 종사하는 사람은 중요한 키워드가 되는 능력이 되겠지만 일반적인 사람들에겐 자신의 삶을 병들게 하는 요인이 될 수 있다는 경각심을 가질 필요가 있다고 생각한다.

사람의 정신세계를 바꿀 수 있는 환경적인 바이러스를 이야기하려다 논점이 엉뚱한 방향으로 흘러버렸다. 사회를 혼란케 하는 침울한 바이러스 온통 부정적인 시각으로 인식하게 하는 전염성 바이러스가 있다는 것이다.

문명과 문화가 발전하고 속속들이 파헤쳐 누구든지 접근이 용이한 사건이나 세상일들에 대하여 너무 알고 빠져드는 것을 우려하는 의미에서 말하고 싶은 거다. 웃음을 전하는 바이러스는 매우 긍정적이다. 하지만 아침부터 온통 사건으로 얼룩진 지난밤의 이야기는 사실 살아가는데 별 그다지 긍정적이지 못하다. 비판 일색인 사건 뉴스는 정신을 병들게 하고 자신이 긍정적으로 살아가는데 결코 보탬이 되지 않는다는 것이다. 오히려 부정적인 이미지가 부각된 사건 뉴스는 삶을 지치게 하고 맥 빠지게 하는 안 좋은 일이다. 처음엔 충격적으로 다가오다가 자주 접하면 시큰둥하고 냉소적이며 세상 보는 눈을 삐딱하게 보는 시선으로 바뀔 위험성이 크다는 것이다. 알 권리는 사실 나는 그다지 중요하지 않게 생각한다. 부정적인 사건의 진실을 알아서 좋을 게 없다는 것이다.

직장에서 또는 조직에서 조직을 병들게 하는 악의적인 바이러스를 퍼뜨린다고 가정해보자. 처음엔 반신반의하다가 '그럴 수도 있겠지' '그럴 거야' '그렇지' 하는 자기 체면에 빠져들고 실상은 그렇지 않은데 부정적인 의미의 논리적인 바이러스가 전염되고 창궐하면 결국 조직이 와해되고 돌이킬 수 없는 상황이 일어날 수 있다는 것이다.

일상에서도 주변 사람이 늘 부정적인 이야기만 하고 사건 뉴스를 보고 들으며 온갖 비난을 일삼으며 세상이 썩었다며 한탄만 한다면 자연히 가까이 있는 사람까지 오염되고 부정적인 분위기로 변한다는 것이다. 불평불만 세상을 비난하고 우리나라 사건도 모자라 타임지도 열심히 보고 인터넷을 통해 국제 뉴스를 알뜰하게 챙기며 미국이 이라크를 치고 다음엔 어느 나라를 아작 내는지....그게 왜 궁금하고 내 앞에 삶과 어떤 연관성이 있는지도 모른 채 그저 아무 생각 없이 설전에 매달리며 일상의 에너지를 낭비하는 이상한 성격이 알게 모르게 우리의 삶에 부정적인 바이러스를 퍼뜨리고 있다는 것이다. 그렇게 일상화되고 사상으로 굳어지면 결국 자신의 삶의 책임은 뒷전이고 생활에 전혀 도움이 안 되는 이상한 논리에 사로잡혀 소중한 인생을 허비하고 만다는 셈이다. 사리판단을 잘하여 주변에 부정적인 바이러스를 퍼뜨리는 사람을 경계할 필요가 있다는 것이다. 무슨 이야기든 부정적인 이유를 들이대며 주장하는 사람을 경계하라는 말이다. 이러한 사람이 주변에 있는 한 그 조직은 절대 성장할 수 없다. 무엇이든 실천해보고 결과를 따지는 게 중요하지 도전해보지도 않고 결과를 논하며 온갖 안 된다는 논리로 주장하는 사람은 사소한 일도 해낼 수 없다는 것을 명심할 일이다.

바이러스는 전염된다.
웃음을 전하는 사람이 옆에 있으면 덩달아 웃음이 넘치며 즐거워진다. 무슨 일이든 적극적인 사고를 가지고 하고자 하는 사람과 함께 일을 하면 안 될 것 같던 일도 술술 잘 풀리고 잘된다. 안 된다고 생각하고 될 수 없다는 부정적인 논리만 콕콕 집어서 주장하는 사람이 옆에 있으면 아무것도 할 수 없을 것이다.
이렇듯 주변에 어떤 전염성을 가진 논리적 바이러스가 존재하느냐에 따라 상황이 다르게 발전할 수 있다는 것이다. 긍정적인 바이러스를 전염시킬 줄 아는 사람이 되고자 노력하면 자신의 삶도 덩달아 활력이 생기고 훨씬 즐거운 생활이 될 것이다.

웃음을 넘치게 하는 긍정적 전염 바이러스를 내 안에 배양을 하고 주변이 창궐하도록 전염시키는 역할을 마다하지 않는 사람을 발견하는 혜안이 필요한 오늘이 아닐까 싶다.

2009년 3월 6일

쫓겨나다

엠파스 블로그가 닫혔다.
오랫동안 사용했는데 셋방을 이제 비워달란다.
다행이 손때 묻은 세간은 잘 포장해서 보내준단다.
가지런히 잘 포장해서 보내줬다. 그건 감사한다.
주인이 바꼈다며 비워 달란다. 새로운 집을 지어 준단다.
새로 지은 집에 갔었다.
너무 혼잡하고 길도 제대로 안 난 곳이다.
문도 잘 안 열린다. 불청객을 받아줄 여유가 없나보다.
입주를 하고 싶지 않다.

네이버는 집만 지어놓고 그동안 살지 않은 빈 집이었다.
이미 길도 잘 포장되어 문도 잘 열린다.
그래서 여기에 정착할란다.
거미줄을 걷고 방청소를 하고 마루를 닦아 세간을
들여놓을 준비를 하고 있다.
제발 어떤 이유에서든 정든 집을 떠나는 일이 없으면 좋겠다.

하나로에서도 쫓겨나고 엠파스에서도 쫓겨나고
결국 네이버에 정착하게 될 줄이야,
모르겠다 네이버도 또 어떤 이유로 블로그 문을 닫게 될지……

2009년 1월 18일

몰입이란?

한 가지 일에 미쳐 혼신을 다 바치는 행위를 말한다.
몰입은 어린아이들이 잘한다고 한다. 그만큼 때묻지 않은 스폰지 같은 뇌를 가지고 있기 때문이란다. 나이가 들고 경험이 쌓이고 세상 보는 눈이 볼 것을 너무 많이 보고 나면 좀처럼 몰입에 빠지기 쉽지 않다는 것이다.

가령 아이들은 놀이터에서 놀다 보면 해가져도 얼마나 많은 시간을 보냈는지 모를 정도로 빠져든다는 것이다. 재미를 느끼는 놀이나 흥미꺼리엔 시간에 대한 관념이 끼어들 자리가 없다는 것이다. 성인이 되어 몰입에 대한 훈련이 잘 되어 있다면 무언가 해낼 수 있는 자질이 충분하다고 한다.

몰입과 끈기만 있으면 무엇이든 해낼 수 있다는 것이다. 계획 설계 연구 모든 분야에 몰입을 하면 괄목할만한 성장을 거둘 수 있다고 말한다. 더욱이 경제력에 실질적인 도움이 되는 건설적인 몰입은 삶에 질을 높이고 성공을 하는데 지대한 역할을 한다는 것이다. 건성건성 대충하는 일이 알찬 과실이 주어질 수 없다는 것이다. 일상적으로 하는 습관적인 행위는 몰입이 아니다.

그림을 그린다든지 글을 쓴다든지 또는 생활에 필요한 무엇을 손수 만든다든지 하는 행위 따위가 몰입이다. 악기를 다루고 작곡을 하고 무언가 해냄이 몰입이다. 성공을 거둔 사람들의 습관은 몰입이 가장 장점이라고 말한다. 결과에 너무 연연하지 않으며 무슨 일을 하는 데 있어서 꼭 돈이 되야만 하는 일에 관심을 두고 하는 행위는 생각하기에 따라 몰입은 아닐 수도 있다. 몰입은 꼭 대가가 없어도 할 수 있는 깊이 빠져드는 행위이기 때문이다. 몰입이 경제적인 부와 절대적인 관계 형성이라고 주장하지 않는 이유도 그러하다. 어떤 사람은 일에 빠져들어 재미를 느끼다 보니 어느새 부자가 되었다는 사람도 자서전을 통해 주장하는 사람도 있다. 몰입은 계획이나 미래 지향적이지 않아도 상관없는 골똘히 한 가지 일에 빠지는 현상을 말한다. 가급적 경제적인 관련된 일에 몰입을 하면 경제적 부도 누리고 더할 나위 없는 바람직한 행위가 아닐까 생각한다.

나는 몰입이란 단어에 재미를 느끼기도 했었는데 나이가 들어갈수록 점점 더 멀어지고 있다. 핑계 같지만 삶의 문제들이 좀처럼 몰입하는 기회를 빼앗아 가고 있다고 생각했다. 무엇보다 나의 지난 삶에서 몰입이란 대부분 경제적인 부분과는 거의 관계가 없는 것들었다는 것이다. 자연히 나이가 들면서 그러한 행위로부터 자꾸만 탈출하지 않으면 나의 삶의 전반에 악영향을 미치기에 꼭 자의적이지 않아도 자연적으로 그 영역으로부터 멀어지게 된 요인이다. 그래도 지금도 가끔 몰입이란 마약에 이끌려 취하기도 한다. 글을 쓴다든지....(그다지 적극적이지 않지만...) 그림을 그린다든지...(역시 어쩌다....) 정말 하얗게 비워지는 정신세계를 마음것 유영하는 무아지경에 빠지는 자신을 발견하기도 했었다.

인간만이 가지고 있는 생각하는 힘은 정말 어떤 땐 위대하다고 판단한 적이 있었다. 화려한 문명 세계의 위대한 조형물 건축물 방대한 문화유산이 탄생되기 까지 수많은 사람들의 몰입이 있었기 때문에 가능했다는 것이다. 그들이 부자였건 가난했건 상관없다. 무언가 해냄에 도전장을 내밀고 몰입에 빠져 전력질주 했기에 오늘의 찬란한 문화가 이뤄졌다는 것이다.

휴가

오늘은 금쪽같은 여름휴가 첫날이다.
별다른 계획이 없다. 젊었을 땐 들떠서 피서를 간다고 난리를 쳤겠지만 나이가 지천명에 이르니 오라는 곳도 없고 가야 할 마땅한 곳도 없다. 적어도 젊은 날 그토록 열망하던 그곳엔 내가 가지 않아야 할 배려가 있을법하다. 민폐를 끼칠 수 있다는 것이다. 격에 어울리지도 않으며 그들과 어깨를 나란히 하는 행위도 그리 보기 좋은 그림은 아니기 때문이다. 그래서 생각하기에 따라 사회적 배려이기도 하고 내가 설 곳 앉을 곳 누을 곳을 보고 서고 앉고 눕고 해야 하는 나이에 들어섰다는 것이다.

인생이란 내 멋대로 사는 것이 인생이 아니다. 때론 비켜가고 돌아가고 외면해야 할 일에 나서는 행위를 삼가며 처신을 올바르게 해야 한다는 것이다. 그렇다고 비겁을 저지르란 말이 아니다. 나이가 들수록 말은 적게 하고 행동을 많이 하라고 충고한다. 세상 경험을 통해서 본 것과 머리에 든 것이 많다보니 말로만 무슨 일을 하려고 한다. 몸이 늙고 굳어서 행동은 당연 굼뜰 수밖에 없다. 그래서 행동을 더 많이 하라는 것이다. 몸을 깨끗이 씻으라고 한다. 젊은 사람은 탄력이 있고 찌든 냄새가 덜하지만 나이 들면 피부도 탄력을 잃고 냄새도 더 심하다. 그래서 매일 씻고 청결하게 하여 함께 사는 사람들에게 심리적 거부감을 주지 않아야 한다는 것이다.

돈이 없어도 꼭 구질구질하게 빈티나는 생활을 고집해서는 안된다는 것이다. 옷을 깨끗이 단정하게 입어야 한단다. 지저분하면 더욱 초라해지고 주변으로부터 외면받는다는 것이다. 심지어 초라해 보이면 돈도 안 빌려준다고 한다. (돈 빌릴 일이 거의 없겠지만...) 가급적 건강이 허락하는 한 곧고 힘차게 걷는 습관을 가져야 한다고 말한다. 구부정하고 병자 같은 일상적인 모습은 정말 보기 좋지 않다. 꼿꼿하게 걷는 습관은 매우 필요하다. 단정한 옷매무새에 꼿꼿하게 힘차게 걷는 모습은 생기가 있고 활기차게 보인다. 노년에 들어서도 이렇게 자신의 모습을 체질화 체형화 시키는 작업을 게을리 해서는 안 된다는 것이다. 나는 지금 체지방 제거 작업을 하고 있다. 아침 저녁 시간 30분 정도를 할애해 운동을 하고 있다. 헬스에서 스트레칭에 해당하는 맨몬 체조를 하고 있는 셈이다. 하복부 뱃살을 빼고 근육을 강하게 하기 위한 윗몸 일으키기를 열심히 하고 있다.

복부 비만에서 탈출했다고 봐야 할 것이다. 옆구리 체지방이 빠지지 않아 병행해서 아령 운동을 하고 있다. 가슴 근육도 몰라보게 커졌다. 무엇보다 생각이 맑아지는 것은 느낄 수가 있다. 체력에 한계를 느끼는 고통을 감내하며 자신의 체력 관리에 적잖은 시간을 투자하고 있는 셈이다. 무언가 해내야 한다는 것은 내가 사명감을 가지고 일생동안 정신 훈련에 꼭 필요한 선택이기도 하다.

그 대상이 무엇이든 간에......혼자서 할 수 있는 일이라면 나는 어느 정도 자신이 있다고 긍정적인 마인드를 가지고 있다.
그러한 인식 사고를 지금껏 정신적 자산으로 나는 가지고 있다고 자부해왔다. 그 대상이 고통을 가져오는 일일지라도......

2009년 8월 2일 몰입에 관하여

정월 대보름

설 명절 후 십오일 지났다.
오늘이 정월대보름이다. 흐린 탓인지 베란다 창밖으로 수락산 능선을 바라보고 있는데 둥근달이 보이질 않는다. 정월대보름도 사대명절 중에 하나라고 했으니 시골에서 자란 사람들은 그만한 즐거움이 유년의 기억 속에 박재되어 있을법하다.

오늘날 도시의 축제 행사는 거창하고 화려하다. 옛날 시골의 마을 축제는 소박하지만 그 때의 어린 마음에 며칠 밤을 기다리는 설렘 감성의 차이는 별반 다르지 않았을 것이다. 유년기 설, 추석, 정월대보름....초등학교 축제인 가을 운동회, 봄 소풍 등등 오히려 지금보다 더 좋게 느껴지는 감성적인 축제였다.

달맞이하러 산으로 들로 들개처럼 쏘다니며 불을 지피고 논두렁 밭두렁을 태웠다. 깡통에 구멍을 내어 나뭇가지를 넣고 불을 지펴 돌리면 원심력에 의해 불꽃이 원을 그리며 꽃처럼 밤을 수놓기도 했다. 집집마다 동냥 다니듯 문 두드려 밥과 나물을 얻어한 곳에 모아 양푼에 넣고 들기름 몇 방울 떨어뜨려 비벼 먹으면 진수성찬이 따로 없었다. 보름날은 밤을 지샌다. 동쪽으로 신발을 엎어 놓고 대문에 분말을 걸러내는 체를 걸어 두었다. 그리하면 신발 훔치러 온 야광 귀신이 왔다가 밤새도록 체의 구멍을 세다가 날이 새어 신발 신어보는 것을 잊고 돌아간다고 한다.
귀신이 신발을 신어보고 맞은 신발 주인은 그해 액운이 끼어 불행이 닥친다는 애교스런 미신이다.

마을 건너 동산에 달이 떠오르면 짚단이나 닥나무를 나이 수 만큼 짚으로 묶어 불을 붙여 달맞이를 했다. 딱딱한 견과류를 보름날 새벽에 치아로 깨뜨리는 의식, 부럼을 하고 무병장수를 빌곤 했다. 부럼을 깨고 보름날 의식을 치른다고 해서 가정의 무탈이 보장되는 것은 아니지만 그렇게라도 해서 마음의 위안을 받고 긍정적인 생각이 생활에 배어 생각이 밝고 삶이 좋아진다는 의미일 것이다. 샤머니즘의 속설을 절대적으로 믿는 사람은 거의 없다. 다만 사람 사는 일이란 옛날에도 그랬고 오늘날도 여전히 불안하고 늘 번민이 삶과 함께 한다. 그런 의미에서 현실이 아닌 또 다른 세계에 대한 동경이고 뜻대로 되지 않음을 전지전능하다고 믿는 신에게 의지한다.

옛날엔 참으로 부스럼이 많이 생겼다. 유명한 이명래 고약을 붙여 농익은 고름을 짜내곤 했었다. 마치 통과의례 같은 홍역처럼 두어 번 종기와 전쟁을 치러야 한 해를 보내곤 했었다. 그땐 일명 뽀드락지라고 했다. 아마도 짐작하건데 위생관리가 허술한 시골 환경이 각종 질병에 시달리고 세균에 감염되어 종기가 생겼을 것이다.

실제 기생충처럼 함께 산 벼룩 이, 빈대까지 옛 시골은 집집마다 그런 생활이 대부분 크게 다르지 않았다는 사실이다. 밖에서 흙을 만지고 뒹굴고 불결한 오물이 묻은 채 씻지도 않고 그대로 잠이 들곤 했었다. 그런 취약한 생활환경이 면역력을 높이는 데 일조를 했는지는 증명할 수 없다.

정월대보름도 일상이 아닌 일 년에 한 번 특별한 날이다.
살면서 변화 없는 똑같은 반복된 삶은 얼마나 지루할까?
생각해 보면 특별한 날을 정하고 하루 일탈을 즐기며 지혜롭게 산 선조의 발자취를 가늠할 수 있다. 사람은 기계가 아니다. 감성 감정의 동물이다. 분노하기도 하고 절망하기도 하고 기뻐하기도 하고 희망을 가지는 변화무쌍한 고등동물이다. 무에서 유를 창조하고 도구를 이용해 편리함을 발견하고 성취감을 느끼는 존재다. 맨날 일만 할 수 없는 노릇이다. 시래기 타래를 메고라도 5일장에 나가 시장 구경을 하고 실비집에서 탁주 한 사발에 시름을 덜고 싶은 것이다. 도시 느낌의 분 냄새 확 감겨오는 아양떠는 작부의 빠알간 입술 도장에 고이 접어둔 꼬깃한 지폐 한 장 윗저고리 속에 꽂아주며 호탕한 웃음 짓고 허세도 부려보고 싶은 것이다. 귀가길 거나하게 취해 비틀거리는 몸짓으로 농삿일에 지치고 자식 걱정 집안 걱정 거역할 수 없는 운명의 짐을 잠시 내려놓고 싶은 것이다. 한평생 중노동을 해도 크게 나아지지 않았던 살림살이를 숙명처럼 받아들였던 아버지 세대는 이제 대부분 세상을 등지셨다.

대보름이 대행사라면 5일장 돌아보는 것은 짬을 내는 소소한 일탈이다. 나는 옛 기억 때문인지 지금도 무엇을 살 것이 없어도 가끔 재래시장 돌아보며 쏠쏠한 재미를 느끼는 취미가 있다.
시장 풍경 분위기, 특유의 음식 냄새는 마치 잔칫집 육수 같은 정겨움을 느낀다. 멸치 육수의 잔치국수는 별미 중에 별미다. 먹을 것이 흔치 않았던 유년엔 잔칫날은 올만 포만에 젖어 부러울 게 없는 포식을 할 수 있는 절호의 기회였다. 그때 맛있게 먹었던 잔치 국수의 맛은 지금도 잊히지 않는다는 것이다. 그런 의미에서 잔치국수 냄새는 후각 감각 오감을 건드리는 향수와 같은 오롯한 이끌림이다. 그 냄새를 모락모락 퍼지는 재래시장에서 추억을 소환한다.

사실 내가 사는 동네(수락산)는 재래시장이 없다. 마트가 그 걸 대신하고 있다. 아내는 마트에서 오곡과 부럼용 땅콩을 사왔다. 산지도 불분명한 무늬만 같은 나물과 오곡 땅콩을 먹고 깨물며 감성조차 무늬만 살짝 닮은 대보름맞이를 했다.

2013년 2월 26일

회상 <동지>

낮이 짧고 밤이 가장 길다는 동지,
동짓날은 팥죽을 쒀 먹는다. 유년시절 팥죽은 최고의 별미였다.
이사를 하거나 새 건물을 지어 입주를 할 땐 의례 팥죽을 쒀 동네방네에서 찾아온 이웃에게 한 그릇 나눔의 잔치가 있었다.
사실 유년시절엔 동지에 팥죽을 쒀 먹었는지 기억이 없다. 작은아버지 댁이 새로 이사를 하면서 가마솥에 푸짐하게 끓여 실하게 퍼주던 기억이 난다. 먹을 것이 그리 흔치 않았던 유년시절 팥죽 맛을 지금엔 느낄 수가 없다. 소금만 넣어도 기막히게 맛있었던 그 시절 그 맛을 이젠 찾을 수 없다는 것이다. 아무리 맛을 내어도 그 맛은 도저히 느낄 수 없으리라, 그만큼 세상살이에 입맛마저 간사해졌고 낡고 바랬다는 증거다. 저녁에 아내가 팥죽을 가져와 옛날을 생각하며 먹어 보았지만 역시 옛 맛을 느낄 수가 없었다. 이미 온갖 음식에 길들어진 간사해진 입맛이 그걸 느끼기엔 역부족이었다. 동짓날 먹는 팥죽의 의미가 맛을 느끼기 위한 방편은 아니었지만 그래도 입맛이라도 좋았으면 하는 솔직한 마음이었다. 유년에 박힌 그 맛을 잊을 수 없기에 괜한 욕심을 부렸나보다. 유년의 내가 아니듯 입맛 또한 그 시절 그대로일리 만무하리라. 사람 사는 일이 무엇이든 영원한 적이 있었던가? 지금 유년이 없듯 배고픈 시절 입맛 또한 없는 것이다.

과거를 추억하는 일이란 각박한 오늘을 잠시 잊는 탈출구다.
복잡한 시간을 잠시 이탈해 상념에 잠겨보는 기회다. 옛 절기 명절 그런 과거에서 지금까지 전해 내려오는 풍습은 뒤안길을 헤아려보는 기회를 제공한다. 자칫 브레이크 없는 인생 과속 질주를 멈칫 머물게 하는 과속 방지턱이다.

2010년 12월 22일

새와 소통

산속에 사는 새도 인간과 함께 공존을 받아들이고 있는 듯이 천연덕스럽게 다가와 먹이를 달라고 보챕니니다. 손에 꼭 쥔 아몬드를 빼앗아 가려고 부리로 쪼아댑니다. 검지손가락을 쪼아 상처가 나서 빨갛게 피가 맺혔습니다. 자기가 원하는 것을 안주니 홧김에 쪼아대는 것이지요. 아팠지만 참고 녀석의 행동을 유심히 지켜보며 아몬드를 꼭 쥐고 있었습니다. 여러 번 나무에 앉았다 날아왔다 반복하며 나와의 거리감을 좁히며 먹이를 뺏고자 안간힘을 쓰더군요. 하도 애절하게 보채길래 사진 몇 장 찍고 아몬드를 내주었습니다.

그 녀석은 어디에다 저장하는지 금방 또 날아와 달라고 하더군요. 겨우내 먹을 양식을 얻고자 저장 위치도 모른 채 그저 열심히 모으는 것 같았습니다. 다람쥐가 그렇다는군요. 가을에 도토리 밤을 주워다 곳곳에 묻어 놓는다는군요. 겨울이 되어도 어디에 두었는지도 모르고 대부분 찾지 못하고 겨울이 지나 땅속에 묻어둔 도토리 밤 등 다람쥐 먹이가 올곧 씨앗이 되어 봄이 되면 싹을 틔워 자란다는군요. 결국 다람쥐 각종 동물들이 자연을 가꾸고 숲을 번성하게 하는 역할을 하고 있다는 것이지요.

저 녀석도 열심히 물어다 어디에 모아 놓는지 모르지만 아몬드는 우리나라에서 생산된 씨앗이 아니니 봄이 되어도 저 녀석이 잃어버린 아몬드는 싹을 틔우는 데는 불가능하지 않을까 싶네요.

산에 가면 싸가지고 간 음식을 풀어 놓으면 새들이 찾아오고 먹을 것을 달라고 소리를 냅니다. 고양이도 가까운 발치에서 웅크리고 앉아 나눠 달라고 눈치를 보냅니다. 사실 장난삼아 주는 갖가지 음식물이 동물에겐 스스로 먹이를 찾는 본능적인 능력을 퇴화시키는 원인이 될 수 있다는군요. 그래서 국립공원이나 도립공원 안내 표지판엔 동물에게 먹이를 주지 말라는 경고의 문구도 쓰여져 있습니다. 물고기를 잡는 법을 가르쳐 줘야 하는데 그렇지 않고 고기를 잡아주면 사냥 본능을 잃고 추운 겨울이 오고 먹이를 잡지 못하거나 찾지를 못하면 혹독한 자연의 시련 앞에서 결국 살아남을 수 없다는 뜻이지요.

2012년 10월 23일

아! 가을

가을이 왔습니다.
명절도 지나고 아침저녁 기온이 서늘하다 못해 쌀쌀하기까지 합니다. 시간이 흐른다는 것은 변화와 함께 생성하고 소멸하는 과정을 의미합니다. 새로 만들어지는 것도 있지만 대부분 사라지는 명멸의 의미가 더 깊은 것들의 시간적인 시효를 느끼게 합니다. 인생이 그렇고 사물의 수명이 시간에 따라 소멸되고 사라지게 됩니다. 견고한 사물은 오래도록 정적인 물체로 남아 있지만 살아있는 생명체의 시효는 자연계의 것들에 비하며 비교적 매우 짧게 머물다 사라집니다.

사람은 길어야 100년 안팎 그리고 거북이는 두 배에 해당하는 200년을 산다고 하지만 그래도 우주의 긴 역사를 생각하면 정말 순간 찰나에 지나지 않나 싶습니다. 한 번 밖에 사용할 수 없는 오늘을 매일 접으며 종착지를 향해 달려갑니다. 마치 무엇에 담긴 것들이 고갈되는 것처럼 나이를 더하는 숫자만큼 낡고 시들며 사그러듭니다.

옥수수

가을의 풍성함을 나타내기에 부족함이 없는
황금빛 옥수수가 원두막에 줄줄이 보초를 서고 있습니다.
다산의 의미를 옥수수에 견주면 어떨까요?
옥수수 한대에 수백 개의 씨앗, 정말 많죠,

강원도엔 옥수수 농사를 많이 짓습니다.
옛날 한여름엔 주식으로도 가능했었습니다.
고구마 감자 옥수수...지역 특성상 밭작물이 주종을
이뤄 척박한 살림 의식주 해결에 중요한 역할을 했었습니다.
쇠꼴을 옹기화로에 넣어 모깃불을 지피고 까실까실한 멍석을
마당에 깔고 빙 둘러 앉아 옥수수와 고구마를 먹으며
한 여름 밤의 꿈을 꾸곤 했었습니다.

대추

흑적색 대추가 가을을 노래하고 있네요,
달콤함....껍질 벗기는 일 없고 그냥 먹기 편하고
맛 또한 당도 높기로 만만찮죠,

그 옛날 푸른 잎 사이에 숨어 쏘아대던 쐐기가 두려웠지만
대추나무 오르기를 포기하지 않았습니다.
무서워서 포기하면 무얼 할 수 있겠습니까?
세상 사는 것은 더 무섭고 안개 속처럼 두려운 일이죠,

변화무쌍한 세상의 두려움만 극복해도 반은 성공했다는
말이 무언가 새로운 일에 도전하는 사람들에겐 용기가 되지
않을까 싶네요,

허리 휘듯 늙은 대추나무도 여전히 제 할 일을 포기하지 않으며
꿋꿋하게 의연하게 제 자리 지키며 고단한 하루를 접습니다.

고향풍경

나지막한 하늘색 지붕 아래 도심으로 떠나간
혈육들이 돌아와 밤새워 이야기꽃을 피웁니다.

아늑하고 푸근한 꿈속의 고향, 회상의 언덕에서
항상 손짓하던 추억이 잠든 농가의 정경입니다.

정형화되지 않은 자유로움 서툰 농삿일처럼
휘어진 길을 따라 옹기종기 모여 소꿉놀이 하듯
키재기 하는 농가 마을이 정녕 낯설지 않은
그리움에 젖던 고향 풍경입니다.

2012년 10월 13일

5월 수락산

5월의 수락산입니다.
오월이지만 수락산은 푸름이 짙은 완연한 여름입니다.
밥풀떼기 뿌려놓은 듯 아카씨아 꽃이 하얗게 피었습니다. 코끝은 스치는 아카씨아 꽃향기..옛 기억엔 진달래꽃은 새콤한 맛이었다면 아카씨아 꽃은 혀끝에 감기는 달콤한 맛이었습니다. 씹으면 달착지근했던 아카씨아 꽃 필 땐 꿀을 따는 벌들이 온종일 날갯짓 분주합니다.

상수리나무에서 외줄 타고 내려온 벌레들이 산행길 멈칫하게 합니다. 무의식에 배인 혐오스런 반응의 반사적 멈춤입니다. 사람은 싫어하는 벌레지만 새들은 만찬을 누릴 풍부한 먹이 사슬입니다. 수락산은 사람과 동물 새들이 함께 공유하는 공간입니다. 가던 길 멈추고 정자에 앉아 휴식을 취합니다. 멧비둘기도 발끝에서 노닐며 나무에서 떨어진 벌레를 쪼아 먹곤 합니다. 두려운 적이 아닌 공생 관계라는 것을 비둘기도 알고 있는 듯이 태연합니다.

겨우낸 텃새 소리만 들리곤 했었는데 어디서 고운 소리가 들려옵니다. 격조가 다른 여름 철새의 소립니다. 텃새 울음소리는 투박한 토속적인 언어이고 철새 울음소리는 기교 애교가 넘치는 사랑의 언어입니다. 텃새는 사철 수락산에서 삽니다. 익숙한 토박이 소리를 들려줍니다. 철새는 한철 머물다가는 바람 같은 소리이지만 곡조가 있고 아름답습니다. 짧은 여름 짝짓기와 종족 번식을 하려면 소리도 고와야 하고 유혹도 강렬해야 합니다.

수락산엔 사찰이 여러 개 있습니다.
그 중 제법 큰 사찰 학림사입니다. 일주일 후엔 부처님오신날 <사월초파일>입니다. 연중 가장 바쁜 날이자 모여 떠들고 하는 뜻을 비유한 그야말로 불교에서 유래된 '야단법석' 날입니다.
연등 빼곡히 들어찬 대웅전 안엔 미소 띈 돌부처의 너그러움이 넘칩니다.

회상의 언덕입니다 추억의 소리를 들려주는 야외 음악당입니다. 지난 날 덥수룩한 장발머리에 나팔바지, 야외 전축 틀어놓고 고고 춤를 췄습니다. 배터리가 닳아 축 늘어진 소리가 들릴 때까지 비틀고 흔들고 트위스트 춤을 추며 젊음을 즐겼습니다.
그 땐 그랬습니다. 어느 한 때 한 시기...그렇게 하지 않으면 미쳐 버릴 것 같았던 그 열정의 시간들....

일요일엔 꼭 이곳에서 추억의 음악을 들려줍니다. 지나가는 등산객들이 가던 길 멈추고 추억에 젖습니다. 헉...! LP판을 보고 놀라고 음악소리에 또 한번 감탄합니다. 지글지글 비가 내리는 소리가 퍽 정감 있게 들립니다. 빽판, 라이센스, 원판...저마다 한마디씩 합니다. 익숙한 것들에게서 우린 너무 멀리 왔나봅니다. 그리고 먼 기억으로 남은 과거의 추억을 회상하며 감동합니다. 잊힌 것들에 대한 애틋함이 묻어납니다.

2012년 5월 20일

어느 날 오후

고른 숨 내쉬며 하늘 바라보던 날, 2011년 11월 7일
휑하니 팅 빈 공간에 빨려들어 가던 시선, 눈부신 가을입니다.
새롭게 등장한 일정한 음률의 둔탁한 소음,
익숙하지 않은 들벌 탈곡기 변주곡, 가던 길 멈칫 돌아봅니다.
휘어진 낫 춤추던 날, 더딘 속도에 불만의 가을이 서럽게 짓누르더니, 이제 허리 한 번 펴는데 너그럽지만, 왜이리 더 재촉하고 어수선한지 모를 일입니다.

잠시 머뭇거리던 어느 날,
그새 훌훌 턴 대지에 직립 보행이 어색했습니다.
저만치 달아난 팔팔한 순간은 화르르 탄 단명한 가을날입니다.
가장 쓸모 있는 오늘이 운명을 바꿔 줄 비장의 카드입니다.
도처에 깔린 죽음의 칼날의 피해 기립한 아슬한 이 순간
찰나는 내가 선택할 수 있는 마지막 행운입니다.

고향

추석 명절을 맞이하여....고향에 갔습니다.
가을비가 내렸습니다.

올핸 추석이 이른 탓에 밤 대추 등등 곡식이
채 여물지 않아 해묵은 제물로 제사를 올렸습니다.
가을비 내린 고향, 야트막한 산허리에 비안개가 걸렸네요.
푸르름은 한여름입니다.

계절은 가을인데 가을은 아직 오지 않은 듯합니다.
먼발치에서 멈칫 머무르고 있는 듯합니다.
콘크리트 길 따라 마을이 이어져 있습니다.
사통팔달 아날로그 거미줄 네트워크입니다.

저 길을 따라 마을간 소통과 화합이 이뤄집니다.
자동차도 다니고 경운기도 다니고 자전거도 다닙니다.
적적한 고샅길엔 시골의 풋풋한 정서가 묻어납니다.
바지랑대엔 잠자리가 쉬어갑니다.
시냇가엔 물소리 요란합니다.
솔가지를 꽂아 놓은 담벼락을 따라 호박이
풍선처럼 나날이 커집니다.
기와 끝 처마엔 바다리(벌) 집이 한 살림 차렸습니다.
고즈넉한 저녁엔 사랑방 불을 지피는 푸른 연기
하늘로 솟아오릅니다.

누군가에겐 잊힌 먼 얘기일지라도 고향은 여전히
소리가 살아있고 움직임이 멈추지 않습니다.

2011년 9월 13일

무제

가만히 듣고만 있으면 바보가 될 것 같아서 고집을 부렸습니다. 정확히 모르는 답을 그럴 것이라는 예측만으로 사실처럼 확언을 했습니다. 요란한 빈 깡통을 애써 숨기며 거짓 가벼움으로 가득 채웠습니다. 사실이 아닌 것을 사실처럼 꾸미고 화려하게 치장하고 언어 쓰레기를 양산합니다. 보고 듣는 것으로 모자라 상상을 동원해 말잔치에 불을 붙입니다.

쓰레기통의 카타르시스입니다.

그놈의 알량한 자존심 때문에 젯밥에 씨부렸습니다.
뻔히 들통날 줄 알면서 뻥을 쳤다는 말입니다.
저 못 말리는 가벼움을 어찌 하란 말입니까?

2011년 3월 5일

설악 주전골

나 거기에 있었다.
미인을 보면 흘깃 걸음을 멈추듯,
피할 수 없는 늦가을 주전골 유혹에 푹 빠졌다.
늦가을 무서리에 살짝 속살을 드러낸 고혹적인 관능미,
지천명에 주책없이 주전골 미색에 정신을 놓았다.
십일월 초 설악산 주전골 늦가을 마지막 단풍 절경이다
설악산은 사계절 모두 어떤 의미를 부여해도 손색이 없는 명산이다. 가을 절정을 지났어도 여전히 미색을 잃지 않은 절세가인의 모습처럼 십일월 스러짐도 고색창연하다. 사람도 나이가 들어도 곱게 우아하게 늙는 사람이 있듯이 명산은 추풍낙엽 늦가을도 이름값을 하고도 남는다.

삶은 이미 가진 것을 덜어내는 하루하루 생로병사의 과정이다. 오늘이 생의 가장 젊은 날이다. 그래서 가장 행복한 날이다. 삶이 끝나는 날까지 언제나 오늘은 가장 젊은 날이기에 날마다 행복하다고 말할 수 있다. 생각을 바꾸면 세상이 다르게 보이듯이 내 자신의 생각을 바꾸면 현실이 달라진다는 것.

2010.11.6

휴대폰 그림 <SAMSUNG SPH-W4200 햅택>

핸드폰 메모 기능을 이용해 터치 펜으로 그림을 그렸다.
1차원 단색 밖에 지원이 안 되는 그림판이지만 심심풀이 또는 또 다른 몰입의 시간을 제공해 준 핸드폰의 위력을 새삼 느끼며 몇 장의 핸드폰 디지털 그림을 그렸다. 막강한 포토샵 기능에 비하면 초라하겠지만 손 안에 들어온 IT 기기가 이만큼 발전하고 그림도 그릴 수 있다니 별 쓸모가 없는 사람들은 이 기능에 왜 필요한지 반문할지 모르지만 소비자의 다양한 욕구를 충족시키

기 위한 개발자의 작은 배려가 때론 많은 사람들에게 감동을 줄 수 있다는 의미일 것이다.

휴대폰은 이제 전화를 받고 거는 기능을 초월해 초소형 컴퓨터에 가깝게 진화했다. 인터넷은 물론 금융거래 주식을 팔고 사고 음악을 듣고 디엠비 시청 영화를 볼 수도 있다. 손안에서 정보를 열람하고 실생활 활용도에 매우 밀접한 도구가 되었다.

이젠 나 역시 손안에 핸드폰이 없으면 아무 일도 못할 것 같은 느낌은 나 혼자만의 생각이 아닐 것이다. 사실 나의 직장 생활 자체가 전화 통화와 밀접한 관계가 있다. 업무가 전화를 주고받고 하는 일에 연관되어 있기 때문에 특히나 핸드폰이 없다면 하루 일과를 진행할 수 없을 것이다. 이렇듯 핸드폰은 일상생활에서 주고받는 소통의 도구로 유용한 매체가 되어 싫든 좋든 삶에 깊숙이 들어와 뗄레야 뗄 수 없는 관계에 놓인 애물
단지가 되었다.

2011년 2월 19일

풍경

한때 소중했었지만 어느 날 쓸모없다며 폐기해버린
나의 삶에서 내 팽개쳐진 것들이 반란을 도모합니다.

익숙한 것에 대한 결별을 서두르며 또 새로운
것들에 대한 유혹에 빠지는 상상이 심연을 흔들어 놓습니다.

2011년 2월 19일

언제나 그리운 고향

잡풀이 우거진 시냇가의 정경이 눈길을 잡아끕니다.
개울가 흐른 냇물 따라 가버린 지난날 정다웠던 그 시절
그리움으로 다가와 추억하게 합니다.

미끄러지기 십상이던 논두렁 길을 따라 내달리며
무더운 여름날 발가벗고 첨벙이며 뛰어들던 시냇물엔
깨진 날선 사금파리 반짝이며 위협하더니
그해 장마철 닳고 닳아 무뎌졌었지요,

두려움을 처음 알게 해준 밤길이 서툴렀던 그 시절

깜깜한 그믐밤 아스라이 풀섶엔 반딧불이 어지럽게 날고
메기잡이 낚시질에 동트는 새벽이 오는 줄 몰랐었지요,
겹겹이 쌓인 추억만큼이나 뿔뿔이 떠나간
친구들이 나처럼 옛날을 회상하고 있을까?
여전히 그때와 다름없이 쉬임없이 흐르는 개울물엔
철지난 고기떼 허물을 벗고 그때가 아니듯 새로운
환경에 적응하는……주인이 따로 있을 듯.
낯익은 나 살던 마을은 먼 데서 온 손님이 다시금
오롯이 삶의 거처가 되고 이방인처럼 떠나간 토박이
이웃은 살만한 둥지를 채 거두지 못한 늦깎이 낙오에
허둥대지 않을까?

멀리서 들리는 소문처럼 귓속을 간지릅니다.

2010년 4월 5일 그리운 시냇가

고향 마을 길곡리 가는 길

거미줄처럼 이은 사통팔달 마을 길이 성큼 나와 반깁니다.
저 길 따라 밭둑엔 뽕나무가 줄줄이 보초를 서곤 했었는데
콘크리트 르네상스 혁명에 등 떠밀려 한때 전성기를 접어야
했을 겁니다. 자세를 낮추고 납작 엎드린 질경이와 민들레가
눈물겹도록 살아남았습니다. 세상이 변했습니다.
그 어떤 이유에서든 변절자이기를 포기하지 않습니다.
과거는 과거일 뿐입니다.
좋은 추억도 나쁜 기억도 모두 잊어라 합니다.

2011년 6월 15일

변혁

급변한 세상…
정상적인 사고와 의식이 비정상적으로 보이는
급변한 기형적인 현대 사회에 살고 있다.
부동산, 주식, 재테크…하지 않은 사람은
대화의 장에 할 얘깃거리가 없다.
투자와 투기를 누가 정의하고 있는가?

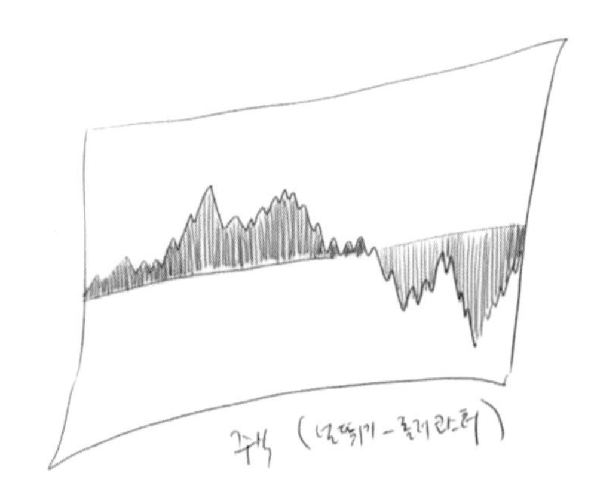

2007년 10월 25일

부둣가 휴식

잠시 짬을 내어 평상에 걸터앉아
휴식을 하는 부둣가 어부들입니다.
마늘은 없어도 장화는 꼭 있어야 하는 부둣가 풍경입니다.
척박한 환경은 때론 삶의 활력을 불어 넣어 주기도 합니다.
나태와 권태.....그런 단어가 전혀 어울리지 않는
부둣가 정경입니다.

2013년 7월 17일

스마트폰

띵동....메시지가 왔다는 신호다.
스마트폰은 착실하게 스스로 역할을 게을리하지 않으며 충실한 하인처럼 제 할 일을 다한다. 누구는 휴대폰 음성 신호가 개인적인 삶을 침해하고 귀찮게 하는 도구라고 말하기도 한다.
나는 생각이 다르다. 실리와 편리함을 부정적인 이유에 들이댈 거라면 사용 안하면 그만이다. 편리함에 익숙하고 없으면 금단 현상을 겪으면서 굳이 거부하고 피해의식에 사로잡힌다면 사용할 이유가 없다.

나는 스마트폰의 위력을 실감한다는 거창한 언어 따위는 제쳐두더라도 분명 삶에 많은 부분 접목되고 실생활에 절대적이다.
업무에 필요한 통화는 말할 것도 없고 금융 정보와 거래 이체 인터넷 검색..등등 헤아릴 수 없을 정도로 많다. 나의 삶에 일어나는 일과 밀접하게 연관되어 있고 내가 굳이 기억해야 하는
개인정보와 부분의 것들도 총망라되어 저장되어 있다.
충실한 개인비서와 다름없다. 사람이 아닌 기계가 똑똑한 비서

역할을 하고 있는 것이다.

비서란? 누구나 선택하고 쉽게 접할 수 있는 일이 아니다. 돈이 많다고 해서 되는 일도 아니다. 돈 많은 사장님은 사람을 고용해 이를 해결할 수도 있겠지만 적어도 나는 돈을 많이 벌어도 사람을 두고 비서를 두고 역할을 맡길 생각은 추호도 없다. 금전을 떠나 사람을 부리고 명령하는 자체가 성격이나 생리적으로 전혀 안 맞는다. 타고난 성품일 수도 있지만 태생적인 이유에 연관이 있다는 게 개인적인 소견이다. 이를테면 나는 동생이 전혀 없는 막내둥이었던 성장 과정이 삶에 상당한 영향을 끼쳤다고 생각한다. 어려서부터 누굴 명령해 본 적이 없으니 그럴만하다. 하위 명령 체계 프로세스가 없고 경험이 없으니 성장해 성인이 되었어도 그 습성을 그대로 내 안에 자리 잡아 행동에 영향을 미친 것이다.

너무 가까이 해서 정들었을 스마트폰 이젠 정을 떼어도 버릴 수 없는 절대적 관계에 놓여 있을 것이다. 메시지 신호는 내게 필요한 것들도 있지만 원치 않은 스팸도 많다. 그래서 메시지 신호에 반갑다는 반사적인 감응은 없다. 그냥 본다. 혹시나 내가 습득하고 알아야하고 바로 대응해야하는 문자도 있기 때문이다. 업무와 관련된 문자 메시지가 있고 그때 그때 신속하게 답변을 해야 하기도 하고 장문을 작성해 보내야 할 때도 있다. 손안에 들어온 온라인 망은 이제 필연적으로 나의 삶에 깊숙이 들어와 개입하고 공존하며 의존도도 상당히 높다, 뗄 수 없는 불가분의 관계가 되었다.

2013년 7월 9일

장맛비

7월 장마가 시작되었습니다.
갑자기 내린 장맛비에 우산을 받쳐 들고 어디론가 분주히 발길을 옮깁니다. 파란 신호등이 떨어지기가 무섭게 건널목을 건넙니다. 느닷없이 내리는 빗줄기에 목적 없는 발길조차 어디론가 무작정 바삐 걷기를 재촉합니다. 자연적인 반응의 움직임입니다.

의식적인 일이 아닌 상황이 그렇게 한 곳으로 소몰이 하듯 서둘러 몰려가는 것이지요, 소나기는 피하고 보자는 익숙한 본능적인 움직임, 삶이 그러하겠지요, 갖가지 주어지는 급변하는 주변 상황에 따라 반응하고 대처하며 위험으로부터 자신을 보호하고 지혜로운 삶의 균형을 유지합니다.

장맛비가 내리면 그 옛날 각인된 빗줄기 리듬에 오롯이 빠져듭니다. 초가 처마 끝을 타고 줄줄 흘러내리던 장마 빗줄기....봉당 끝 마당에 작은 분화구를 이루며 줄기차게 내리던 소낙비를 떠올립니다. 온갖 오물을 싣고 골을 타고 개골창을 지나 도랑을 따라 시냇가를 향하여 줄기차게 굽이칩니다. 너른 시냇가엔 무서울 정도로 닥치는 대로 휩쓸어 갑니다. 탁한 흙탕물에 숨쉬기가 버겁고 물살이 센 탓에 물고기들이 가장자리 풀섶에 몰려듭니다. 비안개 산허리에 걸리고 잠시 소강상태를 틈타 족대를 들고 개울가 고기잡이를 합니다. 한철 자란 미꾸라지가 기어코 생명줄 놓으며 기꺼이 먹이사슬에 걸려듭니다.

유일한 단백질 보충의 혁혁한 공신인 미꾸라지는 토속적 보양탕입니다. 풋고추와 마늘 몇 쪽을 썰어 넣고 밀가루와 막장을 풀어 넣으면 강원도식 매운탕이 완성됩니다. 시골 환경에 잘 맞는 자연에서 얻고 살뜰하게 장마철 우기를 슬기롭게 보내는 지혜는 오로지 경험에서 체득하는 삶의 방법입니다.

이론이 아니라 현실적 환경이 그렇게 진화하도록 이끌고 적응합니다. 수능에 안 나오는 문제 교과서가 가르쳐 주지 않는 삶의 일들이 너무나 많습니다. 그걸 깨닫는 방법은 환경에 속해 있거나 현실적 조건의 경험이나 체험할 수밖에 없습니다.

2013년 7월 9일

50대에 이르러

나이가 들어서 자신의 변화를 느끼지 못하면 주변 사람들로부터 외면받기 십상이다. 변화란 의미가 매우 긍정적인 변화라면 얼마나 좋겠는가? 존경받을 일이며 나이만큼 값진 일이기도 하다.

하지만 말하고자 하는 논점은 불행히도 나이가 들면 눈총받고 외면받기 딱 알맞은 부정적인 논리가 압도적이기 때문에 우려스럽다는 것이다. 나이가 들면 사고도 신선하지 않고 아랫사람에게 경험에 의한 고착된 생각을 강조하고 강요하는 일이 종종 발생한다.

행동도 느려지고 움직이기 싫어하게 된다. 대우받으려는 심리가 작용하고 고착화된 의식은 세상을 다 안다고 호언장담하기에 이른다. 세상은 변했는데 자신의 과거 경험으로 현실이 잘못되었다고 고집을 부린다. 당연 주변 사람들은 일고의 가치도 없이 점점 더 멀어져가고 종래엔 투명인간처럼 되는 위기 아닌 위기에 봉착하고 주변만 탓하기에 이른다. 그 놈의 쓸모없는 나잇살 튼실하게 먹어버린 옹고집은 그 어떤 창으로 깨버릴 수 없을 만큼 단단하고 견고한 철옹성이다. 그렇게 굳어진 의식은 오로지 자신만의 생각과 판단으로 질주하는 제어장치 없는 폭주 열차처럼 남은 생을 지배하기 일쑤다. 격리된 공간에 홀로 살면 그다지 문제가 되지는 않을 것이다.

그야말로 혼자 생각이니까....그러나 사회 조직 이를테면 직장에서 그런 사고와 편견으로 자신을 치켜세우고 뻣뻣하게 고집한다면 아무도 귀 기울여 주지 않을 뿐더러 일명 왕따 신세를 면치 못한다는 것이다.

나는 반면교사 경험을 통해 절실히 깨닫고 있으며 내 자신을 바라볼 수 있는 거울이 생겼다. 그런 말이 있다. 자신으로부터 주변 사람이 사라지고 없다면 그건 나에게 문제가 있으며 절대 스스로 혁신이 없다면 영원히 주변 상황은 좋아지지 않는다는 것이다. 유년의 왕따는 생각이 없는 아이들 행위에 불과하다고 면죄부가 가능하지만 성인이 되어 왕따라면 분명 자신의 잘못된 인간관계에서 오는 치명적인 결과라는 것이다. 이를 극복하려는 노력이 없거나 외면하면 자기 연민에 빠지며 홀로 살아가는 삶일 수밖에 없다는 것이다. 이는 관계의 단절이자 사람 사이의 끈을 이어주는 사랑을 잃는 결과다.

2012년 5월 15일

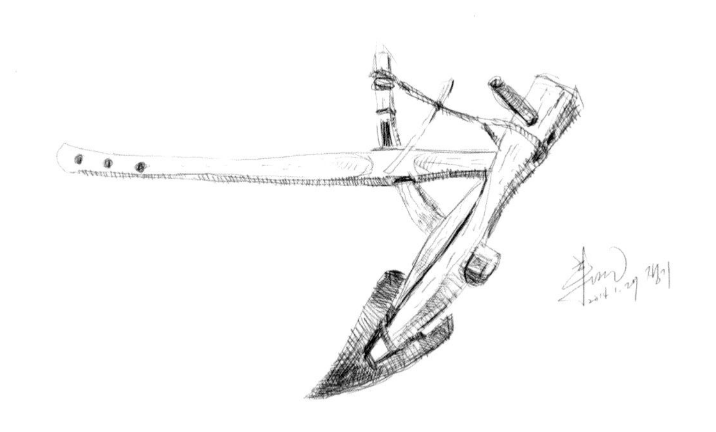

포천 아트밸리

포천 아트밸리 천주호를 다녀왔습니다.
거대한 호수와 기암절벽이 웅장하더군요. 저 멋진 풍광이 인위적으로 만들어진 곳이라니 믿기지 않네요. 1960년대 이후 서울 도심의 대표적인 관공서 건물 대부분이 저곳에서 캐낸 돌로 지었다는군요.

포천석은 재질이 단단한 화강암으로 석조 건물에 매우 적합하여 청와대 국회의사당 경찰청 대법원 인천공항 세종문화회관 등등 수도권 공공기관 건축물 자재로 쓰여졌다고 하네요.

쓰고 난 나머지는 언제나 볼품없고 방치되기 일쑤고 사람들의 기억에서 잊히게 마련이지요. 폐채석장으로 흉물스럽게 방치하다 포천시에서 2003년부터 환경 복원을 시작하여 문화와 예술의 관광지로 개발되어 포천의 명소로 탈바꿈한 멋진 곳이랍니다. 문화와 예술 자연환경 복원이란 거창한 슬로건으로 새롭게 변모한 멋진 경관이 수도권 시민의 발길을 잡아끌기에 충분했습니다.

샘물과 유수가 유입되어 최대 깊이 20여 미터 호수가 형성 되었다네요. 천연 1급수로 가재 버들치가 살고 비단잉어가 한가롭게 유영을 하고 있었습니다. 호수 위에 무대가 설치되어 있고 정기적으로 공연도 한다네요.

문화와 예술을 접목 자연을 복원한 놀라운 무한 상상력.....파괴와 훼손이 낳은 또 다른 위대한 걸작입니다.

2013년 5월 16일

양평군 양서면

한풀 꺾인 후줄근한 오후
졸졸졸 흐르는 골짜기 시냇물이 제법 시원했다.
하릴없이 서 있는 솟대 해 그림자 길게 드러누울 때,
구성지게 들려오던 뻐꾸기 울음소리, 아마도 숙명적인
은밀한 도둑 산란을 서두르며 조바심을 내는 소리였을까?

양서면 증동 골짜기에 그들은 그렇게 자연으로 돌아가려는
초대받지 않은 사람들과 어울려 불편한 동거를 하고 있을
것이다. 자연은 분명 누구의 것이 아닌데 인간은 줄을 그어놓고
자기네 땅이라고 우기며 주인 행세를 한다.

2000년 어느 날

절해고도 깎아지른 절벽의 <부탄 사원>

그림을 그린다는 것...........
사물에 대한 아름답다라는 생각이 늘 뇌리에 머문다.
그래서 그림을 그릴 수 있는 창조의 에너지가 꿈틀거린다.
손끝을 통해서 이뤄내는 작업은 때론 시간과의 소모전이다.
간단하게 일필휘지로 그려내는 선화와는 다르게 오밀조밀 사물에 대한 예리한 부분까지 들춰내어 그림으로 옮기는 작업은 인내와 에너지를 필요로 한다.

무엇이든 대가를 치르지 않으며 얻어지는 공짜는 없는 것이다.
작가의 의도에 따라 만들어진 그림은 그래서 이 세상에 하나밖에 없는 희소성에 가치가 있다. 그림을 그리며 적어도 그 순간만은 온갖 세속적인 유혹에서 벗어날 수 있었다.
몰입이라는 것 나는 매번 소중한 시간을 할애하면서 몰입이라는 마약에 젖어 몹시 흥분했었다. 광기에 빠져 잠시나마 고달픈 현실을 망각하는 도피 행각에 곧잘 허우적거렸다.
늘 현실과 타협이 부족했던 아웃사이더였기에 현실 도피는 어쩌면 내 운명일지도 모른다.

2009년 1월 17일 디지털 아트

하늘 맞닿은 수도원 마테오라

월악산 마애불상

흔히 전성기 또는 전근대적인 사고관념을 비꼬듯
언필칭 뇌까리는 언어가 있다. 이름하여 쌍팔년도...
이미 수십 년을 지난 낡은 구시대의 관념으로 치부하며
쉽게 팽개치는 언어의 난폭함은 아닐까 싶기도 하다.
그랬다. 나에게도 20여 년 전후 시점으로 여행 흔적을
남기기에 의욕적인 열정이 있었다. 보잘것없는 스케치
한점을 위하여 내면을 각인시키며 나를 대변하는 구실로
때론 허구로 가득한 동굴 속의 미로를 걷곤 했었다.
월악산 덕주사 마애불상 앞에서 주체할 수 없는 그 무엇에
이끌려 화룡점정을 찍지 못한 미완의 아쉬움이 과거로 남았다.
2003년 7월20일

너를 보낸다

능소화 피는 담장을 붉게 핥다.
꽃 잔치에 혼몽에 빠져들다
낙화에 실망하고 등 떼밀려
화려했던 봄날은 간다.

2004년 5월 4일

2013. 7. 30
능소화

해금강

동해의 물결에 수백 년 깎여 기암을 형성한
현무암 해금강, 금강산 관광 여행 필 코스로
실향민의 향수를 품고 북녘의 하늘 아래
도도한 의연함이 역사의 수레바퀴에 실려 있을 듯,

교류가 전무한 고립무원의 북녘 변방에 파도에
할퀸 애환이 그리웠을까? 거슬러 15년 전의 그 풍경을
한 장의 사진 속에서 베껴 내는데 마다하지 않았다.

2003년 7월 23일

1988연 6월 <해금강> 스케치북-색연필

강화 삼랑성

단군의 세 아들이 쌓았다고 전하는 강화도 삼랑성,
자연석으로 쌓은 석성 안에는 전등사가 있다.
초가을쯤이었던 것 같다.
수년 전 그 곳에 다녀오기를....

그리고 얼마 후, 하지 않으면 안 되는 의무처럼,
말초신경을 자극해 천박한 색조에 한눈을 팔았다.
지극히 자연적 현상은 나의 시각적 프리즘을 통하여
굴절된 화상으로 표출되었을지도 모를 일이다.

2003년 7월 25일

1988년 강화 전등사 <삼랑성>

가을 나목

그해 늦가을은
유난히 하늘도 붉게 물들었나보다.
조로병에 걸린 스산한 나목이 빨리
잎을 떨어뜨렸나 싶다.
내밀한 생의 함정에 빠져든 듯,
핏빛 절명의 가을의 빛은 빈들에 서서
허허로움이 봇물처럼 밀려들고
더는 희망이란 단어에 외면해 버리지나 않았을까?
그래도 허망한 공간을 향해
앙상한 나뭇가지 끝에 송곳날을 세우고
세상을 향한 애착이 눈물겹다 하리라,
너른 우주에 한 그루의 나무를 심고
새순이 돋아 잎이 푸르러 단념해 버린
희망이란 언어를 다시 찾기를 기대하면서....

양평 용문산 가다

접근금지...
선명한 붉은 줄 그어진 경고 팻말이
이완된 의식을 곧추세웠다.
익숙한 단어, 담벼락이나 전봇대에
온통 경고의 문구는 철조망 안으로 가둬
곳에 안주하기를 강요했다.

성역처럼 보이던 그곳에 더는 갈 수 없는
영역의 언저리에서 땀을 훔치며 언제나 그랬듯
선택받은 자, 선택받지 못한 자에서 후자에 서
있는 게 당연했던 피해의식은 더는 월장이나
탈출을 감행하지 못했다는 것...

일찍 찾아든 고산지대 무서리에 서둘러 옷 벗은
나무들, 고생한 것들이 일찍 철이 든다더니
비워냄으로 홀가분한 곱게 늙어가는 풍광을 보았으리.

그곳에는
신라 천 년 패망의 슬픔을 삭이며 금강산으로 가던
마의태자가 심었다는 전설을 잉태한 1100년 수령의
은행나무와 신라 신덕왕 2년(913)에 대경대사가
지었다는 용문사가 있다.

노란 모자이크 블록이 속절없이 조각조각 부서져
내리던 덩치 큰 은행나무 아래 빈들에 허허로움이
그해 가을의 서정으로...... 2003년 8월 15일

<용문산>

1986년 10월 26일

여백이 있어 첨언한다.
삽화의 진위는 나만 알고 있다.
진경산수도 아니다. 사실을 그대로 그린 사생화도 아니다.
다녀온 후 기억을 끄집어내 상상을 입힌 그 날의 느낌을 표현했다. 철조망 너머 조망했던 산꼭대기는 나의 왜곡된 프리즘의 시각과 두서없는 꿈속의 조각조각 상념의 편린이다.

용문산엔 용문사가 있고 랜드마크처럼 거대한 은행나무가 있다.
86년도 20대 청춘이 저곳에 있었다.
아픈 기억도 있다. 초가을이었고 은행 열매를 맨손으로 줍고 독이 올라 얼굴이 가려워 한동안 괴로움을 겪어야 했었다.

피서지에서 생긴 일(청평)

강여울에 풀리는 물비늘
햇살이 튕겨 반짝거렸다.
모래무지 피라미..그들 낙원에
초대받지 않은 불청객이 주인처럼 행세했다.

8월 폭염에 헐거워져 널브러진 망령들,
그림자 키우며 산등성이 너머 물들이던 황혼이
염을 짓고 이내 젖어든 칙칙한 어둠은 절망의 끝자락
켜켜이 쌓은 적막강산이었다.

한 줄기 빛, 가스등 불빛만 위태롭게 흔들리고
여울 따라 하구로 떠내려가던 하모니카 소리
그믐밤 음산한 머리칼 풀어놓던 고향집 앞 수양버들,
그 옛날 뇌살하듯 몽환에 젖던 나를 기억하겠지,

그해 여름은..
총각딱지가 훈장처럼 붙은 열혈남아,
이상과 낭만이 봇물처럼 팽창했었지,
역겨운 욕망의 반골기질이 기행을 부추겨
모노사이코드라마에 주역을 마다하지 못한
아웃사이더였다는 것,

팔월 휴가 청평에서

1988년 7월 30일

글은 88년도 피서지를 회상하며 2003년도에 썼다.
15년 정도 지난 기억을 떠올려 썼다는 의미다.
시공간을 넘나든 그림과 글이 지금 또 어떤 상상을 불러
일으킬까? 40년 지난 추억을 소환해 무얼 어쩌자는 얘긴가?
스스로에게 던지는 물음표에 방정식의 답을 놓고 고민했다.

순수 열혈남아에서 변절한지 오래된 늙은 여우의 냉소적인
변명의 반어법이었다. 던져놓고 정작 관조와 관망 방치하고
버려졌던 것들에 대한 배반의 시선이 뒤통수를 쳤다.
아! 나도 저런 짓을 저질렀구나, 지나고 보면 그게 죄었고
후회였다는 과거 흑역사에 어쩔 줄 모르며 당황했다.
지난 일들을 들춰내는 것 두려운 것임을 이제야 깨달았다.

치악산 돌탑

소슬한 가을바람 부는 산꼭대기
더는 타고 오를 곳 없는 꼭짓점,
허방으로 떨어지던 바람결,
탑돌 틈으로 들고 빠지며 휘파람소리를 냈다.

더는 오를 수 없다는 절망감이 아니라
도전을 감행 숨 막히는 오름, 그리고 정복...
압제의 틀에서 잉태한 이분법 의식은
승자와 패자의 구분이 명확했다.
적어도 그땐 정상의 도달을 정복이라 했다.

시대적 관념과 의식은 변한다.
산은 이제 엄연한 신성한 자연의 품으로
동시대를 사는 사람들의 지배와 피지배의
관계가 아닌 함께 호흡하는 산사람들의 동반자다.
무사안일을 비는 산신제를 올리며 신의를 표한다.

그해 치악산의 가을은 나를 미치게 했다.
나날이 틈이 벌어지던 가까이 하기엔 멀었던?..
속절없이 떨어지던 나뭇잎처럼 별리의 전주곡이
흐르는 광장에 단절의 의미를 새겨야 했었다.

2003년 어느 날 글을 썼다.

가을 치악산 돌탑을 상상하며

1987년
시간은 열정 사랑 감성마저 낡고 쇠락을 강요했다.
나날이 틈이 벌어지던 연인과의 간극은 수백 번 스파크에
접점이 닳아서 랑데뷰는 요원했다. 그리고 결별했다.

그림 속에 담긴 사연을 끌고 와 이제는 말할 수 있다
라고 속내를 까발리는 무언의 강요에 굴복했다.

팽팽한 긴장감과 아슬하게 외줄 타듯 위태롭던 날들이
켜켜이 쌓여 삶을 지탱하는 디딤돌로 놓여서 여기까지
데려왔다. 한눈팔면 빠지기 십상인 물가 징검다리를 건너며
의심을 눈초리로 직시했다. 그럼에도 불구하고 물에 빠지고
흙탕물도 뒤집어쓰고 오해와 반목이 점철된 길에 서 있다.
2022년 10월 2일 첨언하다.

부안 격포 채석강

날카로운 패각이 발바닥을 그어대던 채석강,
찰싹찰싹 바위를 때리던 해수음(海水音)과
하모니를 이루던 낡은 기타소리에 여름날의 추억은
서해 떨어지던 노을 한 자락에 붉은 비늘로 각인되었다.

해풍에 푸석한 이마를 훔치며 통통거리며 지나치던 목선이
퍽 낭만적이었던 격포 채석강의 신비는 중생대 백악기부터
시작되었다고 하였던가? 켜켜이 쌓인 석편이
수천 권 책을 쌓아 놓은 듯 하였으니 백면서생이
보았다면 무슨 생각을 했을까?

소리없이 밀려들던 해수면 위로 낮게 날던 갈매기
퇴적층 바위에 앉아 술잔을 비우며 시 한 수 읊조리는
어설픈 시인이 되기를 마다하지 않았다.
당나라 시인 이태백이 이곳에 앉아 술잔을 기울였다면
애석하게도 강물에 비친 달빛에 끌려 투신하지 않았을 것을....
<부안 격포 채석강> 1986년 8월 1일

<격포 해수욕장>

그해 8월은 숨 쉬는 것조차 힘들게 했고
작열하는 태양 아래 끈적끈적한 땀에 절은
감출 것이 많았던 베일을 훌훌 벗어 던지며
연초록 바다에 미련 없이 몸을 던졌다.

만조 때 밀물의 사랑놀이 도피처였던
시커먼 아가리를 쩍 벌린 해식동굴에
발가벗어 치부가 드러난 모습이 부끄러워
어둠의 자식들 박쥐처럼 스며들고 말았겠지,

오랫동안 괴질처럼 붙어 괴롭히던 습진이
거짓말처럼 씻겨 떨어져 나가고 등에 내리
쏘아대는 자외선 화살은 몹시도 따가웠다.
부시맨을 닮아가는 한여름 밤의 꿈은 검은빛
단색으로 뇌리를 휘감고 형용할 수 없는
형상에 쫓기며 공포에 떨었던 유년의 몽환처럼
허공을 향해 허우적거렸다.

2003년 9월 14일

1988년 <낙향>

낙향한 선비의 서툰 농사일이
절반의 수확이나마 행복한 포만에
젖을 수 있음을 감사할 줄 안다.

자연으로의 회귀를 재촉하는 말년의
호기는 고향에 돌아와 평온한 죽음을
맞이하는 연어의 귀소본능이나 다름없음이다.

나 돌아가리라--
되뇌며 향수에 젖어드는 저녁나절
서녘 노을 한 자락 새털구름 붉게 물들이면
안식의 하구로 떠내려가는 촘촘히 누벼 박은 삶의
조각들이 언제쯤 마을 앞 시냇가에 다다를까?

까만 물잠자리 꼬리치며 사랑을 나누고
은비늘 반짝이며 수면을 뛰어오르던 피라미 떼
미세한 파장의 원을 그리며 물 위를 유유자적하던 소금쟁이
여름 한나절 경단을 굴리며 지칠 줄 모르던 쇠똥구리
내 유년의 개울가 길동무였다.

퇴계원 가는 길

폭염에 후끈 달아오른 굽은 아스팔트 따라
포플러 나뭇잎 후줄근하게 늘어진 퇴계원 가는 길
낡은 차창이 요란하게 흔들리던 시내버스에 몸을 싣고
걸쭉한 입심 좋은 행상 아주머니의 투박한 언성이
그 옛날 5일장 보고 귀로에 오른 낯익은 이웃집
순이 어머니 목소리처럼 들려왔다.
부초처럼 떠다니기를...
타관 땅에 정 붙여 살기도 괜찮더라고
행상 아주머니 사투리에 낯설지 않았으리,

타이어 타는 냄새 코끝에 감기며 '끼익'
버스는 멈추고 쫓기듯 황급히 내려
개망초 흐드러진 개천 둑길을 걸었다.
그냥 그냥 아무 말 없이..
그리고 '뚝' 장승처럼 멈춰 섰다.
잘 배열된 톱날 같은 잡풀이 생머리 풀어놓듯,
제 키만큼 수면에 띄워놓고 시선을 붙잡았다.
1986년 8월 12일

<황혼녘 바다>

분노의 바다
포세이돈 불만에 등 떼밀려
만선의 꿈을 접고 소외감이 밀려든
휘청거리는 오후, 늙은 어부의 회항일까?

풍전등화 같은 위태로운 삶의 고집을 꺾지 못한
어부의 등 뒤로 비늘 같은 새털구름 삶의 고갯길
능선에 쉼을 배려한 안온한 융단이었으면...

소금기 배인 후줄근하게 닳아버린 소매 끝
척박한 손길로 헤진 그물을 깁고 장승처럼
어둔 그림자 길게 누운 등대에 불 켜지면
비린내 물씬 감겨오는 작은 어촌 마을에
탁주 한잔에 휘적이는 어부들이 안식을 찾는다.
2003년 12월 22일

잠자리

더위에 지쳐 잠자리도 쉬어가는 8월의 한 낮,
말뚝에 앉아 망중한을 즐기는 잠자리 한 마리
팔월은 바람도 쉬이 불지 않는다.

2006년 8월 13일

가을

계절마다 다가오는 자연의 풍경이나 변화한 색채에 대한 느낌이 다르다. 봄은 역동적이며 화려하다. 여름은 온통 푸르다. 마음이 자연 편안해지고 느끼는 감정도 순수해진다. 가을은 쓸쓸하다. 모든 게 스러지고 허허롭다. 빈들에 선 느낌이란 마치 황혼을 맞이하는 노년의 심정이겠다. 겨울은 꽝꽝 얼어버린 침묵의 시간이다. 움츠러들고 자꾸만 안으로 안으로 숨어든다.

계절은 적절한 율동이다. 활기와 잔잔한 흐름, 결실과 침묵의 시간으로...번갈아 이어지는 흥망성쇠와 같은 지극히 자연스러운 자연의 섭리이자 깨달음이겠다. 쓸쓸한 나목이 부산스러운 가을 풍경이 내 마음 같아 애인 같은 계절이다. 어쩌면 그림을 그릴 때 더욱 섬세하고 확연한 선이 뇌리를 휘감는다.
가을의 풍경은 그래서 좋다. 쓸쓸함에 대한 애착 연민 우울...뭐 이런 따위에 정신을 팔 여유가 없지만 가을은 감정의 깊은 골까지 후벼파는 날카로운 송곳날을 가지고 있다.

자학적인 상처를 스스로 내면서 카타르시를 느끼는 악마의 이중성을 내포하고 있다. 단순 명료하지 않은 인간의 다양한 사고의 편린은 한 사람의 의식이나 상상만으로 판단할 수 없다.

2009년 1월 17일

2014년 7월 27일 석산리 가을

Winter Wanderer
ArtRage picture

곧 가을이 오겠지....석산리에도,
끈적한 폭염에 지쳐 아직 잠든 섣부른 석산리 가을을 깨웁니다. 가을바람 불어와 우수수 추풍낙엽이 수북이 쌓입니다. 한철 자란 메기가 두개의 촉수를 세우고 짝짓기를 서두릅니다.

훌훌 벗고 숨고르기에 들어간 대자연의 술렁거림이 잦아들 무렵, 석산리엔 또 어떤 옷으로 갈아입을지 한 번 더 관대한 시선으로 바라보며 몰입에 빠져든다면 기꺼이 놀기를 포기하지 않겠지요. 잎 떨어진 나목 사이로 바람이 윙윙 고함을 지를 때

먼발치 들녘에 서서 관조와 방관 그리고 얼마 후 내가 할 수 있는 그 무엇을 향한 의미를 형상화하는데 한 걸음 내딛고 비로소 게으름에 빠진 녹슨 자아를 거울 앞에 놓고 페인트를 칠하고 윤색을 하고 있겠지요.

석산리 또 다른 시선……

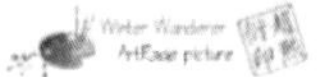

보폭을 옮겨 돌다리를 건너 변하지 않은 좌표 지점에 미쳐 깨닫지 못한 숨긴 비경을 발견합니다. 망각이 아닌 착시와 예측이 빗나간 오밀조밀한 구도에 손끝이 후끈 달아오릅니다.

익숙한 몰입의 마약이 약효가 떨어져 더는 감탄사의
물음표를 내 안에 없을 것 같았던 무딘 촉수를 툭 건드려 봅니다.

느린 달팽이의 포행도 가야 할 곳을 향한 꿋꿋하게 진행을
포기하지 않는데 왜이리 심란한 자학을 견고한 고리에 묶고
헉헉거리는지 모를 일입니다.

2014년 7월 26일 석산리 여름

바라기 멈춘 고개 숙인 해바라기...

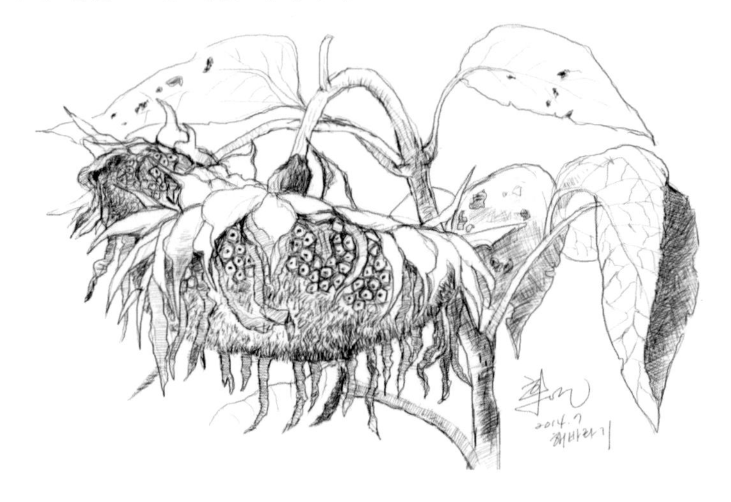

빳빳했던 꽃잎이 후줄근하게 축 늘어졌습니다. 마치 권력을 잃은 초라한 실권자(失)의 모습을 떠올립니다.

겸손의 미덕을 보이는 형상보다 등 떠밀리는 초췌함이 더 짙게 깔리는 느낌은 어떤 의미일까요,

달이 차면 기우는 의미일까요? 자연의 모든 피조물은 그 어떤 것도 영원하지 않은 생성과 소멸이 필연이라는 것,

하지만 화려한 것 멋을 잃은 만큼 외형은 초라하지만 깨달음이 내면 깊숙이 들어와 꽉 찬 알맹이를 품었습니다.

2014년 7월 12일

까치밥

초겨울 찬바람이 분다. 구름 한 점 없이 하늘이 맑다.
구름이 얼어 중력 이동에 의해 천공에서 사라졌나보다.
한신 아파트 마스코트 휴프러스 의미처럼 긴 휴식에
들어갔나보다.

철 지난 감나무엔 늦가을 남겨둔 까치밥이 왜소하다.
정작 맹금류도 두려워하는 포악한 까치는 언제부터인가
보이질 않는다. 대신 텃새인 참새와 알수 없는 조류가
서리맞은 감을 쪼아먹는다.

매서운 추위는 겨울새조차 힘겨운 계절이다.
달콤한 연질의 홍시가 혹독한 겨울 생존의 식량이리라.
매일 출근과 퇴근을 하면서 괜한 욕심을 부렸던 지난 가을이다.
붉게 익는 저 감이 누구의 것일까? 아파트 주민 누가 따 먹어도
되는 공동의 주인일까?

어느 날 경비 아저씨들이 모여 사다리를 놓고 감을 따고 있었다. 부녀회장인지 아니면 주민인지 모르지만 마대자루 곁을 지키며 감시하는듯 보였다.

아마도 누군가의 몫이라고 생각했다. 공동주택의 살림은 아파트 주민의 것은 분명하지만 내것은 아니라는데 암묵적인 인식이다. 부당함을 너머 마땅히 모호한 경계....그리고 누군가 사적인 이익을 편취하는 일이 불편한 진실이다.

마트에 가면 손쉽게 살 수 있지만 훔친 사과가 맛있다는 속설처럼 아슬한 감정의 기복을 추스르며 손에 넣은 획득에 대한 짜릿한 느낌은 사뭇 다름을 경험했을 것이다. 혹독한 겨울을 나는 새들을 위해 남겨놓은 저 마지막 홍시의 처연함이 나눔의 발로였는지는 모른다.

꽁꽁 얼어버린 동토에 목숨 부지할 먹이를 찾아 날아든 조류의 절박한 생존 본능은 쓰고 남은 인간의 잉여를 탐이 아니라 오늘을 지탱할 생명줄이기 때문이리라, 주위를 살피며 조심스럽게 쪼아대는 그들의 나지막한 움직임이 다가올 더 큰 시련의 두려움보다 오늘을 견디어내는 일이 꺼지지 않는 불씨처럼 마지막 또 하루의 몫이리라,

2014년 12월 9일

박주가리

박주가리를 아시나요?
시골에 가면 밭둑에 홀로서 있는 대추나무가 외로워 보여서인지 박주가리 덩쿨이 구애를 하는 모습을 보곤 합니다.

여름날 푸른색에서 늦가을 누런색으로 변한 박주가리 꼬투리 안엔 베일속에 감춘 신비주의가 있을법 합니다.

겉 모습은 초라한데 길죽한 타원형의 꼬투리를 벌려보면 놀랍게도 비단결 하얀 솜털이 짙은 갈색 씨앗을 품고 있습니다.

번식을 위해 대기중인 박주가리 낙하산 부대입니다. 꼬투리를 벌려 입김을 훅 불어 넣으면 마치 고공 낙하하는 낙하산 부대를

연상하듯 미풍에도 우아하게 천공을 향해 멀리 날아갑니다.

2014년 1월 15일

갯바위

갯바위엔 밀려와 부딪힌 파도가 속절없이 부서져 내립니다.
채 아물기 전 밀려든 구애의 끝을 모르는 집요한 파도의
열정이 새파랗게 멍이들어 버렸습니다.

2013년 8월 15일

해바라기

해바라기 피는 칠월은 삼킬듯 이글거립니다.
팔구월이 제철인데 기온 탓인지 해바라긴 칠월에도 꿋꿋히 서서 바라기에 지칠줄 모릅니다.

예전엔 그랬겠지요. 제철에 불끈 힘을 주고 솟아올랐는데 이젠 그럴 기다림 없이 나 오늘 훌훌 털고 일어나 뛰쳐나가도 되는 세상이 펼쳐져 있어 어색하지 않아요. 초자연 접속 완충된 광합성 알알이 화석이 되어 태양을 향한 그리움의 화신이 되었습니다.

배신의 쓴잔을 엎어버리고 오로지 너를 향한 해바라기에 충절을 흩뿌립니다. 오 나의 사랑. 압셍트에 취한 고흐의 영혼을 가져간 노랑이 짙어 붉은 해바라기.......

기온이 오른 탓인지 때 이른 해바라기 길가에 우뚝 서서 보초를 서고 있습니다. 가을에 피는 코스모스도 서둘러 피어 나를 '데려가 주세요' 눈깃을 흘깁니다.

경계가 모호해진 계절의 창 너머 수군거림이 귓속을 간지릅니다.
농익은 팔월이 제집찾기 망설이다 어색한 조우를 하겠네요,
무겁고 진득한 습도와 지열을 뽑아 올려 대지를 핥는 저
육중한 발자국,

너의 힘으로 파고들 수 없는 그늘에 상처 입고 줄기차게 내리는 장맛비에 씻겨 네 흔적은 곧 사(死)하리라,

2014년 7월 12일

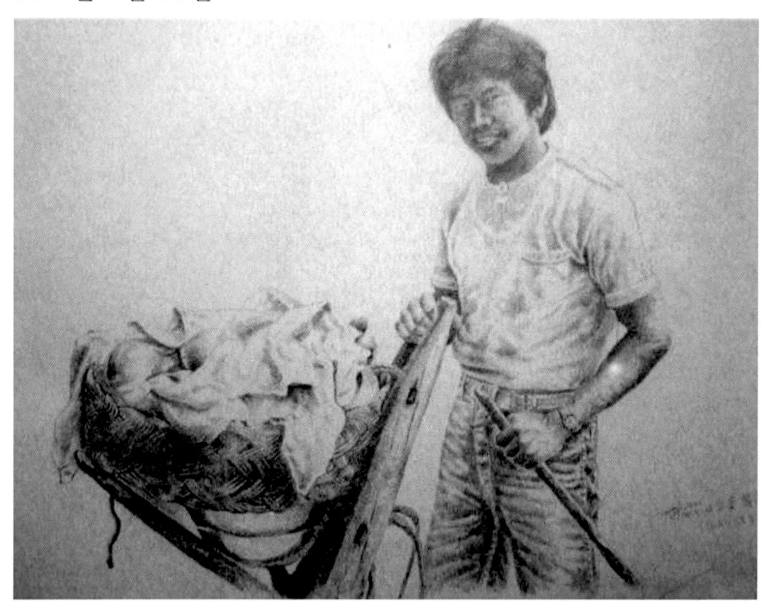

목련

하얀 목련이 폈습니다.
우아한 학의 날갯짓을 닮았습니다.

자연애, 고귀함... 그런 꽃말이 검색되는군요,
목련꽃 화사함, 가벼이 얕잡아 볼 수 없는 기품이 있습니다.
범접하기 쉽지 않은 고결함이 시야를 압도합니다.

목련이 피기 전 솟아오른 꽃봉오리가 붓을 닮아 목필(木筆)이라고 하고 꽃눈 상단이 북쪽을 향해 살짝 휘어져 북향화라고 불린다고도 하네요

2013년 5월 20일

호랑나비

봄은 가고 여름으로 넘어갑니다.
꽃이 지고 있네요, 봄의 전령 나비가 못내 아쉬워 합니다.
호랑나비의 날갯짓이 힘찹니디다. 시골 담장 밑에 피던 온갖
봄꽃엔 호랑나비가 참 많이 날아들곤 했는데.....

도심에 살다보니 나비를 좀처럼 볼 수 없습니다. 나비는 지구상
곤충들 중에 가장 탁월한 미인에 속하지 않나 싶습니다.
미인의 기준이 완벽한 대칭이라더군요, 나비의 날개는 신이 만든
최고의 완벽 대칭이 아닐는지요,

나비를 볼 때마다 대칭의 화려한 무늬가 항상 떠오릅니다.
나비의 변천 과정을 보면 미녀와 야수처럼 마법에 걸린 흉측한
애벌레가 화려하게 부활하는 신의 장난 같습니다.
혐오스런 애벌레가 나뭇잎 그늘에 가려 숨죽여 지내다 어느 날
마법이 풀리듯 화려한 비상을 하는 우화등선(羽化登仙) 과정을
보면 문득 그런 생각이 드는군요,

늦겨울

늦가을 타작이 끝나고 망중한 어둔 밤 솔향 그윽했던
광솔(관솔) 횃불을 들고 밤 고기를 뜨던 시냇가의 정경이
그립습니다.

응달말 채 녹지 않은 눈이 하얗게 눈부십니다.
남빛 개울물 흐르는 시내엔 패잔병처럼 어지럽게 흩어진
큰 돌 작은 돌이 기지개를 켭니다.

개울가엔 불어난 장맛비에도 끄떡없이 견딘 그해 목숨줄
놓은 해묵은 갈 숲이 시나브로 정겹습니다.

2011년 4월 11일

봄이 오는 길목에 서서....

숨쉬기조차 버거웠던 언 땅속에서 그해 겨울을 보낸 긴 한숨의 기다림 풀리지 않을 것 같았던 발목 잡았던 족쇄가 스르르 속절없이 풀립니다.

볕이 들지 않은 음습한 골짜기 해빙의 무드 춘풍 교향악이 동면을 깨웁니다. 잎보다 먼저 피는 꽃들의 향연 밝고 화사한 환희의 축제입니다. 해방.....그리고 자유....아마도 그런 의미를 지닌 어둠을 지난 환한 아침입니다.

2011년 3월 27일

마을 길

실개천이 흐릅니다.
개천을 따라 마을 길이 늘어졌습니다.
처음엔 지금처럼 넓지 않아도 되는 좁은 길이었습니다.
사람이 왕래하며 부딪히지 않을 정도 길이어도 괜찮았습니다.
지게를 지고 자전거를 타고 손수레를 끌고 다니기엔 좁아 조금 넓혔습니다.농삿일이 인력에서 기계화되니 경운기가 다녀야 하고 그에 맞게 또 넓혔습니다. 먹고 살만하니까 자동차가 멋지게 등장했습니다. 또 넓혀줘야 폼이 나지 않겠습니까?
느린 경운기가 달릴 땐 몰랐는데 자동차가 달리니까 덜컹거리고 흙먼지가 풀풀 날려 견딜 수가 없었습니다.

이참에 길도 더 넓히고 요즘 몸값 제대로 하는 귀한 기름 찌꺼기로 만든 멋스런 아스팔트를 깔았습니다.

흙먼지도 안 일어나고 비가 와도 질척이지 않으며 언제나 오래도록 견고한 평평한 길이 되었습니다. 좀더 편리하게 좀 더 편하게 진화를 했습니다. 세상은 점점 더 살기 좋아졌습니다.

세월이 많이 흐른 지금 지게를 지고 손수레를 끌던 마을 길을 처음 만든 사람들은 하나둘 떠나고 없습니다.

내 삶의 가장 젊은 날 오늘이지만 세상이 변한만큼 삶의 무게는 헛헛하고 바람든 수수깡처럼 가벼워졌습니다.

아주 아주 더 오래된 미래에 오늘은 새털보다 더 가벼운 하얀 영혼만 나부끼다 속절없이 떠나갈 겁니다.

그게 우리의 피해갈 수 없는 과정이자 삶이며 인생입니다.

2011년 3월 11일

대둔산

골짜기를 훑고 하강하는 가을 바람에 붉게 익던 대둔산 단풍 절정입니다. 햇살 내리 꽂히는 양지바른 곳에 놓아둔 정신을 미처 거두지 못한 체 귀가길 채근했던 그해 가을은 누울때마다 천정에 아른거리는 대둔산 풍경에 푹 빠졌었습니다.

잊을만 하면 떠오르는 가을날 곱던 기억은 지금도 잊히지 않은 지난 추억속의 그리움입니다. 삶이 세풍에 닳아 후줄근해질때면 혼을 빼 놓을만큼 정신이 혼미했던 즐거웠던 기억을 떠올리며 다시금 의식을 곧추세웁니다.

2011년 2월 12일

가을 들녘

황금빛 들녘......고개숙인 겸손의 미덕을 보이는 가을 들녘입니다. 느티나무 아래엔 오후 한나절 농삿일에 지친 농부가 몸을 뉘이며 오수에 젖습니다. 그리고 곧 풍성한 수확을 떠올리며 흐뭇한 포만에 젖을 겁니다.

마른 풀섶 이리저리 스러진 논두렁 길따라 메뚜기 짝짓기에 하루 해가 저뭅니다. 석양이 붉게 물드는군요. 낙조.....농익었습니다.붉은 눈물을 뚝뚝 떨어뜨립니다. 밤이슬 내리는 달밤엔 외기러기 고향으로 가는 은하 기차에 몸을 싣겠네요.

2011년 2월 6일

눈이 왔어요

눈이 왔어요 산에도 들에도.....
산등성이 너머 웅크린 서너채 초가엔
구들장을 달구는 아궁이에 마른 장작불이 활활타고
해빙기 봄을 기다리며 척박한 농부의 삶이 깊은 동면에 빠집니다. 울울창창 겨울숲엔 매서운 바람이 윙윙 고함을 지릅니다.
한겨울 바람 보초선 문풍지가 울다지쳐 목이 쉬었습니다.
저 드넓은 하얀 화선지에 누가 먼저 낙서를 해 놓을지 궁금합니다. 탐하고 훔치는 염치없는 도둑이 흔적을 남깁니다.
지난밤 몰래 다녀간 족제비 발자국 선명하게 찍힌 새벽
밤새 두려움에 떤 장닭이 힘차게 새벽잠을 깨웁니다.
연륜이 깊어 휜 허리 허연 수염이 백발인 할배 기침소리
연골이 닳아빠진 뼈마디가 우드득 바람든 늑골이 헛헛합니다.

마을

Winter Wanderer
ArtRage picture

저녁 연기 물씬 풍기는 어느 가을녘 오후의 정경입니다.
척박한 자연 환경이 연출해 내는 영화같은 아릿한 추억의 한컷
입니다. 낫처럼 휘어진 좁다란 길을 따라 등하교를 하던 노란
뱃지에 검은 옷을 입은 까까머리 중학생의 지난 추억입니다.
저녁 연기 피어오르던 반가운 집이 보이던 산등성이 고개
마루턱에 서서 꿈을 가졌던 일들이 스쳐갑니다.
그시절 신작로엔 흙먼치 풀풀 날리며 달리던 군용 차량이
거대한 문명의 위용처럼 느껴졌던 지날 세월입니다.
까마득히 멀어져간 가물가물한 그 기억속으로부터 숨가쁘게
달려온 오늘은 살림살이 좀 나아졌다고 하는데 왜 이리
불안한지 모를 일입니다. 2011년 3월

눈내린 산촌

하얗게 덮었습니다.
사방을 둘러봐도 길이 없습니다.
고립무원.....그렇지만 걱정하지 않습니다.
여름 내내 열심히 노동을 하고 가을에 거둔 결실이 곳간에
가득하고 겨우내 일용할 양식이 풍족해 삭풍이 그저 지나가는
바람일뿐입니다. 오히려 편안한 영혼의 안식을 가져다 줍니다.
거추장스런 혼잡을 피해 밤의 정적과 아침 고요를 맞이하며
짧은 낮도 길고 긴 동짓달 깊은 밤도 서럽지 않은 그리움입니다.
쉬이 사그러들지 않는 사랑방 화롯불에 감자 고구마 익고
농익은 달콤한 향기 온 방안 가득합니다.

2011년 3월

고향집

Winter Wanderer
ArtRage picture

그리운 고향....20여 년 전 그해 가을 추석 명절 풍경이다.
세월이 흐른 만큼 고향집도 변했고 어느 날 담배 건조실이 사라졌다. 쓸모가 불분명했던 건조실은 풍마우세에 닳고 닳아 쓰러지기 직전 철거를 했다. 영원한 것은 없다는 진리를 말해주듯 과거와 함께 사라지고 잊히는 게 당연할 것이다. 사랑채에 계시던 할머니께서 세상을 뜨시고 지금은 어머니께서 그 자리를 지키신다. 아버지께서도 이태 전 돌연 세상을 등지셨다. 떠난 자리엔 갈무리하듯 다시금 새 생명이 탄생한다. 장손이 반쪽을 찾고 아이를 낳아 잃은 만큼 얻었다. 두 분이 비운 자리에 며느리와 아이 둘이 식구가 되었다. 떠난 자리에 다시금 채워지고 비운만큼 담기는 자연의 이치다. 먼 훗날 오늘보다 더 오래된 날, 다시 기억할 수 있기를 소망하면서....? 2011년 그리고 썼다

남한산성

색채에 숨긴 본질을 아는 사람은 나 한 사람뿐일 것이다.
역사적 비극에 동참하고 감행한 숨겨진 사실을 알고 있는
진범이자 공범자 그림 속에 감춰진 퍼즐을 맞추며 가물가물한
그때를 기억해 낸다. 나만이 알고 있는 진실........!

2009년 3월

오래된 흑백 필름(소묘)

기억속에 박제된 오래된 흑백 필름, 속절없이 훌쩍 떠나온 옛 일인 것을....세월은 갔어도 기억은 남는 것, 사알짝 꺼내보는 켜켜이 쌓인 옛 추억의 편린이 시선을 멈추게 한다.

순수했던 옛 시절은 가고 단물 빠진 헛헛한 초상이 거울 앞에서 있다. 순수는 잃고 굴절된 프리즘에 익숙해진 알 것을 너무 쓸어담은 오만의 낡은 자루, 세상을 향한 냉소적인 비판에 길들어지고 가벼운 종잇장도 벨 칼날만 세웠다.

저 침묵하지 못하는 불평과 불만의 가벼운 입을 어찌할까?
화장기 없었던 초년생의 순수는 떠나고 좀처럼 몰입은 이제 내게 미련을 접었다. 가끔씩 끊어질 듯 끊어진 듯 미세한 신호를 보내더니 어느 날 뚝 끊어졌다. 2009년 3월

자목련

자목련을 그렸습니다.
백목련은 사대부 귀부인 품격을 보는 듯 하고
자목련은 색동 한복을 입은 황진이의 화려한 예능의 갖춤을 보는 듯 합니다. 붉은 자주색 자목련은 살짝 건드리면 관능을 자극하고 취할 것 같습니다.

백목련 그늘 아래에선 격조 높은 차 한 잔을……
자목련 아래에선 꽃잎 하나 띄운 시름 잊을 술 한 잔을……

분명 같은 목련이지만 색깔 속에 감춰진 비밀이 따로 있을 법합니다. 시각의 차이….. 보는이의 각도에 따라 다르게 느끼는 감성입니다.

2013년 5월 21일 자목련

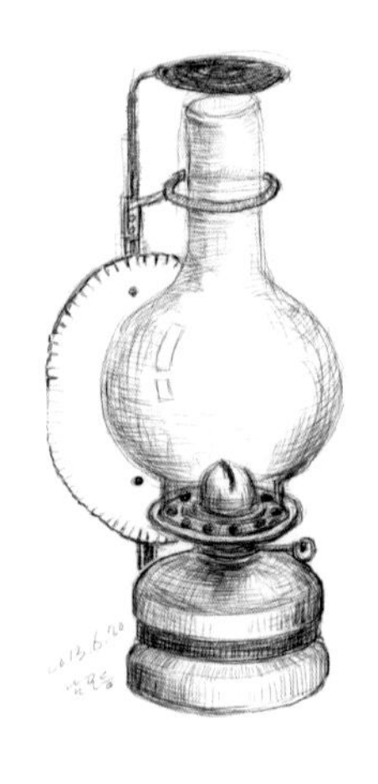

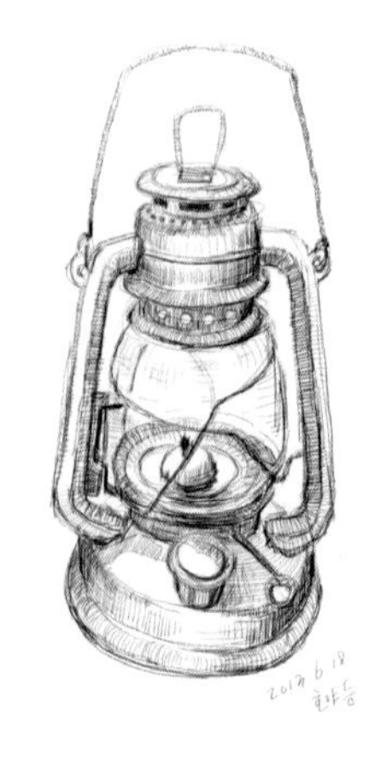

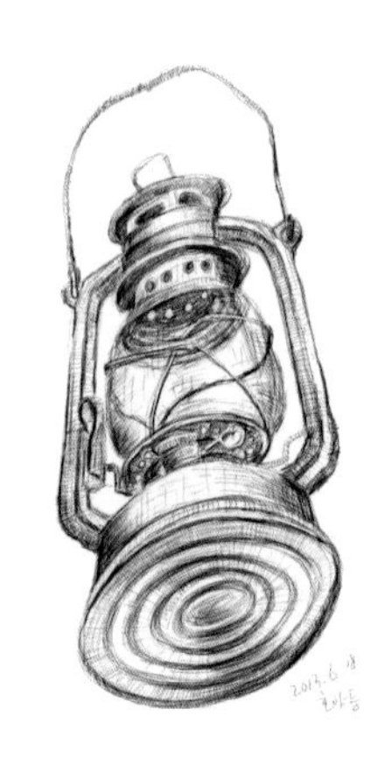

<추억의 남포등>

바람벽 기둥에 위태롭게 걸린 녹슨 남포등
가을 바람결 요동치던 화가난 불꽃 향연은
불밝혀 어둠을 걷어낸 실낱같은 생명의 끈이였을겨

검은 베일을 벗은 날카로운 호야에 손끝을 베에
핏방울조차 아려오는데 어그제 떠나간 망자의 무덤같은
둥근 호야를 품고 완충된 빛이 은혜로왔던 남포등

전장의 자욱한 포연으로 얼룩진 그을음마져
향수의 자잘한 부스러기였어

2020년 10월

지은이의 말

골방에 오랫동안 방치된 그 날 그 날의 흔적들을 들춰내 좌판에 펼쳐 보자고 했다. 아주 오래된 골동품은 아니더라도 손때가 묻은 몇 십년 것들이어서 손 볼 때가 많다고 생각했다. 먼지를 털어내고 흠집은 메우고 깨진 부분은 접착제로 붙이고 녹슨 부분은 광약으로 윤색을 해야 하지 않나 싶었다.

꺼내 보니 초라했다.
저것들을 그땐 아주 정성스럽게 어루만지며 좋아라 했던 것들인데 들여다보니 서툰 초벌구이 도자기처럼 엉망이었다. 저걸 어떻게 손질하고 다시 구워볼까? 아니면 포장이라도 멋지게 해서 선보일까? 온통 어떡하든 잘 닦고 문질러 새것처럼 해보려고 이리저리 애쓰며 궁리를 했다.

햇빛 따사로운 평상에 올려놓고 흥얼거리며 열심히 닦고 먼지를 털어냈다. 요즘 유행하는 화려한 장식도 요기에 달아볼까? 저기에 붙여볼까? 요것 떼어내면 보기 좋겠네, 지나던 선인이 깜짝 놀라며 건드리지 말라며 소리쳤다. '노텃치! 손대지마!' 놀라서 털썩 주저앉았다. 내가 뭘 잘못했나? 뭐지?....

어떤 분야든 전문가가 있다. 전문가는 한눈에 진품 가품을 판별한다. 전문가의 눈에 위험천만한 행위라는 것을 잘 알기에 적극 손사래를 친 것이다. 골동품은 덧칠하거나 흠집을 건드리면 원형이 변형되어 가치를 상실한다. 진품이 가품으로 전락하고 진가를 잃어 버린단다. 절대 손을 대면 안 되는 이유다. 나는 그걸 깨닫지 못했다. 그냥 녹을 닦고 페인트 칠을 잘하면 되는 줄 알았다. 손을 대면 그 물건은 그때의 것이 아니라 변형된 지금의 모습이며 원본의 가치가 떨어지고 진솔한 그날의 흔적이 훼손된다는 의미다. 그걸 좋은 작품이라고 할 수 없다는 것이다.

아차! 내가 실수를 했구나, 깨달았다. 오랫동안 살아오면서 세상살이 또는 사물에 대한 부분에 잘 알고 있다고 생각했는데 미처 깨닫지 못한 일들이 환갑에 이른 나이에도 아직도 배울 게 많구나 탄식했다. 하나의 작품이 탄생 되고 후일 그걸 평가하고 감동하는 것은 보는 사람의 몫이라는 것을 잊고 있었다. 지탄을 받든 혹평을 하든 그건 작가의 몫이 아니라 골동품 애호가 또는 독자의 느낌과 판단이며 역할이라는 것이다. 그래서 수백 년 고택이 보존되었고 수천 년 보물이 박물관에 소장되어 있음을 깨달았다. 살살 다뤄 가볍게 먼지만 털어내고 원형 그대로 진열대에 올려놓기로 했다.

저게 뭐야? 저 것도 작품이야? 저게 작품이면 나도 만들겠다.
요즘은 개나 소나 막 써대면 다 작가래.. 생각없이 지나치던 사람이 툭 던지는 말도 있을법하다. 깊은 생각을 가진 사람은 그 시절 그랬지 저 땐 저걸 만든 사람의 생각과 감성이 저랬구나
그리고 자신이 걸아온 지난 삶과 대입하며 자아성찰의 계기가 되기도 할 것이다.

어느 날은 밤새워 작업을 해서 쓰다듬으며 흐뭇하게 작품을 바라보며 뿌듯한 모르핀 한 방 맞은듯 충만했었던 그날의 감성이 녹아든 시공간에 박재된 것, 이리저리 다듬어 어렴풋 형상이 만들어지고 완성 후에 벅찬 감정은 다시 농사를 지어야 하는 사명감이 주어졌고 다시금 의식과 손끝을 자극하는 실천의 원동력이 되었을 것이다. 그리고 그 행위에 중독되어 삶의 일터에서 벗어나 잠시 쉬고 있을 때 은밀한 상념의 문을 열고 구부정한 허리와 등굽

은 선천성을 끌어안고 조현병 걸린 환자처럼 허공을 향해 중얼거리며 스스로 내면을 들춰내곤 했을 것이다.

지난 과거의 행적은 빛과 어둠이 공존하는 공과의 행로다
비 오는 듯이 지글거리며 상영되던 낡은 흑백 필름의 영상을 보듯 지난날을 회상하며 감상에 젖어보는 계기가 되면 어떨까? 싶은 생각이다. 지나간 일들은 누구에게나 아쉽고 아릿한 감성의 장면들로 심연에 녹아들듯이 즐거웠던 일 슬펐던 일 괴로웠던 일들을 소환하여 향수를 그려보는 의미 있는 느낌이면 족하겠다.

원고지에 글을 쓰고 탈고를 하고 출판사를 찾아다니며 발품을 팔고 읍소를 하며 책을 내야 했던 느리고 까다롭고 특별한 그들만의 리그인 높은 담벼락처럼 느껴졌던 출판 세계를 아예 거들떠보지도 않았고 관심도 기울이지 않았다. 하드웨어 기능이 소프트웨어로 대체되고 시간을 단축하고 효율적인 빠른 시대의 디지털 시스템은 다양성과 개방의 극대화한 커뮤니케이션 혁명이 도래하여 높은 사다리 꼭대기에서 제왕처럼 군림했던 출판이 이젠 누구나 원하면 가능한 시대가 도래했다.

특별한 세계에서 평범함으로 전향하고 어둔 낮은 곳까지 빛이 드는 시대적 변천사에 동승하며 애초에 목표도 아니었고 살다 보니 어떤 연유나 이유에서든 저에게도 생각지도 않은 일이 주어져 지난날 감성이 녹아든 흩어진 상념의 편린을 한데 모아 책으로 출간하게 되었다. 선택을 바랄 이유도 없고 그냥 개인적 소시민의 일상을 기록한 것뿐이며 뭐 값나가는 물건이라고 있을까? 기대하고 열어보면 실망이 클 것이다. 이런 사람도 있구나 이런 글도 있구나 가벼운 산책길 나서는 심정으로 수많은 들풀, 들꽃을 바라보는 심정으로 책갈피를 넘기면 문득 독자의 삶의 한켠 맞아 떨어

지는 감성이 있을 법도 하겠다 ,

그럼에도 불구하고 글을 쓴다는 것은 곧 언어이기도 하고 말은 곧 시기와 상황에 따라 구설이 되기도 하고 한 사람의 품격 내지는 편견의 대상이 되기도 한다. 말 한마디에 천 냥 빚을 갚기도 하지만 오해든 해석의 차이든 저자의 의지를 벗어난 천 냥 빚을 지게 되는 살짝 스치기만 해도 위험한 날 선 비수와 같다는 생각이다.

아무것도 하지 않으면 아무 일도 일어나지 않는다는 무념과 침묵, 흔적 없이 사라져가고 아무도 기억해 주지 않아도 되는, 묘비명에 '괜히 왔다 간다' 고 쓴 걸레스님 중광의 허튼소리조차 세인의 입에 오르내리는 평범함을 너머 수군거리는 소리가 귓속을 간지르는 말 많은 세상사에 툭 던져놓은 골방의 외침이 낯 뜨겁다며 아우성이다.

문밖 나서기를 두려움과 소극적인 겉늙은 아이의 손을 애써 잡아끌고 기어코 세상 밖으로 등 떠밀어 정오의 선 굵은 뜨거운 햇빛을 받아 광합성 융합을 도와준 형제이자 멘토이며 감히 문우라는 언어로 독려하고 이끌어 준 담우님의 성정에 감사를 표합니다.

2024년 1월에 소시민의 소탈한 이야기를 잉태한
한 권의 책을 출간하며....   ..

唱準의 글-엮은이의 말

이 책을 내기 위해 일일이 글을 읽으면서 편집하는 동안, 출판을 주저하던 저자 때문에 포기했더라면 두고두고 아쉬워했을 것이다. 여기에 실린 글들은 그냥 객기로 쓴 가벼운 내용들이 아니었다. 읽을수록 빠져드는 논리와 감성이 한 시대의 풍부한 정서를 세월의 길이만큼 굽이굽이 담고 있었다.

제1화 회상에서는 저자의 유년 시절과 강원도 홍천 남면 화전리에서의 성장 과정에서 있었던 기억 들을 섬세하고 정감 어린 시선으로 세세히 그려내고 있다. 저자와 형제지간이어서 그 감성의 황톳길을 함께 걸을 수 있었고, 공감의 길섶에서 꽃과 나무, 풀벌레를 발견할 수 있었다.

제2화 단상/논설 편에서는 저자의 사물에 대한, 혹은 일상에서 보고 듣던 상황들에 대한 솔직하고 담백한 생각들이 조밀하게 기술되어 있다. 또 페이지 곳곳 산행과 여행을 하며 자연과 함께 살아가는 인간의 심성을 푸르고 건강하게 묘사하고 있었다.

특히 시대와 경향에 대한 논설(論說 discourse) 및 논고(論考 study)는 저자가 혹시 사회평론의 전문가가 아닌가 의구심이 들 정도로 치밀한 논리와 귀결로 읽는 내내 탄성을 자아내게 했다. 저자가 실제로 몸소 사회와 저자거리에서 일하고 겪으면서 느낀 사실들을 생각의 심연에 소금 절여 놓은 논고여서 웬만해선 설득당하거나 동의 안 할 수가 없을 것이다. 사고(思考)의 기술에 관한 알레고리(allegory)가 되고도 남는 경구와 금언들이 수두룩하다.

제3화 글과 사진 그림 편에서는 일상생활과 여행에서 얻은 주제들을 화필과 또는 컴퓨터를 이용한 디지털 그림으로 첨부하며, 단상들을 단아하게 적었다. 저자의 다감한 감성과 정서가 풍부하게 그리고 잔잔하게 오롯이 담겼다.

어느 목차 하나 읽지 않을 이유가 없는 글이어서 편집하는 내내 깊은 감동과 동감을 멈출 수가 없었다. 훗날 어느 세대 후손이 이 글을 읽는다면, 자아(自我)가 밝고 생각이 논리정연(論理整然)한 선각(先覺)의 면모(面貌)를 발견하게 될 것이다. 상상의 실현이 예견되는 즐거운 가치의 글들이다.

2024년 1월 淡友 拜上